KB007223

'한국근대문학과 중국' 자료총서 ⑩

비평 Ⅰ (1917~1929)

최창륵·조영추 엮음

역락

『'한국근대문학과 중국' 자료총서』 편찬위원회

위원장: 김병민

위　원: 이광일 최창륵 최　일 장영미 박설매 김　강

편찬자 소개

김병민 연변대학교 조선언어문학학과 교수. 문학박사.

이광일 연변대학교 조선언어문학학과 교수. 문학박사.

최창륵 남경대학교 한국어문학과 교수. 문학박사.

최　일 연변대학교 조선언어문학학과 교수. 문학박사.

장영미 연변대학교 조선어학과 교수. 문학박사.

박설매 연변대학교 조선언어문학학과 부교수. 문학박사.

김　강 연변대학교 조선언어문학학과 전임강사. 문학박사.

배　홍 연변대학교 조선언어문학학과 전임강사. 문학박사.

김은자 하얼빈이공대학교 조선어학과 전임강사. 문학박사.

조영추 연세대학교 국어국문학과 박사.

박미혜 성균관대학교 국어국문학과 박사과정 수료.

'한국근대문학과 중국' 자료총서 10

비평 I

1917~1929

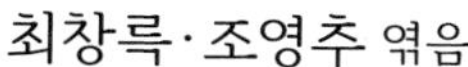

역락

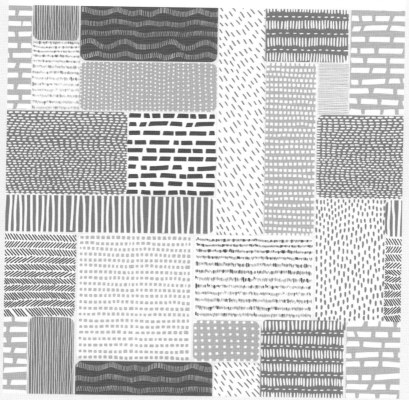

한국근대문학과 중국체험서사

— 서문을 대신하여 —

김병민

1. 중국체험의 의미

한·중 문화 교류는 수천 년의 유구한 역사를 가지고 있다. 특히 한국은 한자, 유·불·도, 각종 문물제도를 중국으로부터 수용함으로써 한(漢)문화권에 편입된 뒤 한(漢)문화를 중심으로 한 동아시아문화권의 형성과 발전에 중요한 역할을 하게 되었다. 따라서 한국문학의 발전 역시 중국문학 및 문화와 불가분의 관계에 놓이게 되었다.

한국문학의 발전에 있어서 역대 한국인들의 중국체험은 한국 한(漢)문학 전통의 확립에 결정적인 역할을 했다. 한국문인들의 중국체험은 다양한 양상을 보이고 있는바 최치원 등을 비롯한 문인들의 유학(留學)체험, 혜초, 의상 등을 비롯한 불교 문인들의 구도(求道)체험, 정도전, 허균, 김만중, 홍대용, 박지원 등을 비롯한 문인들의 사행(使行)체험 등을 들 수가 있다. 이들은 중국을 체험하는 과정에 중국의 문인들과 다양한 교류를 진행하게 되었고 한중 문학의 쌍방향적 영향관계를 밀접히 했다. 실제로 한국문학에서 굴지의 작가로 불리는 최치원, 이제현, 허균, 김만중, 박지원 등의 문학은 중국 문학 및 문화와 깊은 연관성을 보여주고 있다. 한국문인들은 중국체험을 통해 자신들의 창작을 전개해갔고 또한 창작을 통해 그들의 문화의식 즉 세계인식과 시대인식을 구축해 가기도 했다. 최치원의 한시가 『전당시』에, 이제현의 사가 『강촌총서』에 수록되었으며 김만중의 경우 중국체험과 중국문화 수용을 통해 세계적 영향을 지닌 『구운몽』을, 박지원의 경우는 사행체험을 통해 세계 기행문학의 백미로 불리는 『열하일기』를 창작했다. 최치원, 이제현, 김만중, 박지원의 문학이 세계적인 명작이 되기에 손색이 없다고 할 때, 한국문학 발전에 있어서 중국체험은 큰 의미를 가진다고 할 수 있다.

중국체험은 한국 문인들에게 시간과 공간에 대한 새로운 인식을 심어주었고 자아와 타자에 대한 새로운 인식을 불러일으키기도 했다. 예를 들어 18세기 후반기 '북학파'의 맹주들인 박지원, 박제가 등이 중국체험을 통해 전통적인 문화의식에서 탈피하여 자본시장의 형성과 과학문명에 대한 인식을 얻고 중세의 몰락과 근대의 여명을 확인한 것은 시대를 앞서나간 문화적 초월이라고 할 수 있다. 그것은 말 그대로 국가 간의 경계, 문화 간의 경계, 민족 간의 경계를 넘어설 수 있었던 탈경계 체험의 산물이라고 하겠다.

20세기를 전후하여 한국은 근대 식민지체계에 편입되기 시작하여 1910년 '한일합방'으로 일제의 식민지로 전락되고 말았다. 망국을 전후한 시기부터 중국은 한국독립투사들의 항일투쟁의 정치적 공간과 근대적 이민의 생활공간이 되기도 했다. 따라서 한국근대문학은 중국의 문학 및 문화와 더욱 밀접한 연관을 맺게 되었고 보다 더 새롭고 다양한 발전 양상을 보여주게 된다.

따라서 한국근대문학과 중국과의 관련양상에 대한 연구는 비단 한·중 근대문학교류사 연구뿐만 아니라 한국문학사 연구에 있어서도 지극히 중요한 가치가 있다고 할 수 있다. 현재까지 이에 대한 한국 학계의 연구는 대체적으로 한국근대문학의 공간적 이동이라는 시각에서 접근하여 중국에서 벌어

졌던 한국문인들의 문학을 '이민문학' 혹은 재외 한국근대문학의 범주에 두고 고찰하였다. 반대로 중국 학계에서는 중국에 이주한 한국문인들의 문학을 '조선족문학' 혹은 그 전사(前史)로 범주화하고 연구를 해왔다. 이러한 연구는 한민족문학의 연구에서 극히 중요한 작업임이 분명하며 또한 현재까지 괄목할 만한 성과를 거두었다. 하지만 한국문학의 공간적 이동으로만 접근하게 되면 인적 교류, 이론과 사상의 유동 내지는 상상력의 탈경계 등 한·중 근대문학 교류의 보다 다양한 차원의 문제들을 간과하게 된다. 한 마디로 한·중 근대문학 교류는 문학의 공간적 이동의 시각보다는 탈경계 연구(Border—crossing studies)의 시각에서 접근하는 것이 더 효율적이라고 할 수 있다. 이른바 탈경계 연구는 민족, 국가, 언어, 문화, 이데올로기 및 윤리 등의 탈경계 그리고 그 과정에서 문화적 재건, 융합 및 가치창조를 밝히는 새로운 연구 시각이다.

근대 전환기 및 근대과정에서 이루어진 한국문학의 중국과의 교류는 고금의 인류문학사에서 보기 드문 문학적 현상이었으며 일종의 '증후성(Symptomatic)'을 가진 문학적 사건이라고 할 수 있는바 다음과 같은 특징을 띠고 있다. 우선, 교류의 지속시간이 길고 방대한 양의 텍스트를 형성하였다. 다음으로 그 교류는 일방적인 영향관계가 아닌 쌍방향적인 상호작용의 관계였다. 끝으로 그 교류는 '중심'과 '주변'의 관계가 아닌 '주변'과 '주변'의 관계였다. 그중 탈경계 서사(beyond boundaries narrative)로 특징지어지는 한국근대문학의 중국체험서사는 한국문인들의 중국을 매개로 한 전통, 근대 그리고 미래와의 대화였다. 바로 이러한 의미에서 한국근대문학과 중국과의 문학·문화적 대화는 지극히 생산적인 것이었으며 근대 동아시아의 정신적 가치를 보여주는 소중한 유산이라고 할 것이다.

한국문학의 근대화 과정에서 일본을 통한 서양문학사조, 유파, 관념, 형식 등의 수용이 큰 역할을 하였음은 분명하나 식민지 출신의 한국문인들에게 있어 식민 종주국 일본이 생산적 가치를 가진 이상적인 공간이 될 수는 없었다. 오히려 비슷한 운명에 처한 중국이 생산적인 정치·문화공간이자 생존·생활공간이 될 수 있었다. 중국에 대하여 느낄 수 있었던 시대적 동질감과 유대감은 일본이 갖추지 못한 요소들이었다. 따라서 한국인들은 중국을 독립투쟁의 전장, 근대문명의 '박물관', 평등한 대화와 교류의 장소로 인식하였던 것이다. 한국근대문학과 중국과의 교류는 한국문학의 근대화 과정을 이해하는 데 있어 중요한 가치가 있을 뿐만 아니라 나아가 오늘날 한국과 주변의 관계를 이해하는 데 있어서 상당한 현실적 가치가 있다고 해야 할 것이다. 이에 『'한국근대문학과 중국' 자료총서』는 한국문인들이 중국과의 교류 과정에서 생산한 중국서사와 한국문인들에 의한 중국문학 번역과 소개 등 텍스트를 그 대표성과 중요도에 따라 선별적으로 수록하였다.

2. 저항과 항일체험서사

항일서사는 한국의 독립투사들이 중국에서의 반일활동에 근거한 탈경계 서사로서 의열단(義烈團), 한국애국단(韓國愛國團), 독립군(獨立軍), 유격대(遊擊隊), 조선의용대/의용군(朝鮮義勇隊/義勇軍), 한국청년전지공작대(韓國青年戰地工作隊), 한국광복군(韓國光复軍), 중국국민군(中國國民軍), 팔로군(八路軍), 항일연군(抗日聯軍) 등 항일부대의 활동과 밀접히 연관되어 있으며 소설, 시, 수필 등 장르를 포함하고 있다.

소설로는 중국에서 전개된 한국의 반일독립운동을 소재로 한 신채호, 최서해, 강경애, 심훈, 장지락 등의 작품이 있다. 우선 아나키즘계열의 항일투쟁을 반영한 소설로는 신채호의 「용과 용의 대격전」, 장지락의 「기묘한 무기」 등이 대표적이다. 신채호의 소설 「용과 용의 대격전」은 환상적인 구조 속에서 일제 침략자를 상징하는 미리와 한국 민중을 상징하는 드래곤 사이의 격전을 그리면서 민중의 승리를 확인하고 있다. 「꿈하늘」(1916)에서 신채호가 국민국가 상상을 보여주었다면 「용과 용의 대격전」에서는 무산민중 주체의 민족국가 상상을 보여주었다고 할 수 있다. 장지락의 소설 「기묘한 무기」는 1922년 김익상 등 한국의 반일지사들이 상하이 황포공원에서 일제 육군대장 다나카를 저격한 사건을 다룬 단편소설로 1930년 북경에서 창작된 작품이다. 이 소설에는 사회주의, 아나키즘, 인도주의 등 다양한 사상들이 혼재되어 있다. '만주'지역에서 전개되고 있던 독립투쟁을 소재로 한 소설로 최서해의 「해돋이」와 강경애의 「모자」, 「축구전」 등이 있다. 「해돋이」는 생활에 시달리다 독립운동에 투신한 주인공 만수의 형상을 통하여 '만주' 지역 한국 이주민들의 일제와 그 주구들에 대한 분노와 항거를 보여주고 있다. 강경애의 「모자」는 간도지역에서 벌어진 항일유격투쟁을 배경으로 하면서 희생된 남편의 못 이룬 뜻을 어린 아들로 하여금 이어가게 하겠다는 한 어머니의 불굴의 의지를 보여주고 있고 「축구전」은 일제의 주구들이 조직한 축구경기에 참가하여 경기는 졌지만 민중들에게 반일정신이 살아있음을 보여준 진보적인 한국 이주민 중학생들을 그리고 있다.

반일투쟁 승리의 강력한 의지를 표출한 시작품으로는 신채호의 「매암의 노래」, 이육사의 「청포도」, 김창숙의 「넋이여 돌아오라」, 이두산의 「당신은 의용의 전사래요」, 문정진의 「4명의 열사를 추모하여」 등을 들 수 있다. 이두산의 시 「당신은 의용의 전사래요」는 중국에서 활약하고 있는 항일부대 '조선의용대'의 영용한 모습과 필승의 신념을 노래하면서 항전의 승리와 조국 귀환의 절절한 정감을 읊고 있다. 김창숙의 시 「넋이여 돌아오라」는 중국

하르빈에서 독립운동을 지도하다 일경에 체포되어 옥사한 독립투사 김동삼을 기린 시로 일제에 대한 불타는 적개심과 구국의 염원을 노래했다. “신계(神溪)는 목 메이고/ 한수(漢水)는 슬픈데/ 한 치의 묻을 땅이 없어/ 다비(荼毘)에 부치더니/ 아, 나라 찾을 그날/ 다가오리니/ 넋이여 돌아오라/ 주저치 말고”라고 하면서 전편에 걸쳐 혁명동지에 대한 뜨거운 애도 그리고 원수격멸의 의지를 그려내고 있다.

이밖에 항일투쟁의 제일선에서 싸운 군인들의 실기, 수필 등은 실제적인 체험을 기록했다는 의미에서 상당한 가치를 가진다. 예를 들면 ‘조선의용대’ 대원들이 창작한 「전선에서의 조선의용대」, 「중국 전장에서의 조선의용대」, 「화평촌통신」 등은 항일전장에서 조선인 대원들의 대적 무장선전, 중국 항일부대와의 협동작전, 민중교육 등 상황을 그려내고 있는바 한국 근대 독립투쟁의 역사와 한중관계를 조명함에 있어서도 중요한 가치를 가진다고 할 수 있다. 중국에서 전개된 한국인들의 독립투쟁을 반영한 작품 『청산리 혈전실기』, 「조선혁명일사」 등과 신채호의 수필 「단아잡감록」, 「조선의 지사」, 이두산의 연작수필 「억(憶)」(「산중 40일」, 「중국 항전에 참가하다」 등 11편) 등 작품들은 중국에서 한국 독립지사들의 투쟁과 생활 그리고 그들의 정신적 궤적을 반영하고 있다는 의미에서 높은 문학적 가치를 가진다고 할 수 있다.

3. 정착과 이민서사

한국근대문학의 탈경계 서사에서 가장 많은 비중을 점하는 작품은 한국 이주민들이 중국에서의 생존체험을 소재로 한 이민서사로 그 주제적 경향에 있어서도 다양성을 보이고 있다.

우선, 한국 이주민과 중국인들과의 갈등은 이민서사에서 가장 많이 보이는 소재이다. 토지의 주인인 중국인들은 '지주'의 신분으로 등장하여 민족·계급이라는 이중적인 갈등구조를 이룬다. 최서해의 소설 「홍염」, 강경애의 소설 『소금』 등이 대표적이다. 「홍염」의 중국인 지주 '은 서방', 『소금』의 중국인 '팡둥'은 토지의 주인이라는 절대적 우위를 이용하여 한국 이주민들을 억압하고 있고 극한적인 생존환경에 처한 한국인 이주민들의 자연발생적인 항거가 계급적 인식으로 나아가게 된다. 이런 의미에서 중국으로의 이주는 한국작가들로 하여금 계급적 대립에 의한 억압의 보편성을 확인할 수 있게 하였고 나아가 현실 인식에 대한 깊이와 정확도를 획득할 수 있게 하였다.

다음으로, 중국에서 새로운 삶의 터전을 건설하려는 정착의식을 그린 작품들이 많이 있다. 안수길의 「벼」, 「북향보」 등과 현경준의 「선구시대」, 이기영의 『대지의 아들』, 『처녀지』 등 소설이 대표적이다. 안수길의 「북향보(北鄕譜)」는 주인공 정학도를 비롯한 이주민들이 어려운 여건 속에서 '북향농장'을 운영하는 과정을 통해 '만주'에 뿌리를 내려야 한다는 정착의식 혹은 지역의식(locality)을 상징적으로 보여주고 있다.

하지만 '만주'의 실질적인 지배자가 일제였기 때문에 '만주'를 향한 정착의식은 '상상적인 탈식민'으로 흐르게 되고 자칫하면 '만주'에서의 일제의 식민주의 담론에 포섭되게 된다. 마약중독자들을 '만주국' 건설에 필요한 인재로 '갱생'시키는 과정을 그린 현경준의 「유맹」, '내부 식민주의'적인 시각에서 원시적인 초원에 사는 몽고인들을 '개량' 하는 주인공의 노력을 그린 한찬숙의 「초원」 등이 대표적이다. 이러한 정착의식은 일제에 대한 철저한 순응으로 타락하는 경우도 있어 박영준의 「밀림의 여인」과 같은 노골적인 친일문학작품을 낳기도 했다. 그럼에도 이러한 작품들은 '태평양전쟁' 이후 일제의 전시총동원체제 등 특수한 시대적 상황 속에서 한국문학의 현실대

응의 다양한 예시를 보여준다는 점에서는 상당한 가치가 있다.

중국 도시에서의 한국 이주민들의 삶을 그린 작품으로는 주요섭의 「봉천역식당」, 김광주의 「북평서 온 영감」, 「남경로의 창공」 등 소설이 있다. 주요섭의 「봉천역식당」은 화자가 봉천역 식당에서 우연하게 만난 한 한국 여인의 10년간의 변화를 그리고 있다. 처음 만났을 때 이 여인은 행복이 넘쳐흐르던 처녀였으나 점차 남성의 노리개로 전락하여, 나중에는 우울한 모습으로 목석처럼 변해버리고 만 비참한 운명을 그리고 있다. 김광주의 「북평서 온 영감」은 살 길을 찾아 '만주'와 북경 등지를 전전하다가 상하이에 온 한국 이주민의 정신적 소외를 보여준 작품으로서 식민주의와 봉건주의의 이중적 억압 하에 놓인 한국 이주민의 삶을 그리고 있다.

한국 시인들의 중국체험도 주목되는 바이다. 백석, 유치환, 이용악, 서정주 등은 중국체험을 통해 상상력의 확장, 이미지의 다양화 나아가 민족적, 시대적 인식의 전환을 이루게 되었다. 백석은 「조당(澡堂)에서」란 시에서 목욕탕의 벌거벗은 중국인들을 보면서 이방인인 '나'와 중국인들 사이의 역사와 문화, 언어와 몸짓, 그리고 표정 등의 차이를 느끼다가 인간은 결국 벌거벗은 우스운 몸에 지나지 않는다는 초월적 인식에 이르고 있다. 서정주는 취직을 위해 8~9개월 간 중국에 있었던 체험을 바탕으로 "저 만치의 쑥대밭 언덕에서는/ 역시나 때 절은 靑衣의 한 滿洲國 아줌마가/ 누구의 것인가 새 棺널 하나를 앞에 놓고/ <끅! 끅! 끄르륵……/ 끅! 끅! 끄르륵……>/ 꼭 그런 소리로 울고 있었다./ 우리 단군할아버님의 아내가 되신/ 그 잘 참으신 암곰님처럼/ 씬 쑥과 매운 마늘 많이 자신 소리 같었다."(「만주제국 국자가(局子街)의 1940년 가을」) 등 살아서 숨 쉬는 이국 이미지를 창조했다. 또 이용악은 중국 '만주'에서 목격한 망국노의 슬픈 모습을 "울 듯 울 듯 울지 않는 전라도 가시내야/ 두어 마디 너의 사투리로 때 아닌 봄을 불러줄게/ 손때 수집은 분홍

댕기 휘 휘 날리며/ 잠깐 너의 나라로 돌아가거라."(「전라도 가시내」)와 같은 주옥같은 시구에 담아내고 있다. 그런가 하면 유치환은 중국체험을 바탕으로 대체로 여성적인 한국 근대 시단에서 「생명의 서」, 「바위」와 같이 단연 돋보이는 역동적인 시를 써낼 수 있었다.

4. 타자와 중국서사

한국문인들의 중국체험은 중국과 중국인을 소재로 한 다양한 문학작품들의 출현을 가능토록 하였다. 이러한 작품은 중국에서의 전통문화체험을 통한 동양문화의 가치에 대한 재인식, 자본주의적 근대체험을 통한 서양적 가치에 대한 비판, 반식민지 반봉건 사회체험을 통한 현실사회의 부조리에 대한 비판, 항일투쟁체험을 통한 한·중 연대의식 등 다양한 주제를 표현하고 있다.

우선, 전통문화체험을 통한 동양적 가치의 재발견을 보여준 작품으로는 정래동의 수필집 『북경시대』, 한설야의 수필 「연경의 여름」 등과 주요섭의 소설 「진화」, 「죽마지우」 등을 들 수가 있다. 정래동과 한설야 등은 수필창작을 통하여 중국 전통문화의 거대한 힘에 대하여 예찬하였고 주요섭은 소설 「진화」에서 중국문화의 전통성을 인정하면서 동양의 정신적 가치를 발견하려고 했으며 소설 「죽마지우」에서는 북경을 자신의 정신적 고향으로 묘사하는 등 다원적인 문화정체성을 보이기도 했다.

다음으로, 반식민지 반봉건 사회체험을 통한 현실비판을 보여준 작품으로 심훈, 피천득, 박세형 등의 시편들과 최독견의 「벌금」, 주요섭의 「살인」, 「인력거꾼」, 강노향의 「상해야화」 등 소설 작품들을 들 수가 있다. 심훈은 시

「북경의 걸인」에서 걸인의 형상을 통해 하층민에 대한 동정을 보여준 동시에 동등한 운명에 놓인 자기 민족의 고통도 하소연하고 있다. 피천득의 시 「1930년 상해」는 옷을 전당 잡혀 먹을거리를 사야 하는 현실과 곧 팔려갈 어린 생명을 시적 대상으로, 하층민들의 비참한 생활에 대해 공소하였고 박세영의 시 「북해와 매산」은 군벌혼전으로 피폐해진 북경의 암울한 현실을 비판하였다.

이와 더불어, 최독견과 주요섭은 소설 창작을 통해 제국주의 침략과 문화 헤게모니로 하여 식민지화된 상하이 도시문명의 가치결손에 대하여 비판함과 동시에 하층민들의 소외를 적나라하게 폭로하고 있다. 이러한 소설들은 참신한 시각과 심각한 문제의식을 보여주고 있는바, 최독견은 소설 「벌금」에서 중국옷을 입고는 공원으로 들어갈 수가 없는 현실과 서양 여인이 개에게 먹이던 빵조각을 고맙다고 받는 중국인 여성을 통해 굴욕적으로 살아가야 했던 하층민에게 연민의 정을 보이고 있으며 중국의 반식민지 사회현실을 신랄하게 비판하고 있다. 또한 강노향은 소설 「상해야화」에서는 조계지 프랑스인 집에서 노예살이를 하는 중국인과 프랑스 여인의 부정당한 관계 등을 통해 서양의 가치결손과 식민지 조계지에서의 남성의 소외 내지는 타락을 보여주기도 했다. 한편, 주요섭은 소설 「살인」에서 도시 최하층 기생인 우뽀의 형상을 통해 버림받고 소외당한 하층민들의 운명을 보여주면서 그들의 각성을 촉구하기도 했다. 작가의 다른 한 소설인 「인력거꾼」 역시 자본주의 문명이 최하층 인간에게 들씌운 불행에 대하여 묘사하고 있다.

이처럼 상기 다양한 소설작품들은 근대 도시인 상하이를 배경으로 그 속에서 살아가는 하층민들의 불행한 운명, 특히는 생존권을 박탈당하고 소외되어가는 인물들을 통해 식민주의의 죄행을 공소하고 있다. 물론 이러한 문제의식은 한국문인들의 중국에서의 근대적 도시체험에서 얻어진 것이라 해야 할 것이다.

또한, 유자명, 이두석, 이관용, 문일평, 이광수, 최남선, 주요섭, 김광주, 정래동, 강경애 등 쟁쟁한 한국문인들의 수백 편의 기행문들에서는 중국체험과 시대인식이 다양하게 보이고 있다. 즉 이러한 기행문은 중국전통문화와 서양문명에 대한 새로운 인식, 시국에 대한 인식과 비판, 망국 국민으로서의 애환, 민족에 대한 뜨거운 사랑, 민족독립에 대한 열망 등으로 일관되어 있다. 특히 이러한 기행문들은 근대 중국사회를 인식하는 역외시각(域外視角)으로서 귀중한 문헌적 가치가 돋보이는 바이다.

5. 가치 수용으로서의 번역과 비평

한국근대문학과 중국의 관련 양상은 중국근대문학에 대한 번역과 비평에서도 잘 드러나고 있다. 한국에서의 중국근대문학작품에 대한 번역은 주로 양건식, 정래동, 유수인, 이육사, 김광주 등 중국 유학경력이 있는 문인들에 의해 전개되었다. 소설로는 루쉰의 「아Q정전」, 「광인일기」, 「고향」, 궈모뤄(郭沫若)의 「목양애화(牧羊哀話)」, 딩링(丁玲)의 「떠나간 후」, 위다푸(郁達夫)의 「피와 눈물」, 린위탕(林語堂)의 「북경호일」, 샤오쥔의 「사랑하는 까닭에」 등이 있으며, 시작품으로는 후스(胡適)의 「등산」, 「11월 24일 밤」, 궈모뤄(郭沫若)의 「봄 맞은 여신의 노래」, 「죽음의 유혹」, 쉬즈모(徐志摩)의 「가거라」, 「우연」, 주즈칭(朱子淸)의 「잠자라, 작은 사람아」, 저우쭤런(周作人)의 「소하」 등이 있으며, 연극으로는 궈모뤄(郭沫若)의 「탁문군 삼경」, 톈한(田漢)의 「상상의 비극」, 어우양위첸(歐陽予倩)의 「반금련」 등이 있다. 그 외에도 루쉰 등의 산문이 번역 소개되었다.

이외, 중국근대문학과 관련된 비평으로는 양건식의 「호적 씨를 중심으로 한 중국의 문학혁명」(1920, 번역문), 김태준의 「문학혁명 후의 중국문예관」(1930), 정래동의 「중국 양대 문학단체 개관」(1931, 번역문), 「노신과 그의 작품」(1931), 「중국문단의 신작가 파금의 창작태도」(1933), 김광주의 「중국 좌익문예운동의 과거와 현재」(1931), 이육사의 「노신 추도문」(1936) 등이 있다.

이러한 중국근대문학 작품의 번역과 비평을 통해 한국 근대 문인들의 중국문학에 대한 인식과 수용 자세, 한국 근대에 있어서의 중국의 사회사상과 미학사상이 미친 영향, 나아가서 한국 근대 문학번역사와 문체의 변천과정도 이해할 수가 있다. 주지하다시피, 한국 근대 문인들은 대부분 일본을 통해 서구문학을 수용하였고 또한 서구문학에 대한 번역과 소개도 적지 않게 진행한 바이다. 그럼에도 프로문학 등 특수한 영역을 제외하고는 한국 근대 문단에서 일본문학이 별로 번역·소개되지 않았음은 주목이 필요한 대목이다. 이에는 식민지시기라는 특수한 시대적 상황 속에서 형성된 이질감과 거부감이 작용했을 것이다. 이러한 점을 염두에 둘 때 한국에서의 중국 근대문학의 전파와 수용은 근대 한국 문인들이 중국 근대작가들과 함께 20세기의 동아시아적 가치를 창출하고 공유하고자 한 시대의식과 무관하지 않을 것이다. 바로 이런 의미에서 중국근대문학에 대한 번역·소개와 비평은 한국근대문학과 중국근대문학, 나아가 중국과의 관련을 해명하는 데 불가결한 중요한 영역이기도 하다.

6. 편찬 동기와 총서의 구성

일찍 2014년 연변대학 통문화센터에서는 중국어로 된 『'중국현대문학과 한국' 자료총서』(1~10권)를 간행한바 있다. 베이징에서 열린 이 총서의 출판기념 좌담회에서 중국의 근대문학 연구자들은 필자에게 『'한국근대문학과 중국' 자료총서』를 편찬할 것을 제안한 바가 있다. 이에 상기 자료집 편찬의 중요성과 절박성을 깊이 인식하게 된 나머지 편찬위원회를 묶어 총서의 편찬사업을 시작했다. 한국근대문학과 중국 관련 자료는 이미 적지 않은 자료집에서 수록되기도 한 바이다. 예하면 연변대학 문학연구소에서 편찬한 『중국조선족문학대계』, 북경민족출판사에서 편찬한 『중국조선족 문학유산 정리편찬』 등에 수록된 적지 않은 작품들은 편찬자 나름의 시각에 따라 중국조선족문학의 출발점으로 인식되어 중국 조선족문학 권역에 귀속시켰지만, 한국근대문학사에 있어서도 중요한 작가와 작품들이다. 물론 상기 자료집들은 한국근대문학과 중국 관련 연구를 위해 정리된 자료 총서가 아니며 한국근대문학과 중국과의 관련 양상을 살피기에는 전체적이지 못함도 짚고 넘어가야 할 것이다.

한국근대문학과 중국 관련 연구는 1990년대부터 학계의 주목을 받기 시작하여 적지 않은 연구 성과를 내고 있다. 그럼에도 아직까지 중요한 자료들에 대한 발굴과 정리가 진일보 요청되고 있으며 일부 연구들은 충분한 자료적 검토가 확실하지 못한 점도 없지 않다. 이러한 상황은 한국근대문학과 중국 관련양상의 전반적 검토와 연구의 심화에 장애로 작용하고 있으며, 이에 본 자료집은 그에 대한 극복을 목적으로 하고 있다.

『'한국근대문학과 중국' 자료총서』는 편찬 의도를 구현하기 위해 작품 선정에서 첫째로, 한국근대작가들의 중국체험을 바탕으로 중국의 시간과 공간에서 벌어진 인물과 사건들이어야 하며, 둘째로, 중국인들의 생활 혹은 중국에서의 한국인들의 생활을 소재로 해야 하며, 셋째로, 중국체험을 기반으로 하는 동서양 관련 문화인식을 다룬 작품도 가능하다는 원칙을 지키고자 했다. 한편, 편찬과정에서 적지 않은 애로에도 봉착하였는바, 일부 작품들은 당시의 중국 경내에서 꾸려진 신문, 잡지들에 발표되었으나 신문과 잡지의 보존상태가 완전치 못하여 그 전모를 알 수가 없으며, 아울러 신문, 잡지의 경우 여러 곳의 도서관과 서류관에 분산되어 있었다. 또한 일부 작품들은 유고로서 분실된 것도 있었기 때문에 편집자들은 이러한 난제를 풀기 위해 국내외 도서관들을 찾아다녀야 했고 따라서 관련 인사들을 찾아 방문하기도 해야 했다. 비록 편찬자들이 많은 노력과 심혈을 기울였지만 아직 미비한 점이 적지 않다.

본 총서는 총 16권으로서 창작편 11권(소설 4권, 시 3권, 기행문 2권, 정론·실기·수필·희곡 2권)과 비평집 5권이다. 편집과정에서 편찬자는 발표 당시의 원본 형태를 그대로 보여주기에 노력을 경주하였으며, 섣불리 개정이나 첨삭을 시도하지 않았다.

본 총서는 편찬과정에서 국내외 많은 한·중 문학관계를 연구하는 전문가들의 열정적인 관심과 도움을 받았으며 특히 국내외 도서관, 서류관의 지지와 성원을 받은 바 있다. 총서의 편집에 도움을 주신 모든 이들에게 진심으로 되는 감사를 드리는 바이다. 앞으로 본 총서가 한·중 문학관계 연구자들과 독자들에게 도움이 되기를 진심으로 바라며, 미진한 점에 대해 전문가들과 독자들의 기탄없는 비평을 기대하는 바이다.

2020년 2월 1일

차례

1922년

1923년

1924년

1925년

1929년

일러두기

1. 본 총서는 1919년 중국의 '5·4운동' 전후시기부터 시작하여 1948년 남북한 단독정부 수립에 이르기까지 중국인 및 중국에서의 체험을 소재로 창작한 문학작품 중 문헌적, 문학적 가치가 높은 작품들을 수록하였다.
2. 본 총서는 총 16권으로 구성되었는바 소설(1~4권), 시(5~7권), 기행문(8-9권), 평론(10-14권), 정론·실기·수필·희곡(15-16권)으로 나누었다.
3. 초간본을 저본으로 하여 원본의 표기를 최대한 보류하는 것을 원칙으로 하였으나 일부 초간본을 확인할 수 없는 작품의 경우 초간본에 가장 가까운 판본을 수록하였다.
4. 독자들의 읽기와 이해를 돕기 위하여 표기법은 아래와 같은 원칙을 적용하였다.
   - 근대 모음을 현대 모음으로 바꿨다.

     예: ·→ㅏ
   - 근대 겹자음을 현대 겹자음으로 바꿨다.

     예: ㅺ→ㄲ, ㅽ→ㅃ
   - 띄어쓰기는 현행 한국어 표기법의 기준을 따랐다.
   - 소설의 경우 문장부호를 현행 한국어 표기법의 문장부호로 통일하였다. 대화는 " ", 간행물과 단행본의 명칭은 『』, 기사와 작품의 명칭은 「 」, 음악작품의 제목은 < >, 연극작품은 ≪ ≫로 통일하였고, 명확하지 않으면 《 》를 사용하였다.
   - 기행문, 평론, 수필, 정론, 시가, 희곡의 경우 원본의 문장부호를 보류하였다.
   - 원본에서 판독이 불가한 문자는 □로 표시하고 판독 불가한 문자가 1행 이상일 경우에는 주해에 "이하 × 자 판독 불가"를 밝혔다.
   - 원본의 오탈자, 오식은 보류하고 해석이 필요한 경우에는 주해에 "편자 주"를 밝혔다.

     예: 1) "淅江"은 "浙江"의 오식 — 편자 주
5. 외래어는 원본의 표기를 보류하였다.
6. 인명, 지명 등 고유명사는 원본의 표기를 보류하였다.
7. 한자는 원본의 표기를 보류하였다.
8. 잘못된 인명, 작품명, 신문·잡지명 등과 한자들을 중국어 원문과 대조해 바로잡았다.

1917년

支那의 小說 及 戲曲에 就하야[01]

菊如 梁建植 述

(一)[02]

「施耐庵의 水滸와 王實甫의 西廂을 世人이 皆 戲文, 小說노 看하나 金聖歎이 獨히 其名을 標하야 五才子書, 六才子書라 云함은 其 意가 何也오. 盖天下의 其 道를 小視하야 古今來의 絶大 文章됨을 不知함에 憤하야 故히 此等 驚人의 語를 作하야써 其 目을 標함이라. 噫라, 實노 知言이로다.」함은 져 淸朝의 名家 李笠翁(漁)의 痛言이라. 噫라, 그 本土인 支那도 尙然커던 況 我朝鮮이리오.

朝鮮에셔 從來 儒家者流가 漢文學의 髓를 極코져 修得한 것은 載籍으로는 十三經 廿一史, 詩賦文章으로는 漢魏唐宋에 不出하고 降하야 稗史小說이라 戲曲 傳奇에 至하야는 硏究를 殆히 等閑에 付하얏도다. 否라, 絶對로 不爲하얏슴으로 朝鮮文學에 貢獻이 別無하얏슬뿐 안이라 反히 彼 耳食의 徒까지 此를 輕侮하야 拒之斥之하얏도다.

大抵 外國文學을 硏究하는 目的은 自國文學의 發達에 資코져 함이니 져

01 『每日申報』 1917.11.6.~11.9, 1면.

02 매회 연재분 표기로서 4회에 걸쳐 연재되었다.

支那文學은 朝鮮에 輸入된지 三千餘年 以來에 大한 影響을 及하야 深한 根底를 有한 故로 支那文學을 不解하면 我文學의 一半을 解키 不能하다 하야도 不可치 안케 되얏거던 況 支那文學은 一種의 特性을 備하야 世界의 文壇에 異彩를 放함이리오.

支那는 東洋文化의 源泉이라 그 思想은 鬱然磅礴하고 그 詞華는 粲然煥發하니 그 北方의 沈欝樸茂와 南方의 横逸幽艶은 合하야는 雄渾壯大한 一種의 支那文學을 成하고 散하야는 朝鮮에 及하고 日本에 浸漸한지라 그 詩 三百篇으로브터 秦漢의 高古로 六朝의 豊艶에 及하야 唐詩, 宋文과 元 以後에 小說戲曲이 되얏스니 上下 四千載에 興亡 八十餘朝를 通하야 그 富贍한 文學은 滾々然 不絶하야 文星의 多함은 他의 比肩이 無하니 엇지 盛타 안이하리오.

支那文學의 豊富하고 그 浩瀚함이 如斯한지라 余와 如한 書生輩로는 그 全豹를 窺하기는 到底히 夢想에도 不得할 事오, 또 此에 關하야는 古來도 各專門 大方家가 自有하거니와 져 小說 戲曲에 至하야는 于今 着手한 人이 無하니 實노 奇怪한 事라 可謂하겟도다. 余── 曾히 支那文學의 一部 即 小說戲曲에 對하야 窃히 此가 文學으로 價値가 有함을 信하고 大膽히 多少 研究에 有意하나 無奈 學淺駑鈍한 一個 無能力한 書生이라 엇지 能히 小成인들 望하리오. 但히 一趣味的 消遣法에 止할뿐이로다.

盖 支那의 小說 戲曲은 元代브터 비로소 萬紫千紅의 花를 開하야 盛觀을 極하얏나니 져 李漁의 言과 如히 漢史, 唐詩, 宋文, 元曲은 各 그 時代의 特色으로 世人 口頭의 語어니와 元時에 若 詞曲을 崇尙하야 琵琶, 西廂 以及 元八百種의 諸書와 水滸傳을 得하야 後世에 傳치 안이하얏던들 即 當日의 元도 亦 五代金遼와 共히 그 泯滅하얏슬지니 엇지 能히 져 三朝의 驥尾에 附하야 學士文人의 齒頰에 掛하얏스리오. 是即 元代는 小說 戲曲으로 因하야 支那文學史는 玆에 一 異彩를 添한 所以라, 於斯에 余는 暫히 玆에 支那 民族性

의 反響인 그 小說 及 戱曲(內容 及 逸事는 略)에 就하야 元, 明, 淸 三朝에 亘하야 譾陋함을 不顧하고 史的으로 說述코져 하노라.

(二)

져 宋末 纖弱한 風潮는 儒에 依하야 鎔鑄된 思想을 破하고 小說 戱曲을 興起하얏스니 支那文學을 硏究코져 하는 者——大히 注意할배라. 然하나 尙히 그 領分을 脫함은 안이라. 元來 周末에 莊子의 寓言과 漢初에 方士, 虞初의 小說 九百 及 稗史와 如한 것이 有하고 漢魏의 間에 「穆天子傳」, 「飛燕外傳」 等이 有하며 그 後에 裵鉶의 集傳인 五朝小說에 「紅線傳」, 「崑崙奴傳」 等이 有하나 皆 一種의 史傳文으로 아즉 小說 戱曲의 名을 附치 못하겟고 오즉 唐의 張文成이 作한 遊仙窟이 有하니 此書는 比較的 短篇으로 神仙에 託하야 戀愛의 美妙를 叙述한 것이라 그 文章이 雄深艶絶할뿐 안이라 巧히 人情의 奧妙를 穿하야 毫도 餘蘊이 無한 出色의 作이오. 同時에 元微之의 作 「會眞記」의 短篇이 有하고 其外에는 可觀者 無하며 다만 宋末에 「宣和遺事」 等의 譚詞小說을 出하야 遂히 元代에 施耐庵의 「水滸傳」을 産하얏스니 首尾一貫히 卅六個의 人物을 그 中에 描寫活動케 하야 文辭 甚히 雄渾爽快한 社會小說노 稀世의 名作이오. 此外에 羅貫中의 作한바 「三國誌」의 大作이 有하나 平凡하야 特色이 無하고 戱曲으로는 王實甫의 名作 「西廂記」가 有하니 此書는 上記한 唐 元微之의 「會眞記」에셔 取하야 全篇 四套 十六折노 成하야 豊艶한 詞采로 才子佳人의 情話를 寫한 것이라 能히 美文의 秀를 發揚한 것이오. 또 高東嘉(名은 則誠)의 「琵琶記」가 有하니 此는 孝子賢妻의 難事를 叙하야 結構 錯綜하고 文辭 幽艶하야 全히 性情을 描寫한 것이라 今에 斯學의 大家

가 此 二書를 評함은 觀하건대 「西廂」은 北曲 即 雜劇으로 織麗하야 歌舞에 宜하고 「琵琶」는 南曲 即 傳奇로 清雋하야 音樂에 適한 것이라 하니 此로써 南人 北人의 性質의 異함을 證하기 足하도다. 以上 元代의 四大奇書의 外에 明의 藏晋叔이 校刻한 「元曲選」에 收在한 一百種(書名 略)의 名作이 皆 此時에 出한 것이니 그 元代의 戯曲은 小說보다 非常히 勃興되얏슴을 可知하겟고 降하야 明代에 至하야는 丘處機가 作한 「西遊記」가 有하니 此書는 巧妙한 比喩로써 奇談怪譚이 百回에 亘하는 書로 唐僧 玄裝三藏이 西域 諸國에 遊行하야 求經한 事蹟을 依據하야 吾人의 性情을 寫하야써 解脫의 方便을 說하고 佛教의 理致를 釋하야 無慮 千萬의 惡魔를 擊退하고 妙覺의 極致에 達하는 狀態를 描하야 字々가 皆 躍動하는 宗教小說의 名作이오. 또 王元美가 作한 「金瓶梅」가 有하니 人生 內面의 錯綜한 情話를 冷熱에 托하야 巧히 佳麗한 文으로 叙한 寫實小說의 大作이나 全篇이 猥褻하야 堪讀키 正難하니 當時에 如此한 것이 頻々히 流行되든 그 淫風을 可窺하겟고 戯曲으로는 閱世道人이 輯한 汲古閣 六十種 中에 名作이 多有하고 其 時 名作家로난 沈靑門, 陳大聲 等 諸人이 有하나 져 曲聖이라 稱하는 湯臨川(名은 若士)을 第一人으로 推하나 玉茗堂에셔 執筆한지 十餘年에 「牡丹亭還魂記」, 「邯鄲夢」, 「南柯記」 及 「紫釵記」의 四書를 作하니 그 文章에 根底가 有하야 詞曲이 甚히 秀麗하도다. 「牡丹亭還魂記」는 佳人才子의 奇遇를, 「邯鄲夢」은 邯鄲夢枕의 口傳을, 「南柯記」는 蟻國의 遊歷을, 「紫釵記」는 俠者의 義擧를 各々 夢想에 託하야 描寫한 것이나 그 脚色과 文華가 共히 秀絶한 것은 此를 「牡丹亭還魂記」에 觀할지니 此書는 千古의 絶調로 稱하야 그 結構 詞采는 遙히 群作家를 凌하는 것이라 臨川 自身도 一生의 四夢에 得意處는 오직 壯丹[03]에 在하다 自負

03 '牡丹'의 오식이다.

하얏스니 盖 湯若士는 政治家로셔 또 文章家로 顚墜하얏는 故로 飄然隱退하야 全혀 力을 此에 注하고 意를 是에 寓한 者라 遂히 燦爛이 如此한 詞曲을 出하야써 支那文學에 特種異樣한 光華를 添케 하얏도다.

小說 戱曲은 또한 淸朝에셔 一進化하얏스니 小說노는 曹雪芹의 「紅樓夢」과 戱曲으로는 李笠翁의 「十種曲」이며 洪昉思의 「長生殿傳奇」와 孔云亭의 「桃花扇傳奇」며 蔣藏園의 「紅雪樓九種曲」 等을 産出하얏도다.

「紅樓夢」은 一百二十回의 大作으로 二百三十五人의 男子와 二百十三人의 女子를 錯交하야 賈寶玉 及 金陵十二釵의 情話를 經으로 하고 榮國, 寧國 二府의 盛衰를 緯로한 名作이니 結構가 廣大하고 局面이 紛糾하야 能히 精緻한 觀察노써 幽艶淸麗한 文을 成하야 遙히 져 水滸傳의 雄壯과 相對하얏도다.

(三)

笠翁의 「十種曲」은 風箏誤, 蜃中樓, 鳳求凰, 意中緣, 比目魚, 玉搔頭, 愼鸞交, 巧團圓, 奈何天, 憐香伴의 十傳奇라 自謂 「擧世盡成彌勒佛」이라 하니 盖 消愁成喜코져 함이라. 그 詞曲은 平易淸新하고 結搆는 最히 注力하야 能히 □子에 一頭地를 超出하얏고 또 短篇小說을 集한 「十二樓全傳(一名 覺世名言)」(合影樓, 奪錦樓, 三與樓, 夏宜樓, 歸正樓, 萃雅樓, 拂雲樓, 十卺樓, 鶴歸樓, 奉先樓, 生我樓(巧團圓傳奇의 粉本), 聞過樓)이라는 少則 一回 多則 六回의 出色의 作이 有하며 詩文을 集한 「一家言」 中에 戱曲論을 載한 「閒情偶奇」 收在하고 同時에 蔣藏園의 「紅雪樓九種曲」(香祖樓, 空谷香, 桂林霜, 一片石, 第二碑, 臨川夢, 雪中人, 冬青樹, 四弦秋)이 有하니 皆 古事에 依하야 感慨를 叙한 것이오. 孔云亭의 「桃花扇傳奇」에 至하야는 實노 淸朝 戱曲 中에 新生面을 開한 大名作으로 明末淸初의 名士인 候方域에 配함에 秦淮의 名妓 香君으로써 하야 明末 滅亡의 事情을 記

述한 것이니 即 實錄으로 詞曲의 絶妙함이 져 「西廂」「牡丹亭」 等과 互相 騈馳하얏고 또 洪昉思의 「長生殿傳音[04]」, 또 彩筆노써 楊太眞의 事蹟을 叙한 것이니 그 詞采가 秀麗하야 此 「桃花扇」과 共히 非常한 喝采를 受한 것이라 져 白居易의 長恨歌가 傳함이 已久하야 元代에 至하야는 白仁甫가 此를 粉本으로 「梧桐雨」라는 戱曲을 作하얏고 그 後 明에 至하야 屠赤水의 「綵毫記」와 及 無名氏의 作 「驚鴻記」가 出하고 淸에 入하야 □가 出한 것이니 共히 當代에 大히 歡迎된 것이라.

以上은 그 代表作에 就하야 言함이오. 此外에도 小說에 「鏡花緣」, 「綉榻野史」, 「儒林外史」, 「肉蒲團」, 「花月痕」, 「品花寶鑑」, 「兒女英雄傳」, 「野叟暴言」 等과 戱曲에 「燕子箋」, 「春燈謎」, 「秣陵春」, 「鈞天樂」, 「西樓記」, 「吟風閣曲本」, 「夏惺齋六種」 等 可觀할 有數의 諸作이 有하거니와 今에 支那의 小說과 戱曲을 全體에 亘하야 그 特質을 通觀하면 그 第一 旨義가 諷規의 色彩를 帶한 勸善懲惡, 啓蒙敎導 八字에 不出하도다. 져 實際的 傾向을 有하며 儒敎的 德義에 繫縛된 禹域의 小說 及 戱曲이 自然히 此 傾向이 有함은 免치 못할 事이나 此의 餘勢에 傾倒되야 支那에는 悲劇의 沈痛한 것을 見키 不能하고 多分히 다 喜劇이라 大破裂이 無하고 慘絶悲絶이 無하야 그 終은 即 大團圓으로 散者必聚하고 離者必合하나니 牡丹亭還魂記는 그 奇想이 天落이라 可謂하겟스나 그 結함에 「風流況, 施刑正苦, 報中狀元郞」이라 하야 佳人은 才子에 配하야 觀者는 遺憾이 無하고 小說도 二三種을 除한 外에는 滔々皆然하니 아모리 悲喜가 人生의 兩面이라 할지라도 依例히 作中의 男主人公은 是 才子며 女主人公은 必히 佳人으로 皆 悲劇으로 始하야 喜劇으로 終케 함은 作者의 技倆이 너모 平凡하다 可謂하겟도다. 上述에 已見한 李笠翁은 支那

---

04 '長生殿傳記'의 잘못으로 보인다.

에 有名한 作家라 그 作物에 云호□

傳奇原爲消愁設, 費盡枕頭歌一闋,
何事將錢買哭聲, 反會變喜成悲咽,
惟我塡詞不賣愁, 一夫不笑是吾憂,
擧世盡成彌勒佛, 度人禿筆始堪投.

라 하얏스니 此가 一般 諸 作家의 創作的 態度를 代表한 言이라. 故로 彼의 作한 十種曲, 十二樓는 皆可慶可賀할事로써 그 終을 結하얏고 져 戱曲 中에 桃花扇傳奇가 悲劇안임은 안이로대 그 終을 結함에 遂히 山中에 入하야 仙이 되얏스며 다만 져 西廂記의 驚夢一折이 有하야 離而不合하고 散而不聚하야 實노 出色의 作이나 然하나 西廂은 是──單純한 情話라 彼 人生의 行路難을 唱하며 人世의 辛酸과 義理와 人情이며 境遇의 動機에 因하야 終에 大破裂에 至하는 悲劇과는 不同하니 這般 悲劇은 支那에는 此가 無하도다.

(四)

此를 余의 讀破한 範圍 內에서 元代 諸書에 求하며 是를 明淸 各 名家의 傑作에 徵할지라도 宏大한 結搆에 婉麗優雅한 情을 寫하고 精密周到한 事를 叙한 雄篇大作은 多有하나 如斯한 悲劇은 得見키 難하니 是即 斯學의 專門家가 支那의 小說 及 戱曲은 아즉도 幼稚하다 評하는 所以라. 噫라, 千古의 批評家 金聖歎으로 하야곰 天下의 文章은 水滸의 右에 出할 者 無하고 天下의 格物君子는 施耐庵先生의 右에 出할 者 無하다 激賞케 한 水滸傳의 作者

와 世事 洞明 皆 學問이오, 人情 練達 即 文章이라 金陵城에 一到하야 怡紅院의 繁華를 目擊하고 十年之後에 舊地에 重遊하니 景物은 宛然하나 園非故主오, 院亦改觀이라 鳥啼花落이 無非可悼일새 滿目山河의 感을 不禁하야 其軒을 題하야 悼紅軒이라 하고 此에 居하야 一把 辛酸淚로 稀世의 名作 紅樓夢을 作한 曹雪芹先生을 九原에셔 엇더케나 喚起할가. 「度郤盧生這一人, 把人情世故, 都高談盡, 則要儞世上人, 夢回時, 心自忖」이라 邯鄲夢傳奇에 一喝한 湯臨川도 □逝 □旣久하야 玉茗堂은 寂々하니 大夢을 醒來하야 枯骨이 무엇을 觀하며 塡詞 本意 待如何오. 祗爲 風流劇 太多로다. 欲住名山逃口業하야, 先抛頑石砥淸波라, 奈何大傳奇에 跋한 李笠翁도 墳上草가 離々하니 箏歌에 엇지 다시 또 風流韻事를 傳하리오. 南朝興亡을 桃花扇底에 遂繫케 한 孔云亭도 去하고 또한 茫々하니 맛참내 또 續하는 者 無하도다. 何時에나 支那의 小說 戱曲으로 하야곰 一轉化케 文豪를 現出할가.

閑話 休題하고 然히 이 支那의 小說 戱曲이 朝鮮에 輸入되야 朝鮮文學에 如何한 影響을 及케 하얏는가 하면 此는 아즉 硏究에 屬한지라 後日에 更히 發表할 日이 有하려니와 져 水滸傳을 愛讀하든 許筠이 小說에 有名한 洪吉童傳을 作한 事와 西廂記에 刺戟된 李鈺이 當時의 金申夫婦의 事蹟을 依據하야 戱曲 東床記를 作한 事 等은 다 著名한 事實이오. 此 以外에는 대개 平民文學과 飜譯文學을 促進함이니 朝鮮의 平民文學 即 小說 戱曲은 槪히 支那 作物에 反映되야 著作되얏슬뿐 안이라 그 構想과 內容을 多分히 此에셔 取하얏스며 또 飜譯文學에 至하야난 時譯文이 今日에도 尙히 企反지 못할 特色이 有하니 舊日 各 宮家와 所謂 貰冊家에 在하던 支那小說(戱曲은 難解의 作으로 西廂以外에는 譯出이 姑無하니라)의 諺譯本은 誰의 手에 驛出되얏는지 不知하겟스나 能히 複雜한 文章과 難澁한 俗語를 圓滑明快하게 飜譯的 臭味가 無히 善譯하야 一種의 獨特한 朝鮮을 成케 한 感이 有케하고 此로 以하야 一

般 低級讀者에게 高尙한 文藝的 趣味를 普及케 한 것은 그 功이 大하다 可謂하겟도다. 然하나 一利가 有한 處에 一害가 存한 理로 些少한 弊害도 또 不無하얏스니 即 非現實的 思想이 一般에 波及함이라. 元來 支那의 小說 及 戲曲 其者가 非現實의 作物이 多有함으로 以하야 普通 低級讀者는 此를 過信 歡迎한 故로 朝鮮의 平民文學도 自然히 此의 影響을 隨하야 幾分間 此의 色彩를 帶하게 되얏스니 此에 關한 空想과 迷信을 劈破함에는 不得不 今日의 諸小說家에게 待할지니 最히 注意할바라.

話頭를 一轉하고 玆에 一言할 것은 支那의 小說과 戲曲을 硏究함에 當하야 最히 困難을 感하는 것은 此에 關한 叅考著書가 無함이라. 元來 支那에셔는 小說과 戲曲은 此를 文人의 末技라 하야 別로 注意를 拂치 안이하얏슴으로 間히 披覽하는 者도 此는 文學上으로의 小說노 讀함이 안이라 그 作者의 錦心繡腸에셔 吐出한 絢爛한 文章詞華를 愛玩코자 함이라. 是以로 作者 自身도 美學을 悟치 못하면셔 小說의 眞意를 不知하고 作한 者 ―多하야 져 勸善懲惡의 範疇를 脫치 못하얏스니 實노 藝術이 道德의 範圍를 超越하는 自由가 有함을 不知하는 者 ―有하얏슴도 怪異치 안토다. 故로 第一流의 批評家 金聖歎도 그 批評의 論調가 小說과 戲曲上으로의 批評이 안이라 但히 文章上으로의 批評에 不過하얏는지라 由是로 此에 關한 參考書는 오직 李笠翁의 戲曲論 一篇 外에는 殆無함으로 各 大家文集에 散在한 零瑣殘篇과 當該 小說 戲曲의 序 跋에 徵할 外에 他途가 無하며 또 戲曲은 今日에 但히 名目만 存하고 絶版된 者 多하야 져 元曲選과 如한 것은 千金으로도 求得키 難한 珍本인즉 좀체로 討究도 頗難하거니와 然하나 朝鮮과 比較的 習俗이 近似한 져 支那의 그 思想 感情과 想像의 反映인 小說과 戲曲의 平民文學을 硏究하야 今日 一部 靑年文士에 依하야 輸入되는 西洋文學과 善히 融合 調和하야 朝鮮文學에 貢獻하는 人士―有하면 是幸甚이로다.(完)

1920년

上海 雜信[01]

頌兒[02]

中國의 文化運動[03]

再昨年 中日軍事協定 締結 時에 日本 留學 中이던 中國學生 全部가 『祖國의 危難』을 絕叫하고 同盟 歸國한 것은 吾人의 耳目에 새로운 것이외다. 이것이 中國의 排日運動의 첫소리엿소. 昨年 四月에 數千 北京學生의 手에 賣國奴된 曹汝霖 章宗祥 等이 亂打를 當한 事實을 始로하야 中國 南北 各地에 排日運動이 熾烈히 起하엿소이다. 이것이 排日貨運動의 始作이오, 學生運動의 始作이외다.

排日貨運動은 昨年 녀름 한 철 동안 甚히 熾烈하야 同 九月頃까지 白裝束의 學生團이 各色 種類로 宣傳과 示威에 從事한 것은 매오 盛觀이엇나이다. 그러나 그러는 中에 學生運動의 主潮(排日運動)이 漸次로 移動하야 昨年 秋頃으로부터는 一種의 熾烈한 文化運動을 일우엇나이다. 文化運動에 對한 觀察은 外形上 觀察과 內容上 觀察의 두 가지가 잇겟지요. 外形으로 나타나는 文

---

01 『東亞日報』 1920.4.19~4.20, 1면.

02 주요한의 필명이다.

03 매회 연재분 표제로서 2회에 걸쳐 연재되었다.

化運動의 特殊한 現象은 雜誌 發刊과 新聞界의 活動이외다. 昨年 秋로 各地에 亘하야 新出된 雜誌의 數爻는 너머 만하 到底히 다 記錄할 수 업겟거니와 그 中 重要한 者만 들면 이갓습니다.

『建設』, 孫文, 朱執信 等 執筆, 月刊.
『解放與改造』, 半月刊.
『太平洋雜誌』, 月刊.

『民鐸雜誌』 月刊 等은 政治와 思想問題에 關係된 者요, 文藝方面으로 出한 者 中에는 『曙光』, 『新的小說』 等이 잇소이다. 그 박게 『新群雜誌』, 『新青年』, 『國民』, 『民心週報』, 『學藝』, 『上海週刊』, 『奮鬪』, 『新婦女』 等이 雨後의 竹筍갓치 나오는 半文藝, 半學術 雜誌 等이며 或은 『上海學生聯合會日刊』, 『北京大學週刊』 等 學生團의 機關도 注目할만 하외다.

新聞界로 말하여도 新表音 文字를 主唱하고 니러난 國語日報를 始로하야 多數의 日刊 漢字新聞이 昨冬 來로 現出하얏고 또 各 新聞은 特別히 思想問題 社會에 關하야 一欄을 둔 곳이 만흔 中에, 民國日報의 『覺悟』欄, 救國日報의 『進化途徑』欄과 가튼 者는 가장 活氣가 잇고 또 民國日報의 附錄인 『星期評論』 新聞報의 附錄인 『新新聞』 等도 注目의 價値가 잇사외다. 特히 前者인 『星期評論』은 戴天仇, 李人傑一派 革命黨의 根據地이외다. 이러케 新聞 雜誌熱이 膨漲한 것만 보아도 그 中에 무슨 큰 潮流의 渦湧함이 잇슴을 알 수 잇겟지요. 그러나 記者는 一層 더 나아가 그 旺盛한 操觚界에 含蓄된 內容을 살피고저 하나이다. 中國의 現今 文化運動을 內容上으로 分하야 다섯 가지로 볼 수 잇겟습니다. ㈠ 政治運動, ㈡ 社會革命, ㈢ 文藝革新, ㈣ 婦人解放, ㈤ 風習改良.

政治運動은 外交方面으로는 排日 親米를 主軸으로 한 排日貨, 山東借款의 諸 問題요, 內政으로는 國會問題 即 南北平和와 學生運動 壓迫問題 等인대 이에 對한 學生의 活動은 그 形勢가 決코 弱하다 할 수 업겟슴니다. 그러나 于今 形勢로는 一般 學生의 態度와 또 孫文, 戴天仇一派의 社會革命黨 及 陳獨秀 等의 啓蒙運動者는 이 政治問題에 對하야는 도리혀 冷淡한 비츨 뵈임니다. 社會革命黨의 主張하는 바는 中國은 歐美 諸國의 經過한 資本主義 時代를 經過치 안코 一氣에 넘어뚜여 社會主義의 時代를 現出코저 함이외다. 이 覺悟가 잇섯슴으로 孫文이 廣東政府 總裁의 地位를 악김 업시 내여던지고 온전히 思想皷吹의 新運動에 着手케 된 것이엿고, 또 北方의 陳獨秀一派와 긋게 握手케 됨이외다. 近着의 日本 新聞紙의 論調를 보더라도 中國의 南北分爭問題보다도 이 文化的 運動에 더욱 注意하는 傾向이 보이더이다.

(未完)

中國의 文化運動(續)

그런대 此等 社會運動者가 가장 用力하는 方面은 下階社會 貧民階級이외다. 그럼으로 그네의 經營하는 雜誌代는 甚히 싸외다.(一角으로 三角까지) 언제인가 李人傑君은 中國 過去革命이 知識階級(少數)의 손으로만 된 結果의 非常한 困難을 指摘하고 今後의 革命은 勞働階級의 손으로 되어야만 하겟는 故로 그네들은 勞働者 覺醒과 思想 鼓吹에 가장 用力하노라 함을 드럿소이다. 이 運動에 가장 活動하는 者는 거의 다 學生, 或은 大學을 卒業한 靑年 等인대, 各 新聞의 思想欄을 擔任한 者는 거의 다 절믄 少年들이외다. 試하야 各 新聞 雜誌에 자조 오르는 題目을 列擧하랴이다.

社會主義, 共產主義, 無政府主義 其他에 關한 學說 紹介 評論.

볼세븨즘의 研究, 紹介, 宣傳.

勞働運動, 婦人運動, 階級爭鬪.

日本 歐美 各國 等의 革命運動의 誇大한 報道, 讚美.

記者의 愛讀하는 民國日報 中 至今 手中에 잇는 去月 二十四日 發行號에 잇는『覺悟』欄을 例로 들려합니다. 먼저 評論이란 題下에 同報 主筆 力子先生의『娼妓 與 親權的 關係』라는 것이 二欄(二十一字 六十行이 一欄)이오, 選錄이란 下에는『쏘비에ㅅ共和國 各 方面의 觀察』이란 題로 某 雜誌의 글을 轉載하얏습니다. 이것이 二欄, 그 다음 一欄은 白話體의 新作詩가 잇습니다. 詩라고 하니까 七言絕句로만 생각하실뜻 하기에 여긔 一句를 摘記합니다.

『啊!
人類呀!
爾們莫畏懼,
莫瑟縮,
放着膽子,
努力的向前! 向前進罷!』

다음에는 短篇小說『一個燈火底青年』이 잇고 다음에는 通信과 隨感錄인대『一個人用一個名字』(族姓廢止),『人力車問題』(人力車廢止) 其他가 잇서 合 九欄(一頁半)을 채웟습니다. 以上 一號에 揭載된 記事의 解剖로서라도 全般을 짐작하실 수 잇스리라 함니다.

文化運動의 (一)과 (二)만 말하다가 기러젓소이다. 그나마 세 가지 文藝, 婦

人, 風習 等 問題는 또 다음 번에 쓰고져 하나이다.

우에 대강 말슴한 바만 볼지라도 中國의 文化運動이 우리나라의 現今 萠芽를 보이는 文化運動과 恰似한 點이 만흔 것이 아마 注意되섯슬뜻 합니다. 中國 某 青年政治家는 未來의 東亞思想界의 主人公은 朝鮮青年이라 하엿소. 朝鮮青年된 者는 맛당히 이 말을 無効로 돌니지 안키 위하야 勇進 奮鬪하야 할 것이외다. 보시오, 東便 하늘이 차차 밝아옵니다, 눈을 놉히 드는 者에게는 希望과 歡喜가 잇슴니다.

(그만)

西湖 水畔의 哀話 - 綠衣紅裳의 美人, 秀才 趙源의 戀愛[01]

玄哲

歐陽仔倩[02]兄 足下——造化翁의 사람을 嘲弄하는 그 手段이 넘우도 甚하고 야속하지 안이한가. 언제는 추어서 두 손끗 마주 대이고 홀홀 불던 추위도 於焉間 씻은덧 다 업서지고 烘爐에 불을 담아 부운듯이 무럭무럭 찌는 至極한 더위에 몸성이 健全하신가? 新聞紙로 가끔 傳해오는 貴國 消息은 平和롭지 못한 검은 구름이 異國 사람 玄哲의 가슴에도 不安한 마음이 움직일 쩍에는 當하고 잇는 그대의 마음이야 얼마나 悚懼하고 燥悲할가. 지렁이 땅 파듯이 꿈을거리는 아우 玄哲은 朝鮮에서 第一 複雜하고 사람만은 큰 都會라고 하는 京城 窮僻한 골목 깁숙한 집 안房구석에서 나물 먹고 물 마셔도 丈夫의 사람살이는 못되는 碌碌 生活이 朝鮮에도 조흔 勝地 江山의 避暑地가 업는 것은 안이 것마는 못가는 그 心事 兄이 알가? 왼팔로 머리 비고 오른 팔로 부채 들고 두 다리 맘껏 뻣고 來事를 생각하고 往事를 溯求하니 恨男怨女의 품은 懷抱가 얼킨 실끗가티 머리 가운대 뭉쳐잇다.

---

01 『開闢』 제3호, 1920.8.

02 區陽予倩(1889~1962): 중국의 저명한 극작가이자 감독이다.

歐陽伃倩兄아, 흐르는 歲月이 멈춤 업시니 꼿 지고 엽 날림이 발서 三個星霜이 되엇구나. 世意에 敏捷치 못한 玄哲이는 오즉 年賀狀밧게 兄의 安否를 무른 적이 업섯다. 昨年 이 때에 兄이 湖南省[03] 南公園에 伶工學舍를 設立하고 以前 우리가 計營하던 星綺演劇學校의 素志를 다시 繼續하자고 나를 請한 便紙는 아모 일 업시 내 손에 잘 들어왓다. 그러나 가기는 커녕 答狀도 못한 이 玄哲을 兄이 掛心한 놈이라고 생각햇겟지. 그뿐 안이라 萬一에 오지 못하겟거던 敎科書라도 編纂해 보내달라는 그 말까지 저바린 玄哲의 가슴가운대는 자나깨나 未安하고 悶悃한 생각이 만타.

歐陽伃倩兄아, 玄哲이가 三年前 兄을 上海 笑舞臺에서 맛날 때는 적지 안은 抱負가 잇섯다. 東京서 演劇學校를 마치고 朝鮮에 왓스나 本來 演劇이 繼續치 못한 朝鮮에는 모든 것을 새로 일으키지 안을 수 업다고 생각하엿다. 새로 일으키랴면 古來로 文物의 交通이 만은 中國의 演劇을 叅考할 마음이 玄哲의 발자최를 上海 바닥에 멈추게 되엇스나 言語를 未通하고 知友가 업는 上海 바닥에서 할 일 업시 數朔을 彷徨하다가 多幸이 그대를 맛나 多大한 厚意를 엇고 硏究의 便利를 입엇다. 藝術은 國境이 업다는 말의 實行者가 그대엇섯다. 意志가 相合하고 趣味가 同一한 兄我는 드대어 新劇 振興의方策으로 星綺演劇學校까지 始作하엿다가 其後 나의 歸國을 딸아 學校도 업서젓다지? 萬一 그때에 玄哲이가 더 잇섯더면 그 生命이 더 길는지도 몰랏겟지. 兄의 演劇에 對한 이약이, 兄의 演劇에 對한 抱負, 脚本 材料 될만한 古談, 兄의 豐富한 藝術的 良心, 兄의 自手로 脚色한 紅樓夢의 林黛玉葬花, 寶蟾進酒, 玉을 깨칠듯한 소래, 舞臺上 그 姿態, 花旦의 아름다운 얼골 하나도귀에 錚錚치 안음이 업고 눈에 黯黯치 안음이 업다.

---

03 응당 江蘇省이야 한다. 伶工學院은 1919년 江蘇省 南通市 南公園에 개설되었다.

歐陽仔倩兄아, 여러 가지 兄에게 들은 이약이 中에 江蘇의 名勝──南支那의 名勝──西湖 一帶의 第一 놉흔 葛嶺의 中턱 금잔듸 우에서 한 짝 팔굼치로 땅을 집고 반쯤 누어서 첫봄 따뜻한 해빗을 안고 하던 이약이 西湖 水畔의哀話, 綠衣紅裳의美人, 趙源의戀愛, 이 말을 하기 前에 兄이 날보고 付托한 말이 잇섯지. 이것을 脚色하여 後日 舞臺에 올려보자고. 그러나 友義가 두텁지 못한 玄哲은 오늘날까지 舞臺에 올리기 脚色上 具體的 想念은 못하엿스나 이약이 그대로 文字로 記錄하여 兄을 생각하는 마음의 萬分一이라도 表示코자 한다. 이 이약이를 쓰랴고 할 瞬間에 兄의 幻影이 더욱 두텁게 腦裡에 든다. 兄아, 健在하라. 兄아, 劇界에 雄飛하라. 兄아, 大戲曲家가 되라. 兄아, 名優가 되라. 玄哲이 兄에게 들은 이약이 西湖의 哀話를 쓰다 들은지 오램으로 틀림이나 업슬는지!

봄에는 꼿, 여름에는 芳草, 가을에는 달, 겨울에는 눈 四時 風景의 淸雅明媚한 西湖의 山 봉오리 봉오리마다 오슬오슬 불어오는 가을바람 푸른 한울 놉흔 虛空에 南으로 南으로 날아가는 기럭이 行列이 거울을 씻어 노은 듯한 湖水 얼골에 그림자를 비쳐 둘 때에 天水의 秀才 趙源은 故鄕을 등지고 年來로 憧憬해 오던 이 湖水畔에 발자최를 멈추게 되엇다. 趙는 不幸하여 일즉이 兩親을 여히인 孤獨한 踪跡이나 한울이 준 한 幅 그림과 가튼 紅顔佳態는 만이 남의 집 兒女子로 하여곰 남모르는 가슴을 태운 일이 만핫다. 그러나 凜然한 性格의 主人 趙源은 일즉이 痴情에 끄을림이 업시 고요이 글 읽기를 한갓 樂으로 알고 二十三歲의 오늘날까지 妻도 娶치 안이하고 妾도 엇지 안이하엿다. 西湖에 온 것도 다못 아츰 저녁으로 아름다운 江山에 몸을 담아 마음가는대로 읽고십흔 글을 읽고저 이곳저곳 단이다가 西湖 一帶에 第一 놉흔 葛嶺 中腹에 靜潔한 斗屋을 빌어 잇게 되엇다. 가을 한울도 漸漸 맑아져 山에 가득한 서리빗이 푸른 입사귀를 물들여 丹楓 우거진 그림자가 비단繡

를 짜내고 漾漾한 水面을 비치는 凉明한 月色은 客窓寒燈에 외로운 근심을 적이 慰勞할만하다. 趙源의 날마다 日課는 집에 잇스면 글을 보고 門外에 나오면 風景을 어루만져 지는 해 고운 빗이 놀에 싸여 西山을 물고 紅彩를 뿜는 太陽을 보면서 湖畔을 徘徊하여 默想에 잠겻더니 어느날 黃昏의 灰色 비치 天地를 휩싸랴고 할 때에 두어 間 可量이나 압흘 두고 꼿인지 달인지 月態花容의 綠衣紅裳의 美人이 잇는 것을 보왓다. 두 사람의 사이에는 하염업는「아!!」소리가 一時에 서로 瞳子를 움즉여 번개불가튼 視線이 얼골과 얼골을 쓰왓다. 둘 틈에 오고가는 바르르하는 그 秋波는 서로 가슴에만 담고 아모 말업시 西으로 東으로 갈려갓스나 또 다시 이런 일이 잇슬 줄은 꿈에도 깨닷지 안이하엿다. 그러나 그 이튼날 그 사흔날 이와 가튼 일이 이와 가튼 때에 이와 가튼 곳에서 趙源은 綠衣의 少女를 맛낫다. 아모리 嚴格한 性格을 가진 趙라도 木石이 안이고 偶像이 안이거던 青春의 보들아운 가슴 가운대 따뜻한 戀愛의 흐름이 업시리요. 사흘을 내리 만나던 그날 밤부터 적지 안은 戀愛의 煩悶을 남모르게 감추게 되엇다. 春濱落花의 情은 五日 十日을 지날 동안에 두 사람의 青春 佳會가 풀기 어려운 情緖를 매젓다. 綠衣의 美人은 깁흔 밤 寂寂한 三更에 밝고 고요한 明月도 밟으며 굿세고 모진 風雨도 밟고 趙源의 寓居를 찻지 안은 때가 업섯다. 青春 男女의 뜨거운 처음 사랑에 둘이 서로 가슴을 태와 날이 가고 달이 갈사록 蝴蝶의 艶夢이 色彩가 두터웟스나 오즉 한 가지 趙의 가슴이 시원치 못한 것은 이 少女가 저의 이름과 住所를 이르지 안이하는 것이다. 한 번 뭇고 두 번 뭇고 세 번 네 번에 少女는 다만 방그레 우슬뿐이요 다시 말이 업섯다. 趙는 여러 가지로 가슴을 태우다가 호올로 생각하기를 아마 저 少女가 엇던 집 貴人의 愛妾으로 住所와 氏名을 감추고 남의 눈을 두려워 밤이면 나의 寓居를 차자 旅懷를 慰勞함인가 疑心한 적도 만엇다. 하로 밤은 趙가 酒氣를 띄고 詩經의 글귀를 들어『그대의 綠

衣의 속은 누르다』고 嘲弄하엿다. 少女는 玉顔에 紅曛을 띄고 고개를 숙이고 안잣다가 다시 柳眉를 들고 『저는요, 요 엽 半月堂이야요.』 한 마듸를 멈추고 趙의 붓잡음도 듯지 안이하고 그대로 갓다.

宋末의 宰相 賈似道는 奸慝不忠한 臣下이다. 宋나라이 亡한 것도 賈似道가 元나라와 通한 까닭이라고 하는 사람도 잇다. 性質이 極히 殘忍한 우에다 限업시 驕奢를 조와하여 西湖의 勝景을 눈안에 담으랴고 葛嶺 中腹에 宏壯華麗한 樓閣을 짓고 그 집 이름을 半月堂이라고 하엿다. 趙源의 只今 寓居는 이 半月堂을 이웃한 그 터이다. 風磨雨洗의 五百年의 日月은 오즉 옛 자최만 남아잇스나 옛날 그 때는 밤이나 낫이나 歌舞燕樂이 끈어진 때가 업섯고 봄이면 窈窕의 美女가 桃李爛漫한 미테서 紅裳을 나뷧거리며 蘋花를 캐고 가을이면 木蘭畫舫을 湖心에 띄워 一世의 榮華를 다한 歡樂의 桃源春裡에도 價似道의 깁흔 嫉妬와 殘忍한 性質은 여리[04] 가지 可憐 悲劇의 자최가 한 두 번이 안이엇다. 白鷗는 悠悠하야 湖面에 잠이 들고 蝴蝶은 紛紛하야 花裡에 넘노는데 一日은 賈似道가 만은 侍妾을 樓上에 모혀두고 四方의 景色을 구경할 때에 樓下 湖岸에 한 美少年이 片舟에 내렷다. 이 少年에게 땃뜻한 情을 기울인 美姬의 한 사람은 無心이 입끗에서 떨어지는 말이 아름다운 少年이라고 하엿다. 이것을 듯고 본 賈似道는 急히 顏色이 變하면서 侍妾을 보고 하는 말이 『네가 저 少年에게 마음이 잇스면 내가 너를 爲해서 조흔 仲媒가 되어 月下의 氷人이 되게 하리라.』 말이 마치자 纖纖한 玉手를 無理이 끄을어 樓下로 내려가더니 얼마 뒤에 賈似道는 從者로 하여곰 적은 木箱을 들리고 다시 樓上으로 와서 여려 侍妾 압헤 木箱을 노코 『너이들은 이가티 조흔 納采를 보라』고 冷笑를 말지 안이햇다. 여러 侍妾은 벌벌 떨면서 木

04 '여러'의 오식이다.

箱의 뚝겅을 벗기니 이것이 외인일고. 鮮血에 싸인 美姬의 목이 아즉 뜨거운 피가 식지도 안이하엿다. 이러케 殘忍한 賈似道는 그래도 난성이 풀리지 안이하고 그 날 저녁에 아모 罪 업는 少年도 斷橋水邊에 毒刀의 怨魂이 되고 말엇다. 宋나라 歷史를 精通하는 趙源은 이 곳에 移接한 以後로 때때이 南宋의 哀話에 가슴이 저리는 생각이 만앗더니 意中의 少女가 『半月堂이야요.』 하고 간 뒤에는 다시 한 번 볼 수도 업고 荒唐 廢墟에 少女가 居住할 理致도 업다 생각하는 마음 슯흔 情懷는 날이 가고 달이 갈사록 漸漸 가슴에 뭉치엇다. 淸凉한 가을도 가고 酷寒의 겨을도 지나 世上은 다시 陽春和節의 새로운 봄이 다시 왓다. 湖水의 방울물도 새지 못하게 두터이 뚝겅을 덥흔 얼음 조각도 次第로 녹아 업서지고 春月이 朦朧한 하로 밤 三更에 轉輾反側에 겨우 잠든 趙源을 흔들어 깨우는 사람이 잇섯다. 趙源은 꿈결가티 눈을 떠보니 이것이 정녕이 寤寐不忘하던 綠衣紅裳의 美人이 分明하다. 놀랍고도 반갑고도 깃보고도 괘씸한 생각이 一時에 가슴을 음습햇다. 일어나 첫말로 일부로 그 동안 찻지 안음을 꾸짓고 久闊의 情懷를 베풀엇다. 少女는 怨限의 色態를 머금고 『妾은 尊座와 鴛鴦의 因緣을 맷고저 바랏거늘 엇지 他人의 賤妾卑婢로 생각하시나잇가.』 말이 마치매 潸然히 흐르는 눈물이 옷깃을 적셧다. 趙源은 自己의 가슴에 잠긴 마음껏 여러 가지로 少女를 慰勞하고 다시 그 來歷을무럿다. 少女는 또 눈물에 싸여 말을 못하다가 겨우 고개를 들고 『妾은 이 世上 사람이 안이야요.』 말을 이어 길고도 悲慘한 이약이가 밤가는 줄 몰랏다. 少女는 果然 옛날 半月堂에서 賈似道[05]에게 慘酷한 죽음을 當한 侍女가 分明하다. 本來 臨安에 살던 良家의 女子로 어릴 적부터 타고나온 碁術의 天才로 十五歲 되는 때에 賈似道의 알림이 되어 모든 寵愛를 一身에 담아잇스

---

05 '賈似道'의 오식이다.

나 이 정이 少女에게 무슨 關係가 잇스리요. 이 때에 茶를 가지고 後堂에 出入하는 한 美少年이 잇섯다. 가고오는 눈瞳子가 於焉間 서로 잇지 못(不忘)할 사이가 되엇다. 少女는 마음을 다하야 錦繡의 錢篋을 보냇고 少年은 남모르게 玳瑁燕脂盆을 주어 가슴과 가슴 가운대 通해 단이는 그 마음은 한울과 땅과 남아지 두 사람밧게 안으 이가 업섯다. 그러나 하로 가고 이틀 가는 그 歲月 가운대는 監視가 嚴重한 同類의 嫉妬로부터 賈似道의 疑心을 밧게 되엇다. 엇던 해 봄 한날한時에 少年少女는 한 칼 毒刀 下의 이슬이 되엇다. 『그 때 少女는 妾이고 少年은 당신이올시다.』 말이 떨어지자 少女는 趙源의 무릅 우에 얼골을 무덧(埋)다. 『당신의 姿態가 이 西湖에 멈음을 보고 생각다 못하여 鬼籍을 벗어나서 밤마다 깁흔 情海에 몸을 적신 罪는 萬番이나 容恕하시기를………』그 말이 마치자 간 곳이 업섯다. 西湖의 봄은 해마다 갓지(如)만은 綠衣紅裳의 美人은 어대로 갓는지.

(終)

筆者로부터 讀者에게──이것은 小說은 안이올시다. 한 이약이니 그리 알고 보시오. 그러치 안으면 큰 코 다치시리다.

漢文學의 니야기[01]

盧子泳

支那人의 詩境

君居我巷東, 望見我家樹.
三日春雨深, 相思落花暮.

이가튼 詩를 冒頭에 걸어 노앗스매 여러분은 엇지 생각할는지 아지 못한다. 本 記者는 이 詩의 一節로 支那人의 詩境이 엇더한 것을 다못 紹介코저 함이오, 달리 別한 뜻은 업다. 그러나 이 詩의 解釋에 對하야는 呶呶히 말하고저 안이하며 또는 말할 必要도 업다. 다못 讀者의 自由想像에 맷기고 만다. 그러면 讀者 諸君의 眼前에는 새로운 世界가 展開될 터이다. 이 世界는 뮤—쎄가 그린 愛欲의 世界도 안이오, 또는 사만이 그린 感傷의 世界도 안이다. 現實의 生感을 뒤떨어바리고 모든 情趣를 幻象 가운데 파무더 淸新의 閑夢을 맛보게 하는 것이다.

唐의 詩論家 釋皎然은 四不을 말하엿다. 『氣高而不怒, 怒則失於風流. 力

---

01 『開闢』 제3호, 1920.8.

勁而不露, 露則傷於斤斧. 情多而不暗, 暗則蹶於拙鈍. 才贍而不踈, 踈則損於筋脉.』 번쩍하면 藝術의 理想으로 力의 充實과 感情의 徹底를 말하는 西洋人의 視察로는 支那人의 詩境은 매우 閑漫하다고 할 것이다. 그러나 閑漫하다고 支那人의 詩境을 否定한다하면 나는 그의 反抗者의 第一人이 되고저 한다.

高尙한 文學은 專혀 西人의 所有라 하는 者는 西洋 崇拜熱에 醉하야 東西를 不辨하는 者이다.

테—메—ㄹ의 繙譯한 漢詩

리알뜨 테—메—ㄹ의 詩集 "Aber Die Lieber" 가운데 잇는 말이다. 『酒의 노래』라 題하고 酒를 讚美한 大詩人은 모다 網羅하엿는데 말하자면 波斯의 오—마—라던가 希臘의 아나크레온이라던가 佛蘭西의 베루렌이라던가 이러한 사람의 詩 幾百篇을 繙繹한 中에 支那人 李太白의 詩도 잇섯다. 그 中 有名한 『月下獨酌』, 『將進酒』, 『友人會宿』 等 名作을 꼬불꼬불한 獨逸語로 繙繹하엿다. 테—메—ㄹ의 繙繹은 决코 卑劣치 안이하나 그러나 테메—ㄹ의 손에 依하야 泰西藝園에 紹介된 李太白의 詩는 千餘年 옛적 長安陋巷을 쏘다니며 변변치 못한 술집 한 모퉁이에서 흰술에 醉하야 世上萬事를 꿈으로 밧구랴던 放浪詩人의 面影보다도 차라리 라시누와 모리엘 等이 繁華한 巴里市街를 華麗한 馬車에 올라 逍遙하며 또는 華麗 無比한 레스트란 舞蹈室에서 香露酒를 기울이며 노래하는 宮廷詩人의 風이 잇다. 一言으로 말하면 테—메—ㄹ의 繙繹한 李太白의 詩는 것모양으로는 李太白의 詩라 할 수 잇스나 文字內面에서 솟아오르는 『支那詩人의 李太白』이란 氣分이 업다.

漢文學 獨特의 味

以上의 말과 가티 漢文學 獨特의 味는 다못 詩에만 限하지 아니한다. 詩나 散文이나 모다 一般이다.

말하자면 “Four Books” 가운대 “The Book ofmencius” 나 或은 “The Analets of confucius” 等을 읽어보면 참으로 支那의 聖書를 읽는 듯한 느낌을 어들 수는 到底히 바랄 수가 업다. 劃이 만흔 四角的 文字의 行列과 調子가 놉흔 漢字를 通하야 읽으면 참말 論語나 孟子的의 獨特한 趣味가 잇스나 그것을 다못 單調한 蟹行文字와 調子가 低한 平凡한 文體로 고쳐 읽으면 그 獨特한 趣味가 減殺되고 마는 것이라.

某 英人이 繙繹한 『聊齋志異』를 본즉 그 中에 勿論 原文 妙味를 彷彿케 하랴고 極力 苦心한 痕蹟이 뵈이나 그러나 그 雄渾壯大와 淸麗閑靜의 支那人的의 氣分과 情味는 차지랴야 차질 수가 업고 어대까지던지 蟹行文의 橫書는 西洋人의 實殘 實利와 乾燥 無韻의 냄새를 免할 수가 업섯다. 이로 볼진대 西洋 有名한 文士가 아모리 技巧를 다하야 『水滸傳』이나 『西遊記』나 『金瓶梅』 等을 繙繹한다 할지라도 乾燥 無味의 惡文藝가 되고 말 것은 明若觀火한 일이다. 이 點에서 鄒魯에서 꼿핀 思想은 李笠翁의 말과 가티 漢文으로야 그의 思想的 生命을 如實히 表現할 수가 잇다. 이 까닭에 漢文學을 原文으로 讀破할 수 잇는 우리 朝鮮人은 매우 幸福이라고 생각한다.

漢文學은 우리 無關係인가?

아모리 톨스토이니 쉑스피어—니 하며 千萬言을 費할지라도 우리 東洋人은 漢文과 因緣을 全혀 끈을 수가 업다. 世上에는 大槪 漢文學이라 하면 머리로부터 非難하며 漢文學은 現代文學과 아모 交涉이 업는 것 가티 생각한다. 더구나 簡易한 言文一致體로 論文이나 한 張 쓴다던지 小說이나 한 篇 짓는다던지 하면 大文豪나 된 듯이 漢文廢止論까지 堂堂히 主張하는 者가 잇다. 건방지고 되지 못하게 구는 꼴은 참아 볼 수가 업다. 그러나 大概 그네들이 이가티 大言壯言하리만치 漢文學에 對한 理解를 가졋는가? 그네들은 唐宋八大家 文이나 文章軌範 等을 펴노코 한 페지 읽어보라면 입도 벙긋 못한다. 생각하면 可笑롭고 口逆나는 것뿐이다.

日本의 久保天隨는 『나는 톨스토이의 品作을 읽고 墨子의 價値를 알앗스며 키―츠의 作品을 읽고 李長吉의 詩를 解하엿노라』 하엿다. 漢文學을 아지도 못하고 攻迫하는 者여!! 그대들은 列子를 읽고 楊朱篇 가운대에서 支那의 에피크로쓰를 發見하고 錢謙益을 읽고 支那의 베루하렌이 잇는 것을 맛나보라!! 現代의 支那人이 아모리 時代遲가 되엇다고 할지라도 支那의 古代人까지 輕蔑히 여길 수는 업다. 老子의 道德經이 三千年 前의 產物이라고 하나 이 道德經과 比較할만한 書籍은 希臘의 古書밧게 업다고 하는 것이 안인가?

나는 이제 말한다. 넘우도 歐洲文藝에 精神이 빠져 米國通의 minor poet까지 探求하는 根氣와 親切이 잇스면 그 精力의 幾分이라는 조곰 논하서 우리 文化에 어머니 되는 對岸國 文藝에도 一瞥의 勞를 줍시오 한다. 그러니 내가 이러케 말할지라도 漢文 專門家도 안이오, 또는 漢文의 權威를 어대까지던지 主張하랴고 하는 者도 안이다. 勿論 漢文으로 말하면 現代와는 別로히 深한 關係는 업다. 그러나 입으로 文學을 말하는 者치고는 漢文學에 對한 理解가 업서서는 아모 것도 안이다. 또는 漢文으로 글은 쓰지 못할지언정 漢文學을 能히 읽을만한 修養은 잇서야 한다.

(아즉 그뿐……)

中國文學의 價値를 論함[01]

妙香山人

우리는 只今 新學文을 討하며 新文學을 말하며 新思想을 論하도다. 그러나 그윽히 생각하면 이것이 언제부터의 現狀인가. 겨우 昨日부터가 아니면 今日부터이다. 아즉도 多大數는 孔孟의 思想이 有한 外에 更히 他思想이 有함을 不知하며 漢文이 有한 外에 更히 他國文이 有함을 不知하며 딸아서 文學——하면 中國文學이 有한 外에 更히 他文學이 有함을 不知하나니 是——實로 他人에게 可聞치 못할 事이나 習慣이 人生의 第二天性을 作함이 事實임을 認하면 우리 多大數의 此 現狀을 그러케 怪하다할 것도 업도다.

一般이 認함과 如히 우리 朝鮮은 箕子의 渡來와 共히 中國文學, 中國思想의 蹂躪 地域이 되고 말앗나니 想必 古朝鮮 固有의 文字와 思想도 不無하얏슬 것이나 當時의 政治的 社會的 壓倒로 그는 有耶無耶 中에 其迹을 晦하얏스며 新羅以降 高麗末葉에 至하기까지 佛敎의 文化가 槿域을 風靡한 事가 不無하얏스나 佛敎도 亦 中國을 經由而來하는 同時에 그 亦 間接으로 中國의 文學과 思想을 輸入하는 一助가 되엇스며 李氏 朝鮮以來로 專혀 儒敎에

01 『開闢』 제4호, 1920.9.

置重함과 共히 우리의 思想과 文學은 純然是 中國化하고 乃已하얏스며 그 結果는 우리의 國民的 習性이 되기까지 至하얏다.

局面은 轉換되고 世態는 突變되며 改造 創造의 聲이 四處에 喧傳함에 우리는 從來의 習性을 一脫하고 翻然히 起하야 新思想을 말하고 新文學을 論하며 尙進하야 新文化의 樹立을 策하는 今日을 見하기에 至하얏도다.

或 國民의 思想과 文學은 그 國民의 精神的 生命인 同時에 그 思想 文學의 健否 如何는 그 國民의 以後 運命 如何를 決함인즉 思想 文學의 新紀元을 樹하고저하는 今日의 우리는 此에 對한 審考熟思가 無치 못할지라. 特히 三千年이나 우리의 思想 感情을 支配而來한 中國의 文學과 思想에 對하야는 一段의 考察을 重치 아니치 못할 것이라. 更言하면 今後의 우리는 中國의 思想 文學에 對하야 如何한 態度를 取할가함은 爲先 考究치 아니치 못할지니 是 問題의 解釋은 卽 中國文學과 朝鮮新文學과의 未來關係를 決함인 所以라, 吾人은 玆에 中國文學의 特質을 視察하야 此 問題에 關한 우리의 位置를 考定하는 一資를 作코저 하노라.

自古로 自稱 中原 又는 中華라 하며 自國以外의 民族 邦國은 皆 南蠻 北狄이 아니면 西戎 東夷라 하야 그 數에도 不列하던 中國은 亞細亞 大陸의 東部에 位하야 面積은 歐洲 全土보다도 大하고 人口는 世界人口의 四分之一에 當하며 建國以來 凡 四千餘年으로 그 文學, 歷史, 經傳은 世界 最古品의 一이라.

此 老大國의 古代史를 讀하는 人은 誰가 그 今日 現狀의 支離滅裂에 喫驚치 아니하리요. 더욱 今日의 中國과 先秦 兩漢 或은 唐宋과를 比較하면 그 人文의 程度에 果幾何의 差가 有한가. 西歐羅巴의 森林에 羅馬의 文化가 아즉 그 片趾도 着치 못하얏슬 時에 旣히 燦然한 文物制度를 有하던 그 國民은 伯林 巴里가 世界文化의 中心이 된 今日에 在하야도 오히려 依然히 그 故態를 不改하얏도다. 그러면 中國의 歷史가 그러틋 靜平無爲하얏는가. 不然하다.

諸 多民族의 歷史 中에 中國의 歷史와 如한 革命과 爭奪로써 終始한 것은 無할지니 다못 人文뿐이 停滯不進하얏도다.

中國의 文化는 何故로 그 歷史와 共히 不進하얏는가. 一言으로 蔽하면, 그 國民의 性質은 保守的인 故이라. 卽 그 歷史의 悠久와 共히 保守的인 故이라. 그의 人文은 何方面으로나 自由의 發展을 不得하고 一種의 形式에 拘泥하야 回顧退嬰에 傾함을 常事로 하얏다. 同時에 그의 形式은 國民이 將次 實現코저 하는 或 理想에 不在하고 反히 過去에 旣히 實現된 一定의 法制에 在하얏도다. 그리고 國民의 一般이 遵奉하는 것은 儒教인바 儒教라 함은 우리가 잘 아는 바와 가티 孔丘가 距今 二千數百年 前 堯舜을 祖述하고 文武를 憲章한 것 卽 所謂 先王의 道를 演繹하야 後世의 典謨를 作한 것뿐이라. 是를 遵奉하는 中國人(우리 朝鮮人은 如何하얏는가)은 時勢의 推移와 共히 政教의 變遷할 것임을 不知하고 一意 成憲을 遵하야 그 教意를 實行함으로써 至善을 作하얏다. 故로 上은 國家로부터 下는 個人에 至하기까지 그의 理想으로라는 것은 唐虞 三代의 國家 及 個人 卽 堯之日月 舜之乾坤뿐이라. 於是乎 儒教는 一種의 形式主義로 化하며 文化의 進展을 勒掯하는 一大 勢力이 되엿나니 中國의 人文이 悠悠 數千載 間에 何等 顯著한 發展을 不得한 것은 實로 此 形式主義의 馴致한 保守的 精神에 職由함이라.

切言하면 儒教는 實踐 道德의 主義이오, 哲學이 아니며 宗教는 勿論 아니라. 此 主義는 中國思想의 正統으로 常히 國民的 活動의 中心 核子가 되엿도다. 勿論 그 體制는 內外 氣運의 變遷에 隨하야 多少의 更革이 不無하얏다. 卽 三代의 文化는 姬周에 至하야 그 頂點에 達하얏더니 秦始皇 政이 六國을 統一하자 儒書를 焚하고 儒者를 坑하얏스며 又 西漢에 入하야는 佛教의 東漸과 共히 人心이 靡然히 그에 赴하야 多少의 動搖를 不免하얏스나 儒教의 精神은 依然 不替하얏스며 宋에 入하야 所謂 宋學派는 儒佛 二教의 調和를

試하얏스나 不幾何에 古學派의 勃興을 見하야 於是乎 周初의 儒學은 捲土重來의 勢로써 中國思想의 本來 面目을 發揚하야 今日에 至하얏나니, 故로 儒教는 그 終始가 中國民族의 伴侶를 作하얏도다.

그러나 民性에 不適한 教義는 決코 一國의 人心을 支配하기 不能하나니 儒教의 勢力이 如許함은 中國 民族性의 唯一 現世主義임에 基本함인 것을 察치 아니치 못할 것이다.

恐컨대 中國 民族가티 實際的 我利的인 民族은 世界에 更無할 것이다. 그의 哲學, 宗教, 文學, 美術은 何者가 此를 証明치 아니함이 無하나니 卽 北歐民族이나 又는 希臘民族과 如함은 太古에는 그 身邊을 園繞한 自然現狀의 高大偉莊에 對하야 抑畏 崇敬의 極으로 所謂 自然宗教를 搆成함이 其常이라. 然而 中國民族에 至하야는 別로 如斯한 自然宗教의 存在를 見키 不能하니 支那 古代의 文學에 天命이니 上天이니 或은 上帝이니 하는 言稱이 不無하나 吠咜教 或은 希伯來教 等의 稱하는 神의 意義와는 大異하도다. 寒暑晴雨의 自然現象을 神爲이라 信함은 事實이나 神이 自由意思로써 作爲한다 認함보다는 寧히 人生의 行爲에 關聯하야 或 責罰的의 意義를 有함과 如히 思考하얏다. 卽 사람은 自然現象의 起廢에 對하야 一種 能動的 勢力을 有하여야 能히 神意를 制限 或은 引用할것이라 思함과 如하니 殷王 成湯이 大旱 七年에 際하야 煎爪斷髮하고 六事로 自責함과 如함도 彼 印度人이 天을 仰하야 渴仰 讚美하는 바에 更히 他意가 無함과는 同日로 論할 것이 못된다. 詩書의 所謂 天 或 帝는 自然의 法則을 表示하야 自家의 權威를 增코저 함에 不外한 것인바 孔老의 所謂 道法이라 함과 異調同曲인 感이 有하도다.

中國 古代의 文化는 北方에 起하얏나니 北方의 地는 荒廢 落寞하야 大概 天惠에 乏한바 中國人이 天을 畏함은 是 人情의 自然에서 出함알지라. 然而 又 民族의 實際的 性質은 그 宗教心을 現實主義의 僕屬을 作하야 神을 拜하

는 間에도 實際의 利害를 遺却치 아니하고 天威를 畏하는 一方으로 其意를 迎合하야 吉凶禍福을 豫占하기를 務하얏나니 周易이라 함은 即 此의 思想을 表示한 것에 不外함이라. 於是乎, 中國人의 宗教心은 그 萌芽부터 斷切되어 來世 아니 未來的으로 彼岸을 憧憬하는 思念은 全혀 其 迹을 絕하고 다못 功利求福의 現世主義 一延하야 宿命主義의 發達뿐을 馴致하얏다.

盖 一文化의 進步 發達(非獨 文學이라)은 今日의 外에 更히 明日이 有하며 現世의 外에 更히 來世가 有함을 認하고 全 理想을 彼一方에 繫하야 一切의 計算心을 忘하고 純然 進行함이 有하고사 始로 可期할 것이니 此道에 不出하고 一로 百까지 功利를 是想하며 現世主義에 膠着하면 그의 文化는 隆할 듯 하면서 衰退에 是傾하는 것이니라. 是는 今日의 世界的 思潮를 見할지라도 功利主義가 不知中 晦迹하고 世間의 實際와 無關함과 如한 浪漫主義가 今日 思潮의 機軸을 成함을 見하야도 瞭明한 것이니 現世主義에 是急하는 中國文化의 不振은 足히 怪할 것이 無하도다.

現世主義는 詳言하면 一切 現世에 功利가 無한 事物을 排斥하는 主義이니 此 現世主義의 結果도 中國民族은 純然한 純理哲學을 不有하얏다. 易의 一經은 그 宇宙의 分出을 說하고 萬物의 進化를 論한 部分뿐을 見하면 實로 儼然한 純理哲學됨을 不失하나 是는 理를 爲하야 理를 說함이 안이오, 實狀인즉 天地人 三者의 關係를 明히 하야 順天理 全人福을 期함뿐이라. 그 宇宙論 分出論을 說述한 根本的 動機가 現實世界의 功利에 存한 事는 繫辭傳을 一續[02]하면 誰이나 其然함을 明認할 것이라.

일럿스니 가르되 天地萬有의 運行, 變化, 發展, 推移하는 그 道는 唯一이니 太極으로부터 兩儀가 生하며 仍히 萬殊가 分하야 生死榮枯로 그 間을 縫

---

02 '一讀'의 오기이다.

하나니 是는 皆 陰陽의 一理가 時와 處와 位를 隨하야 各自의 事物과 對應하야 그 形을 變할뿐이니 易의 道는 卽是이라. 是道에 順하는 者는 昌하고 逆하는 者는 亡하는지라, 故로 人事에 吉凶禍福이 有하야 生死悲歡이 兩兩相對하는 中에 人生이 그 間에 轉輾하나니 是는 卽 易道의 順逆에 依하야 二氣의 反影을 受하는 故이라. 故로 個人이나 國家가 그 身을 全히 하고 그 存在를 永保코져 하면 此 大道에 順應치 안이치 못할지니 所謂 君子는 易의 序에 安하야 居할 時는 그 象을 觀하며 動할 時는 그 變을 見하나니, 故로 自天祐之에 吉無不利라 함은 即 是를 云함이라. 要컨대 易의 道는 易의 그 純理를 說함보다 그 理의 如何를 借하야 人生의 實行主義를 說함에 不過하도다.

孔子는 이 思想의 實際的 傾向을 最히 明白히 表示한 者이니 或 弟子의 死를 問함에 對하야 『生을 不知하거니 엇지 死를 知하리요』하며 『吾는 爲之不厭하며 誨人不倦』이라 함과 如함은 그 現世主義의 告白이라 見할지니 後世의 中國民族이 그 學으로 正統의 古學을 삼은 것은 實로 偶然이 아니라.

老聃의 學은 孔丘 其他의 學에 比하면 多少 純理哲學에 關한 思想을 有하얏다 할지나 그 道德經 八十一章의 大旨는 亦 世에 處하야 生을 全히 하는 道를 講하얏슬뿐이라. 그의 世界觀이라 認할만한 分出論과 如함도 自己의 人生觀인 復歸主義 又는 厭世主義를 演繹함에 須要한 一方便으로 提起함뿐인바 그 實際的인 現世的 傾向은 恐컨대 一步도 孔子에게 不讓할지며 오즉 現世의 幸福을 求하는 方法上 孔은 樂天的이오 老는 厭世的인 別이 有할뿐이라. 要컨대 老子의 說은 그 形式上에는 多少의 特色이 有하나 그 精神에 至하야는 亦 純然한 中國思想의 羈絆을 不脫하얏스며 莊周以下 南方學者의 說도 그 規는 相違함이 有하나 精神은 大概 亦然하얏다.

果然하다. 中國思想의 中心인 儒教가 中國民族의 固有한 現世 我利主義의 上에 立하야 盛히 上代 先王의 遺法은 祖述한 結果는 遂히 一體 嚴峻한 形式

主義를 化成하야 國民 一切의 活動을 箝勒하고 各人 自由의 發展을 拘制하기에 至하여 於是乎『非先王之遺法이어든……』하는 一義는 無上 命令으로 그 民族의 行動을 支配하얏나니 그 人文의 停滯 腐敗는 寧히 當然하다 할지라. 進步하는 民族은 그 希望을 前途에 認치 안이치 못할지니 過去를 理想하는 民族에게는 退步가 有할뿐이오, 滅亡이 有할뿐이라.

思想이 如許하게 되는 同時에 그의 文學도 亦 徹頭徹尾로 保守主義의 模型에 鑄造되엇다. 또 그 淺薄 野卑한 現世主義는 詩歌에 向하야도 敎訓은 與하얏스나 理想과 詩趣의 溢逸을 不許하야 激越한 感情도 亦 冷却한 利害의 秤量으로 因하야 充分한 發揚을 不見하고 大概가 淺薄 近實에 傾하야 詩的 情熱에 充滿한 詩歌다운 詩歌를 求景치 못하게 되엇도다.

中國 最古의 文學은 詩經이라. 만일 一般 書典 中의 最古品을 求한다 하면 尙書 今文 三十四篇 或은 山海經을 推할지나 純文學으로는 爲先 指를 詩經에 屈치 안이치 못할 것이라.

詩는 唯一한 詠諷嗟嘆의 聲인 同時에 人情自然의 流露로 成한 것이라. 然而 三百詩篇을 通觀하면 純粹한 舒情詩로 見할만한 것이 甚少하며 大部는 淺薄한 訓敎의 意를 着한 것이라. 往 或 眞正한 舒情詩가 有할지라도 後世의 註者는 此에 附會하되 勸善懲惡의 意로써 하얏스며 又 男女의 愛情에 關한 詩品이 有하나 是 亦 家族制度로부터 打算한 敎訓的 儀式的의 것(關雎 葛覃과 如한 것)이며 王風 大車章과 如함은 男女自由의 戀愛를 述함이 有하나『豈不爾思리요만은 畏子不敢』이라 한 것을 見하면 作者의 形式主義에 服從함이 如何히 强한 것을 可窺하얏스며 又 召南 行露章에『厭浥行露, 豈不夙夜, 謂行多露』라 云함과 如함도 禮節로써 情을 抑하는 表示이며 又 鄭國[03] 鷄鳴, 或은 唐

---

03 '鄭風'의 오기다.

風 綢繆와 如함도 尙 實利形式의 一邊에 傾한 것이오. 自由人情의 自由 發揮로 成한 品은 안이며 其他 人事를 離한 題目을 詠嘆한 것은 甚少하고 三百篇의 大部는 唯 政治의 汚替를 諷하고 君侯의 德澤을 頌稱한 것뿐이라.

如斯히 中國民族에 對하야는 詩歌는 消憂暢思的으로 自然히 吟出하는 것이 안이오, 人生의 實際 功利를 條件으로 하야 作함이라. 孔丘가 此를 編修한 것은 그 意가 專혀 敎育 政治의 用에 資키 爲함이라. 故로 詩三百을 誦하고 此에 政으로써 授하되 達치 못하며 四方에 使하야 專對키 不能하면 비록 多하나 무엇하리요 하얏도다. 그네는 써하되 功을 論하고 德을 頌함은 그 美를 將順함이오, 過를 制하고 失을 譏함은 그 惡을 匡救함이니 先王이 是로써 人倫을 正하게 하고 敎化를 美하게 하고 風俗을 移하나니 詩의 成한 所以는 안이 詩의 全價値는 오즉 此에 在하다 하얏도다. 아아, 情에 發하야 禮에 止함――中國의 詩歌는 敎訓主義의 犧牲이 되고 말앗도다.

詩歌의 源泉되는 詩經이 如斯한지라 그 後의 中國文學은 畢竟 此 實利主義 形式主義의 精神을 繼承하얏슬 뿐이라. 一般으로 論하면 四千年의 文學은 遂히 此 舊圈을 脫出치 못하고써하되 如何한 名詩일지라도 苟히 名敎에 裨益됨이 無하면 是는 狂言譫語와 擇할 것이 업다하는 同時에 舞文弄墨은 文士의 末技이며 士君子의 할 바가 안이라 하야 排斥하며 輕蔑하얏도다. 是故로 戱曲 小說과 如한 純文學에 屬한 者는 上代에는 全혀 發達되지 못하얏도다. 莊列의 寓言을 始로 하야 穆天子傳, 飛燕外傳과 如함이 無함은 안이엇스나 大概는 坊間의 消寂品이 되고 士君子라 稱하는 上流社會의 讀品이 되지 못하얏스며 元朝以降 明淸 二朝에 亘하야 小說 戱劇 其他 新曲이 漸次 流行되기를 始하야 水滸傳, 三國誌, 西廂記, 桃花扇 等의 名著가 有하여 湯若士, 金聖嘆, 李笠翁 等 名家가 有하얏스나 亦 儒家 正經의 不容한 바 되고 自己自身이 亦 此에 對한 堂堂의 自信을 不有하야 傳奕戱具로써 自比하여 勸善懲

惡으로써 自辨한 바 中國에는 今古를 通하야 純文學 純藝術的 作品 又는 作家가 殆無하얏다 하야도 過言이 안일 것이다.

一面 實利主義와 共히 一種 形式主義는 文學을 支配하얏나니 此 亦 中國文學의 發展을 阻害한 一 主因이라. 即 詩歌나 文章에나 共히 一定한 典型이 有하야 此에 不當하면 破格이라 하야 不顧하며 散文에도 起結照應 等 幾多 桎梏이 有하야 思想感情을 發表함에 그 型에 矜式함을 是圖하는 故로 動輒하면 乾燥無味 乃至 空言虛文에 陷하는 弊가 生하얏도다.

그리고 中國에는 嚴正한 意味에 在한 歷史的 著述이라 稱할만한 것이 無하니 是 亦 現世主義 卽 實利主義의 馴致한 바이라. 孔丘의 執筆한 春秋以來로 亦 史傳이라 稱할 것인들 엇지 限이 有하리요만은 그 多部는 歷史 그것을 爲하야 著한 歷史가 안이오, 後世의 政治에 或 教訓 或 龜鑑을 作하기 爲하야 手段으로 方便으로 編述한 것뿐이라. 故로 그 材料의 取捨와 評論의 上下에 自然 公平無私를 期치 못한 바, 所謂 歷史의 客觀的 叙述은 中國 歷史에서 殆히 此를 見키 不能하며 그의 歷史는 오즉 一治一亂의 政治的 變遷으로써 充滿되엇슬 뿐이오, 一文一藝 其他 人文 發達의 經路 成狀 等에 對하야는 더욱히 力을 用치 안이하얏다.

더욱 中國에는 美術이 殆無하니 建築에는 敵을 禦하고 利를 取하는 城池 溝渠에 對하야는 莊嚴 修浚을 勵하얏스나 繪畫 彫刻과 如함은 殆히 籬邊物에 任하얏스며 音樂은 古代부터 六藝의 一이라 하야 置重치 안음은 안이나 此 亦 音樂 其物에 重을 置함이 안이오, 一種 教化의 用 即 人의 性情을 養하고 禮節에 和應케 하기 爲함인 바 亦 完全한 發達을 不致하얏다.

要컨대 中國民族의 性質은 極히 淺近한 功利主義의 上에 立하야 今日以外의 明日을 不知하며 現世以外의 來世를 不認하는 同時에 無窮한 前途에 理想을 認할 事를 不念하고 쓸쓸히 지내간 古昔에서 典型을 取코저 하도다.

即 唐虞 三代의 古帝王, 所謂 先王의 遺業을 體認하야 一切 行動을 全혀 此에 遵則한다함은 中國 四千年을 一貫한 中心思想이라. 此 保守的 精神은 一個 鞏固한 形式主義로 代하야 그 歷史的 惰力은 絶對 無上의 力으로써 國民의 思想行爲를 牽制함에 至하얏도다. 是──中國 歷史에 變遷은 有하나 發達은 無하여 回顧는 有하나 前進은 無한 一大 主因이라.

吾人은 中國의 文學思想에 對하야 자못 冷靜한 觀察을 試하얏도다. 비록 考證의 該博을 致하얏다고는 自期치 못하나 大略이나마 中國文學의 特質을 示하얏다 信하노니 該 文學에 對한 價値如何는 此를 讀하는 兄弟 各自의 公評이 自有하려니와 爲先 新文化의 樹立을 策하는 우리로서 昨日까지 우리의 思想感情을 支配하던 中國의 文學思想에 對하야 取할 態度如何를 記者의 私見으로써 結論하노니 中國 固有의 文學과 思想은 우리의 新文化를 建設하는 上에 少毫의 資料를 供給할 것이 되지 못하도다. 다못 昨日까지 그의 餘流를 汲한 關係上 又는 東洋文化의 一大 主脉을 成한 關係上 單히 歷史的의 意義를 有함뿐이로다. 딸아서 우리는 그것에 一考의 勞를 與하얏스면 足할 것이라 하노라.

번듯한 議論에는 치우친 생각으로 손을 대지 못할지니 한 번 손을 대면 부끄러움을 萬世上에 끼칠 것이요, 사날 잇는 집과 利만 아는 구덩이에는 발을 들여노치 못할지니 한 번 발을 듸디면 한 平生 허물을 쓸지니라.

胡適氏를 中心으로 한 中國의 文學革命[01]

- 最近 發行된「支那學」雜誌에서

梁白華(역)

挽近 中國文壇에는 크게 革新의 氣運이 漲溢한다. 人은 이를 이르되 文學革命이라 한다. 그러나 이를 槪言하면 卽 白話(言文)文學의 皷吹다. 勿論 至此하기까지의 徑路에는 幾年 間의 潛勢期를 前提로 하얏슬 터이나 今에 余는 그 文學史家的 立脚地에서 이를 論치 안코 저 戱曲家와 가티 바로 이 運動에 烽火를 擧한 時로부터 一言코자 한다.

民國 六年 一月 一日에 發行된 雜誌「新青年」第二卷 第五號에 胡適氏의「文學改良芻議」란 一篇이 揭載되엇다. 此가 이 運動의 序幕이다. 當時 著者의 胡君은 겨우 二十六歲의 新年을 迎한 青年學生으로 米國 콜롬비아大學에 在學中인가 한데 該 胡君이 次의 八箇條를 提하고 堂堂히 革命을 宣言하얏다.

一. 須言之有物, 二. 不摹倣古人, 三. 須講求文法, 四. 不作無病之呻吟, 五. 務去爛調套語, 六. 不用典, 七. 不講對仗, 八. 不避俗

---

01 『開闢』 제5~8호, 1920.11~1921.2. 4회에 걸쳐 연재되었으며, 일본의 중국 문학 연구자 青木正兒(1887~1964)의 같은 표제의 평론 작품을 초역한 것으로 보인다.

字俗語.

今에 그 要를 摘記하건대──

【一】須言之有物. 內容의 空虛를 指斥한 말이니 文學은 모름즉이 情感과 思想과의 二者를 根柢로 할 것이다. 웨 그러냐하면 情感은 文學의 靈魂이니 文學에 思想이란 마치 人身에 腦筋과 갓다함이오.

【二】不摹倣古人. 文學이란 時代를 딸아 變遷하는 것이니 一時代에는 一時의 文學이 잇는 것이다. 文에 就觀하더래도 尙書로부터 先秦 諸子로 司馬遷, 班固로, 韓·柳·歐·蘇로 遷變하야 마츰내 語錄小說의 白話文이 되엇나니 이것이 文의 進化이다. 韻文으로 말하더래도 同一하다 할 수 잇다. 무릇 이 모든 時代에는 各各 時勢 風會를 조차 各各 그 特長을 有하얏스니 歷史的 進化의 見地로부터 云하면 古人의 文學이 모다 今人보다 勝하다고는 决코 말 못한다. 左氏·太史公의 文이 奇하기는 하다. 그러나 施耐菴의 水滸傳은 이에 比하야 遜色이 無하다. 三都·两京의 賦가 豐富는 하다. 그러나 唐詩宋詞에 比하면 糟粕뿐이다. 이는 文學이란 時와 共히 進化不止하는 故이다. 唐人이 商周의 詩는 作치 못할 것이오, 宋人이 相如나 子雲의 賦는 不能할 것이다. 縱令 이를 作한다 할지라도 반듯이 逆天背時하야 進化의 理에 反하는 故로 변변히 된 것은 못지을 것이다. 그리기에 古人을 摹倣하는 것은 不可하다. 今日의 中國에는 今日의 文學을 創함이 可하니──唐宋의 摹倣도 아니오, 周秦의 흉내도 아니다. 一次 그것이 摹倣의 作인 時에는 縱令 古人에 神似하다 할지라도 畢竟 그 作品은 博物舘 裡에 一點의 僞作을 添함에 不過할 것이니 眞正한 時代的 作物이라고는 말하지 못할 것이다.

【三】須講文法. Grammar(文法)를 無視하야서는 意義의 不通을 來한다.

【四】不作無病之呻吟. 今日 青年은 動輒 則 悲觀하는 체 하는 것을 甚好하는 듯하야 號를 지으면 무슨 「寒灰」라 「無生」이라 「死灰」라 하고 消極的으로

지으며 文을 作하면 落日을 對하야 晩年을 想하고 秋風을 對하야 零落을 思하며 三春의 速歸를 歎하고 百花의 早凋를 恨하는 等으로써 아조 文學的이라고 생각하는 모양이다. 그러나 이것은 亡國의 哀音이다. 老人으로도 稱讚 못하겟거던 况 靑年이랴. 그 流弊는 마츰내 一種의 暮氣를 養成하야 生生한 雄健한 作品이 出現치 못하게 된다. 그런즉 無病으로 呻吟하는 것은 제발 말기를 바란다. 余는 今의 文學家로 페터나 마지니 되기를 바라며 賈生이나 屈原 되기를 願치 아니한다.

【五】務去爛調套語. 今日의 學者들은 胸中에 幾個의 文學的 套語만 覺하면 곳 詩人으로 自處한다. 그 詩文은 到處에 곰팡 내음새가 觸鼻하야 견댈 수 업다. 即 「蹉跎」, 「身世」, 「寥落」, 「飄零」, 「蟲沙」, 「寒窓」, 「斜陽」, 「芳草」, 「春閨」, 「愁魂」, 「歸夢」, 「鵑啼」, 「孤影」, 「雁字」, 「玉樓」, 「錦字」, 「殘更」………等 가튼 것이니 이 流弊는 一文의 價値도 업는 似而非 詩文의 跋扈만 된다. 實로 唾棄할 事이다. 如斯한 못생긴 짓을 말고 사람은 맛당히 제 耳目으로 제 스스로 듯고 제 스스로 본 바──卽 實際 自己가 經驗한 事物을 제 말로 率直하게 表現치 아니하면 아니된다.

【六】不用典. 典故를 쓰지 말 일이니 이제 典故를 廣狹 二義에 分하야 말하겟다. 廣義의 典이란 것은 나의 이른바의 典은 아니다. 이에는 約 五種이 잇다.

【甲】은 古人이 設한 바의 譬喩에 그 譬로 引用된 事物이 普通의 意義를 含有하야 時代를 딸아 그 効用을 失치 안는 것은 今人이라도 또한 이를 用하야 關係 업다. 例컨대 「矛盾」과 가튼 것은 반듯이 그 典故를 모르는 사람이라도 그 譬喩는 알 수가 잇는 것이다.

【乙】은 成語나 成語는 一般으로 慣用되는 것인즉 使用하야도 無妨하다.

【丙】은 史實을 引用하는 事이니 例컨대 杜甫의 詩에 「未聞殷周衰, 中自誅

褒姐[02]」라 함과 如한 것은 今에 陳코자 하는 事와 比較키 爲하야 引用함인즉 典이라고는 못한다.

【丁】은 古人을 引用하야 比較하는 事이니 杜詩에 云한 「淸新庾開府, 俊逸鮑參軍」이라 함과 如함은 典을 用하얏다고 見키 不能하다.

【戊】는 古人의 語를 引用하는 事다. 以上 五種은 引用을 하나 아니하나 關係가 업는 것이다. 그러면 狹義의 典故라는 것은 무엇이냐. 文人 詞客이 自己의 言語로 眼前의 景과 胸中의 意를 寫出키 不能한 까닭에 故事 陳言을 借用하야 此에 代하고 일로 얼러마치자는 수작이다. 그래 廣義의 典과의 相異點은 前者는 彼로써 此에 喩하는 것이니 取譬 比方의 辭요 後者는 彼로써 此에 代하는 것이니 全혀 典으로써 言에 代하는 方法이다. 狹義의 典이라도 用法의 工拙이 有하야 工한 者는 時或 用할지라도 大害는 無하나 그 拙한 者는 斷然코 禁치 아니하면 不可하다. 工하다는 것은 典으로써 言에 代하면서도 마츰내 그 設譬 比方의 原料를 不失하고 다만 文體에 制限이 되어 譬喩가 代言으로 變한 境遇이다. 典故를 用하는 弊害는 人으로 하야금 그 譬喩코자 하는 原意를 失함에 在하다. 만일 主客을 顚倒하야 讀者를 用典의 繁에 迷케 하고 反히 그 設譬의 本體를 忘케 하는 者 有하야서는 甚히 拙劣하다. 今人이 長律을 作함을 見하건대 典故를 不用하면 下筆키 難한 모양이다. 어느 詩 가튼 것은 八十四韻 中에 用典이 百餘事의 多에 至한 것이 有하니 喫驚아니할 수 업다. 用典의 拙劣함은 大抵 다 適當한 造詞를 不知하고 이를 가지고 自己의 拙劣함을 掩飾코자 하는 怠惰者의 所爲이다. 그 拙劣한 것을 指摘하야 보면 【一】比較가 適切치 아니함으로 幾樣으로 解釋되어 確定한 根據가 無한 것, 【二】偏한 典故를 用하야 좀체로 人이 解得키 難한 것, 【三】古典의 成語

---

02 '姐'는 '妲'의 오식이다.

를 取來하야 文法에 不合하는 것, 【四】原意를 失하는 것, 【五】確實히 指한 處가 有하야 移用함이 不可한 故事를 함부로 普通 事實에 適用하는 것 等이다.

【七】不講對仗. 對句를 設하는 것은 人類 言語의 一種의 特性이다. 그런 까닭에 古代의 文인 老子·論語와 如한 것에도 間間이 騈句가 잇다. 그러나 이는 言語의 自然에 逑한 것이오, 억지로 技巧를 弄한 자취는 업다. 勿論 무슨 聲의 平仄이라던지 詞의 虛實을 計한 等事는 업다. 後世의 騈文律詩와 如함은 人工的 牽强的으로 對를 取하기를 强히한 까닭에 人의 自由를 束縛함이 甚하얏다. 그런즉 今日 文學의 改良을 企圖함에 際하야는 如斯한 末技에 拘泥되어 有用한 精力을 微細纖巧한 無用한 事에 費함은 不可하다.

【八】不避俗語俗字. 我國 言文의 背馳는 長久한 事이엇다. 그런데 佛書가 輸入된 後로부터 經典을 譯하는 者가 文章語로만은 意를 達키 難한 까닭에 卑近한 文으로써 이를 譯始하얏다. 그 體는 이미 白話에 近한 것이엇다. 그 後 宋에 至하야 佛氏의 語錄은 盛히 白話를 用한 故로 儒家에도 그 影響이 波及되엇다. 또 一方으로는 唐宋人의 詩詞에도 白話가 出現하얏다. 元에 至하야는 戲曲에 小說에 그 體가 盛行하야 一種의 出秀한 白話文學을 構成하얏다. 現代的 見地로부터 이를 觀하면 中國文學上에 가장 傳世不朽할 作은 元代로써 第一이라 하겟다. 저 死한 라텐文語의 束縛으로부터 歐洲文學을 救出한 딴테, 루터 両人의 偉業에 等한 革命이 正히 此時에 中國文學上에 齎來되랴 하얏다. 卽 一種의 活文學이 光輝를 發하얏다.

그런데 이는 元朝의 滅亡과 共히 沮止되고 明朝 八股 取士의 迫害와 前後七子 復古의 魔道에 蠱惑되고 말엇다. 그러나 現代의 歷史 進化的 見解로부터 觀하면 白話文學은 中國文學의 正宗이오, 將來의 文學은 반듯이 이 利器에 依하야 建設치 아니하면 안된다함을 斷言한다. 그리기에 余는 主張하노니 今日 詩文을 作코자 함에는 俗語 俗字를 採用함이 可하다. 三千年 以前의

死語를 墨守함보다 二十世紀의 活語를 操함이 可하고 耳가 遠한 秦漢 六朝의 文言을 摸함보다 누구나 易解할 水滸 西遊式의 俗語를 使用함이 可하다.

胡君의 論旨는 大約 以上과 如하얏다. 먼저 大體 舊來 支那文學의 弊害 劣處를 指摘하얏다. 그러나 吾人의 所見으로 言之하면 改良의 要點이 此에 盡하얏다고는 謂치 못하겟다. 그 現著한 遺漏는 文學의 外形的 改良에만 意를 過注하고 內容을 省察함에는 疎漏하얏스니 內容에 關하야 胡君의 擧한 바는 다만 「不作無病之呻吟」, 「須言之有物」의 二事에 乃止하얏다. 「須言之有物」은 古文家의 所謂 「達意」의 變形이오, 「不作無病之呻吟」과 如함은 抑末小事이니 아즉도 重要한 事項이 餘在하다. 그러나 생각건대 此際에 內容으로부터 根本的으로 舊習을 打破하고 因襲을 顚覆함은 一朝一夕에는 難行한 事인즉 所謂 大聲이 俚耳에 難入하는 바도 有하얏슬 것이오, 또 胡君도 現狀 打破의 徑路로 直接 眼光에 暎하는 當面의 事像으로부터 改革을 絶叫함인 듯하다. 이는 後에 胡君 及 其他 同志의 人人에 依하야 漸次로 內部의 省察이 實行됨을 見할지라도 首肯된다. 그래 右表幟의 局部的 所說에 對하야는 未盡處가 有하나 이는 後의 論者에 依하야 多少 修正될 點도 有하겟기로 余는 아즉 傍觀의 態度를 持하고 叙事를 이대로 進行코자 한다.

論이 다시 本論으로 入한다. 胡君이 이에 烽火를 擧하기까지에는 不少한 熟考와 研鑽을 費하얏다. 些少의 衒氣라던지 浮動이 아닌 至純한 마음과 熱烈한 欲求와 眞贄한 態度로써 飛躍할 準備가 進行되엇다. 決코 突如히 躍出하야 驚人하랴 하는 者의 類는 아니엇다. 이는 最近 出版한 詩集 「嘗試集」의 自序에 썩 詳細히 그 經過가 述載하얏다. 勿論 此는 主로 彼의 新詩 製作에 關한 事이나 一般의 文學革命에 對하야도 그 持論 發生의 徑路를 觀取하기 足하다.

그 自述한 바에 依하건대 彼가 白話文字에 筆을 染한 것은 民國 紀元 前

六年(光緖 三十二年 距今 十五年) 上海의「競業旬報」에 一, 章回小說과 一篇의 論文을 白話로써 書한 것이 始엿다.(按컨대 時에 僅히 十五歲) 此時는 다만 詩에 熱中하야 白話體를 試할 意思는 姑無하얏다. 그러나 이미 當時의 舊文學에 不滿을 抱한 態는 顯然하얏다. 其 時好하는 바는 古體에 在하고 律은 杜律以外에는 過眼도 不肯한 모양이오, 杜律에도「秋興」八首의 類는 甚히 此를 斥하야 如斯한 文法의 不通하고 結構의 不明瞭한 詩는 大不可라 思하얏다. 또 東坡의 所謂『詩는 모름즉이 有爲하야 作하라』(南濠詩話)한 것과 李東陽의『詩를 作함에 老嫗로 하야금 반듯이 聽解케 함은 원래 不可하다. 그러나 士大夫로 하야금 讀하야 반듯이 解치 못하게 함은 抑何故오』(麓堂詩話)한 等의 詩論에 크게 敬服하얏다.(按컨대 後에 彼가 對偶典故의 騈體詩文을 極力 排斥하는 氣風은 이미 이 時代로부터 深히 根柢가 된 듯하도다).

胡君은 民國 前二年 (彼의 十九歲 時)에 米國에 留學하얏다. 漸次 새로온 歐米文學에 接近하야 갈수록 彼의 眼은 더욱이 大開하얏다. 初에는 農學을 修하고 後에는 政治, 經濟, 文學, 哲學을 修하야 專門的으로 文學을 修하지는 아니하얏스나 원체 嗜好한 所以로 만히 文學書를 耽讀하얏다. 故로 當時의 作詩에는 不少한 西詩의 影響을 受하얏다. 이는「嘗試集」에 附錄된「去國集」(在米中 詩集)에 依하야 窺知할 수가 잇다.(按컨대 이는 아즉 康有爲氏나 梁啓超氏가 西詩에 影響된 某種의 作과 同一한 程度의 것이엇다). 民國 四年 八月에 彼는 一篇의「如何可使吾國文言易於教授」란 文論을 作하얏다. 此時는 아즉 白話로써 文言에 代하랴하는 생각은 無하얏다. 그러나 文言이 死文字되고 白話가 活文字됨은 覺知하얏다. 其時로부터 頻頻히 文學革命의 希望이 湧出하얏다. 그래 屢屢히 友人에게 그 抱懷를 披瀝하얏다. 在米한 一友에게 與한 詩中에는 處處에『神州文學久枯餒, 百年未有健者起, 新潮之來不可止, 文學革命其時矣! 吾輩勢不容坐視, 且復號召二三子, 革命軍前杖馬箠, 鞭笞驅除一車鬼, 再拜迎入新世

紀!』, 『詩國革命何自始? 要須作詩如作文, 琢鏤粉飾喪元氣, 貌似未必詩之純』이라는 等의 口吻을 漏하얏다. 그런데 友人이 此『作詩如作文』의 意를 誤解하야 그 說을 反駁而來하얏다. 此事가 不期히 彼로 하야금 詩界革命의 方法을 友에게 表示케 할 必要를 促케 하얏다. 其友에게 答한 書의 大義는 如下하얏다——今日 舊文學의 弊를 救코자 할진대 먼저 文勝의 弊를 滌去하는 것으로부터 始치 아니치 못할지니 그 方法으로는 第一須言之有物, 第二須講求文法, 第三當用文之文字時, 不可故意避之의 三事로부터 始치 아니하면 안된다. 此 三者는 다 質로써 文의 弊를 救하는 것이다.(按컨대 이 생각은 前의 杜律에 對한 見解와 連絡을 保하얏도다. 또 後에 發表한 「文學 改良 芻議」 八箇條 中 第一, 第三의 要件은 此處에서 出發하얏도다.)

마츰내 彼의 思想上에 白話文學을 主張하는 决心이 來하얏다. 그는 彼의 平常의 持論인 歷史的 文學 進化觀念이 그 基調를 作하얏다. 彼는 民國 五年 四月 五日 夜에 自己의 隨筆인 「藏暉室箚記」에 그 意志를 記하얏다. 그 中에는 下와 如한 意味의 言이 有하얏다.——文學革命은 吾國史上에 在하야 决코 創見이 아니다. 上은 三代로부터 下는 近代에 至하기까지 屢屢히 大革命이 行한 事는 文學史上에 徵하야 明確하다. 그리고 그 文學革命은 元代에 至하야 極盛期에 達하얏다. 其時의 詞曲 小說과 如한 第一流의 文學은 皆 俚語로써 此를 綴하얏다. 即 我國에 참으로 一種의 活文學이 生한 것이다. 若 그대로 發達하야 明代의 八股 復古 二文에 沮害되지 아니하얏던들 지금쯤은 이미 我國文學에 훌륭한 言文一致의 俚語的 文學이 成就되엇슬 것이다. 可嘆할 事이다. 半死의 古文, 半生의 詩詞가 이 活文學의 席을 奪하야 今日까지 氣息이 奄奄하다. 文學革命이다! 晏坐할 수 업구나. 그 後 數日을 經하야 彼는 또 一首의 「沁園春」의 詞를 作하얏다. 題하야 「誓詩」라 하얏스나 實은 一篇의 文學革命 宣言書이엇다. 上半에는 彼가 後에 所謂 「無病而呻吟」의 惡習

을 痛罵하고 下半에는 文學革命의 决心을 確示하얏다.

無何에 彼는 白話詩의 試作을 企할 機會를 逢着하얏다. 그는 同年 七月 中旬에 友人 某가 寄한 一詩의 死字 死句를 謗한 事가 他 一友의 反感을 買하야 猛烈한 抗議를 受한 까닭에 彼는 此에 酬하기 爲하야 一千字 餘의 白話詩를 作하야 嘲送하얏다. 該作은 勿論 一種의 遊戲詩이나 一面에는 白話詩의 試驗的 意思로 하얏다. 그 中에 如斯한 句가 有하얏다.──

文字沒有雅俗, 却有死可活道.
古人叫做欲, 今人叫做要.
古人叫做至, 今人叫做到.
古人叫做溺, 今人叫做尿.
本來同是一字, 聲音少許變了.
(中略)
古名雖未必不佳, 今名又何嘗不妙?
至於古人乘輿, 今人坐轎.
古人加冠束幘, 今人但知戴帽.
若必叫帽作巾, 叫轎作輿.
豈非張冠李戴, 認虎作豹?

또 이러한 意味의 句도 잇섯다──『今에 余가 口角에 飛沫하며 喋喋不已함은 무슨 까닭인 줄 아느냐. 그는 今日의 文學大家가 저 生生한 白話로써 以鍛以磨하야써 作文 演說과 作曲 作歌하야 幾個의 白話的 뉴고와 幾個의 白話的 東坡의 出現을 要求함이다. 어찌하야 活文學이 不可하냐, 그는 무슨 까닭이냐』. 이 詩는 果然 両友의 嘲笑를 招하얏다. 彼의 眞摯한 企圖는 돌이여

世人의 耳目을 眩惑케 하는 詐欺者로 誤見되어 一友는『君의 同類는 今에 西洋에 多有하다. 未來派·想像派·自由詩 及 各種의「文藝上의 頹唐的 運動」은 貴兄의 俗話詩의 亞流다. 이러한 一二文의 價値도 업는 新潮流를 剽竊하야 國人을 笑殺케 하는 것은 勿爲함이 可하다』하는 意味를 便紙로 嘲弄하얏다. 他의 一友는 즈윽이 溫和하고 同情 잇는 反駁을 書送하얏다──『君의 今次의 試作은 보기조케 失敗하얏다. 吾人이 今日 文學革命을 말함은 實際 今日의 文學은 改革하지 아니하면 안될 것이 잇는 까닭이다. 다만 文言 白話의 爭만 아니다. 지금 祖國 文界의 狀態를 돌아보건대 鄭蘇龕, 陳伯嚴과 如한 묵은 頭腦를 가진 老朽가 아니면 南社一派의 遊蕩的 口尙乳臭가 活步할 뿐이오, 吾輩가 冀望하는 高潔하고 堅實한 文學은 得見할 수 업다. 君은 이미 高才를 抱하면서 大道를 捨하고 末技에 拘拘하고 잇슬 것이 아니다. 設令 今에 君의 文學革命을 成功케 하야 我國의 作詩者로 하야금 모다 俗語를 混用한 打鈴調의 詩를 作하게 되더래도 陶·謝·李·杜의 流가 永絶하게 되면 君의 苦心도 돌이여 害만 될 뿐이다.』 그러나 彼의 確固한 信念과 堅强한 主張은 决코 友朋의 嘲笑나 勸告에 服키 不能하얏다. 彼는 卽時 反駁하는 返信을 送하얏다. 그 後에도 再三 發信하야 自己의 所信을 表明하얏다. 그 中에는 이러한 言이 잇섯다──『一次 보기 조케 失敗하얏기로 再來함에 何妨이랴.』,『文學革命의 手段은 國中의 陶謝李杜로 하야금 반듯이 白話의 打鈴調로 詩를 作케 하랴 합니다.』,『吾輩가 現代에 生한 以上에는 멀리 行할 수도 업고 普及할 수도 업는 五經 兩漢 六朝 八家의 文字를 作함보다 누구나 다 아는 水滸 西遊式의 文字를 作함이 낫다.』 마츰내 彼는『吾志는 決하얏다. 自己는 以後 一切 文言의 詩詞는 不作한다.』고 까지 斷言하얏다. 最後에 彼의 動치 못할 確信과 昻然한 意氣를 示한 宣言은 左의 一信이다──

………古人은 云호되 「工은 其事를 善히 하고자 하면 먼저 其器를 利히 하나니라」하얏다. 文字란 文學의 器다. 내 竊思컨대 文言은 决코 我國 將來 文學의 利器를 삼기 足치 못하다. 施耐菴·曹雪芹 等人이 이미 小說의 利器가 白話에 在함을 實地로 證明하얏다. 今에는 白話가 韻文을 作할 利器인가 否인가를 實地 試驗하야 주기를 吾人에게 求할 뿐이다.………自己는 白話로 散文을 作함에는 크게 自信이 잇다. 다만 아즉 이를 韻文에 用하기가 不能하다. 數年 間 研究하야 이를 實地로 練習하야 보고자 마음에 竊思한다.………自己는 今에 白話의 韻文을 練習하는 것이 애오라지 一文學 殖民地를 開拓하는 것으로 생각하나 可惜하다 單身匹馬로 往치 아니하면 안되겟고 多數한 同志를 得하야 携手同行이 不能하고나. 그러나 自己의 去志는 이미 决하얏다. 諸君아, 僕에게 數年의 期를 假하야라. 만일 이 新國이 모다 沙磧不毛의 地이면 僕이 或 늙어서 「文言詩國」으로 歸來할는지도 모른다. 그러나 만일 多幸히 成功할진대 荊棘을 闢除한 後에 門戶를 開放하고 「자──이리로 들어오시오」하고 諸君을 迎來할 뿐이다.………(八月 四日)

이 斷言은 참으로 意固志强하니 一見에 그 快活한 好男子의 血潮의 漲溢임을 알겟다. 友人의 反對의 聲은 더욱이 彼의 奮鬪를 盛케 하는 刺戟物이엇다. 그 後에 彼는 一層 積極的 態度를 取함에 至하야 彼의 所謂 「嘗試」는 아조 熱烈히 開始되엇다. 彼는 後에 當時를 回顧하고 『當時 朋友의 間에 一日에 葉書 一葉 三日에 封書 一本과 互相 討論한 樂은 참으로 人生難得의 幸福이엇다. 余의 文學革命에 對한 一切의 見解가 結晶하야 一種의 系統的 主張

을 得成함은 全혀 是等 朋友와 切磋 討論한 結果이엇다.』 言하얏다.

如斯히 하야 統一된 文學革命의 綱領은 八月 十九日에 어느 一友에게 書送하얏다.

또 同樣의 主旨를 雜誌 「新靑年」의 主筆 陳獨秀氏에게 寄하야 同誌 第二卷 第二號(五年 十月 一日 發行)의 通信欄에 揭載되어 이에 비롯오 彼의 苦心의 結晶은 世에 發表할 機會에 逢着하얏다. 獨秀氏는 그 通信文의 後에 附記하야 그 說의 正當함을 讚嘆하얏다. 이에 力을 得하얏던지 彼는 얼른 一篇의 論文을 草하야 同誌에 寄하얏다. 이것이 翌六年 一月號에 揭載된 前述의 「文學改良芻議」이엇다. 이리하야 彼의 革命은 마츰내 新舞臺에 出現한 것이다.

「新靑年」은 四年 九月의 創刊이니 主宰者 陳獨秀氏는 北京大學 文科 敎授로 頭腦도 新하고 또한 達筆이라 新人을 率함에는 甚히 適當한 人物이엇다. 盛히 同志를 糾合하야 新思潮의 輸入, 舊思想의 撲滅에 奮鬪하던 第一人者이엇다. 또한 이에 馳叅하는 新人의 輩은 모다 潑溂한 元氣와 希望에 耀하야 족음 觸하면 返撥할 듯한 彈力性에 富한 人等인 故로 이 雜誌는 新思潮의 最高權威의 位에 在하던 터이오, 彼는 以前부터 時或 飜譯小說을 寄稿하야 이 雜誌에 現顔하던 터인데 이제 이 大絶呌의 聲을 擧하자마자 同誌에 籠在하던 新人은 이를 歡呼하야 마젓다. 天下에는 或 贊하는 者 或 誹하는 者로 衆聲이 盛起하얏스나 要컨대 그 本魂은 非常히 大하얏다. 或은 彼의 豫期 以上이엇섯는지도 不知하겟다.

(未完)

續[03]

胡君의 「文學改良芻議」에 對하야 最先으로 共鳴한 것은 陳獨秀氏의 「文學革命論」이다. 彼는 胡君의 論이 發表된 그 翌月, 「新靑年」 第二卷 第六號 卷頭에 이를 援兵의 旗幟가 鮮明하게 揭하얏다.

舊思想의 打破와 新思潮의 輸入을 爲하야 吶喊 奮戰하던 陳君의 此時에 如何히 喜悅의 滿한 眼으로써 胡君의 議를 見하얏는지는 想像키 不難하다. 그 前부터 陳君은 思想方面에 大革命을 企圖하며 잇섯다. 彼는 「憲法과 孔敎」, 「孔子道와 現代生活」, 「다시 孔敎問題를 論함」 等의 論議를 揭하야 固陋한 頭腦의 所有者 等을 馬蹄에 蹴倒하고 古物商店 頭에 걸린 退色한 洋服과 가튼 例의 歷史 가진 新人 康有爲輩를 盛히 猛打하야 그 殘夢을 驚케 하던 人이엇다. 그러나 文學方面에는 胡君과 가티 急進的 意見은 抱持치 아니하얏섯다. 勿論 彼는 當時의 舊文學을 不滿히 생각하고 일즉이 胡氏보다 先하야 同誌上에 我國의 文藝는 아즉도 古典主義 理想主義 時代에 잇스니 이로는 不可하다, 어떠케하던지 今後의 文藝는 寫實主義로 向하지 아니하면 안된다는 意見을 發表한 事까지 有하지마는 實際上으로는 아즉도 다 그 範疇를 脫出치 못한 바가 잇섯다. 그러나 新思潮에 理解가 有한 彼는 決고 胡適君의 革新論을 容함에 吝치 아니하얏스며 다만 一二事를 除한 外에는 悉皆 이를 承認하얏다. 그러면 彼의 革命論의 要旨는 如何한 것인지 請컨대 暫時 余로 하야금 此를 述케 하여라.

陳君의 標幟는 대개 三箇條이엇다. 【一】彫琢的이오 阿諛的인 貴族文學을 推倒하고 平易하고 抒情的인 國民文學을 建設할 事. 【二】陳腐하고 鋪張的인

---

03 연재분 표기이다.

古典文學을 推倒하고 新鮮하고 立誠的인 寫實文學을 建設할 事. 【三】迂晦하고 艱澀한 山林文學을 推倒하고 明瞭하고 通俗的인 社會文學을 建設할 事等이라. 結局 彼의 主張하는 바도 胡君과 同樣으로 彫琢粉飾의 騈體를 斥하고 達意白描의 散體를 取함에 在하얏다. 그 意味로 彼는 南北朝의 四六을 捨하고 韓柳의 復古文을 取하얏스며 漢賦를 排하고 楚辭로 溯하얏다. 그러나 彼는 決코 此에 滿足하는 者는 아니엇다. 彼가 韓愈의 文에 對하야 不滿한 點은 그 文이 오히려 古를 師한 事와 「文以載道」라는 謬見에 陷한 事이엇다. 無論 宋明의 僞古와 淸의 桐城派 等은 彼의 眼中에 入할 理가 萬無하다. 그럼으로 그 歸着處는 胡와 가티 元明以來의 戲曲 小說에 對하야 文學的 價値의 最高位를 與함에 在하얏다. 이는 決코 胡에 雷同한 故가 아니오, 彼의 素懷인 事는 彼가 胡君의 「文學改良芻議」를 見하자 곳 其後에 書하되 『余恒謂中國近代文學史, 施曹(按컨대 施耐菴과 曹雪芹이라) 價値, 遠在歸姚(歸震川, 姚姬傳)之上, 聞者咸大驚疑. 今得胡君之論, 竊喜所見不孤. 白話文學, 將爲中國文學之正宗, 余亦篤信而渴望之.』라 云云함에 徵하야 明하다. 現代 謳歌 民主主義의 彼의 思想으로 觀하면 이는 當然한 歸結일 것이다.

彼의 主張으로써 胡에게 比하건대 胡의 論은 細目을 列擧함에 止하고 大綱을 論함이 無하얏스나 陳은 能히 此를 言하야 그 要約한 바를 示하얏다. 胡의 所謂 「不摹倣古人」, 「不用典」, 「務去爛調套語」는 陳의 所謂 「推倒古典文學」의 一部며 胡의 「不避俗字俗語」는 陳의 「建設國民文學」이며 胡의 「不講對仗」은 陳의 「推倒貴族文學」의 一面이오, 胡의 「不作無病之呻吟」은 陳의 「推倒山林文學」의 類일다. 胡論의 要目 八箇條 中에 「須言之有物」, 「須講求之法」에 對하야는 陳은 不贊成을 唱하얏다. 그는 하나는 中國의 文字는 語尾의 變化가 無한 故로 억지로 이를 西洋의 所謂 rammar(文法)에 合케 함은 牽强의 弊에 陷한다는 理由와 他는 「言之有物」을 求하는 弊는 「文以載道」란

說에 陷하나니 文學 美術은 그 自身이 獨立 存在의 價値가 有한 것이오, 決코 載道의 手段 器械로 應用됨이 本來의 目的이 아니라는 文學至上論, 卽 純文學的 立脚地에서 此를 否認하얏다.(第二卷 二號 通信欄) 且 彼가 寫實文學, 社會文學을 主張한 事는 胡君이 欲言而未遑한 文學의 內容的 革命에 觸한 것이엇다. 다만 이를 一層 明確히 具體的으로 力說치 못한 것이 족음 不足한 感이 업지 아니하나 恐컨대 此를 的確히 論斷할만한 文學的 知識의 準備가 無하얏슴인지도 알 수 업다. 要컨대 彼의 革命은 古典主義, 理想主義에서 寫實主義로 赴코자 하는 者이니 一時 日本에서도 西洋으로부터 輸入되어 文壇을 喧盛케 하던 저 自然主義를 謳歌함과 無異하다.

以上 二家의 所論에 響應하야 일어난 사람은 錢玄同, 劉半儂의 二君이엇다. 錢君은 言語學으로써 北京大學에 敎鞭을 執하며서 에쓰페란트(世界共通語)를 鼓吹하던 新學者라 胡君의 說을 見하자 即時 이를 贊成하야 陳君과 同時에 「新靑年」 第二卷 六號 通信欄에다 白話文學의 價値를 認하얏고 第三卷 第一號 通信欄에는 아조 應援軍을 派하야 精論을 發表하얏다. 「不用典」의 一項에 關하야는 胡君보다 一步가 進한 徹底的 생각을 가지고 잇섯다. 胡君이 許容한 用典의 工者까지도 彼는 取치 아니하얏스니 工拙을 不關하고 一切의 典故를 斥함이 可하다 하고 極論하얏다. 그리고 또 地名 人名의 呼稱에 關하야 中國文人이 好用하는 雅稱(例컨대 人을 呼함에 字, 號 또는 諡로 써하며 甚한 것은 官名, 地名으로써 하는 것과 地名에 古名을 쓰는 것 等)을 廢치 아니하면 안된다고 論하얏다.(이는 吾人도 大贊成이다. 李白을 呼함에 李翰林, 謫仙, 靑蓮(地名)이라 하는 것이라던지 常熟이 虞山도 되며 錢謙益이 虞山도 되어 地名인지 人名인지 不分明하게 쓰는 것이 만하 얼는 알기 어렵다.) 또 함부로 古字를 用코자 하는 陋習(例컨대 「夜夢不祥 開門大吉」이라 할 것을 「宵寐匪禎, 闢札洪庥」이라 하는 것 等)이 잇스니 이러한 것은 用典과 同病이라 하얏다. 胡의 「須講文法」이라는 一項에는 言語學者인 彼는 勿論 大

贊成이라 杜甫詩의 文法 破格으로 有名한 句에 「香稻啄餘鸚鵡粒 碧梧棲老鳳凰枝」 等을 例로 擧하야 攻擊하얏다. 또 文體에 關하야는 無論 白話文으로써 正宗이라 하야 古來의 文學으로는 詞曲 小說이 가장 發達한 것이라 하얏다. 그러하지마는 이를 西洋文學에 比較하면 從來의 作品은 甚히 遜色이 잇다. 小說로는 「水滸傳」, 「홍루몽」, 戲曲으로는 元明의 南北曲, 崑曲에 可觀할 것이 잇스나 近時의 小說과 京調의 戲曲가튼 것은 齒牙에 足히 掛할 것이 못된다고 論斷하얏다. 그러나 要컨대 彼도 亦 白話 白描黨으로 胡君보다 족음 急進的 氣勢를 示한 것이다.

劉半儂도 또한 北京大學에 關係가 有한 人인 듯한데 彼는 錢君에 次하야 「我之文學改良觀」(新青年 三卷 三號)이란 一文을 草하야 陣頭에 立하얏다. 彼의 立脚地는 英文學인듯하야 「新青年」의 同人으로 盛히 英文學의 紹介와 飜譯의 筆을 執하던 一人이다. 彼의 立論은 胡適에 比하야 一層 精密하고 秩序的이엇다. 彼는 먼저 文學의 定義로부터 說起하야 散文의 改良할 것과 韵文의 改良할 것을 順序를 隨하야 論하얏다. 今에 그 胡君의 說에 一步를 進한 現著한 點을 指摘하건대——먼저 第一로 文學 作者는 個性을 重히 할 것이라. 이는 胡君의 所謂 「不摹倣古人」도 그 一部를 成하얏스나 그보다 一層 進하야 古人뿐만 아니라 今人을 摹倣하는 것도 이미 今人의 奴隷일다. 또 文體上의 格式이라는 局執된 생각을 一掃치 아니하면 아니된다. 第二는 舊時代의 遺物로 現今의 實際와 一致치 앗는 詩詞의 韻을 廢하고 現代에 適合한 韻法을 定하야 이에 依하야 新詩를 作함이 可하다. 第三은 詩體를 增하야 여러 가지의 自由로운 形式을 取할 것이니 進하야는 無韻으로 詩를 作함도 可하다. 詩體 韻律에 思想이 束縛되는 것은 詩의 發達을 阻할 뿐이다.(後에는 彼의 言과 가티 果然 自由한 形式의 詩와 無韻한 詩까지 生함에 至하얏다.) 第四는 從來의 歌劇을 廢하야 白話劇을 맨들 것이다. 第五는 文學을 書記함에 用하는 記號에는 西洋

式을 加味할 것이라.(彼의 생각이 全然히 西洋式을 採用함에까지는 나아가지 못하얏스나 後에 이러한 問題가 諸人의 論議에 올나 맛참내 全然 西式을 採用함에 이르럿다. 그 動機는 彼의 此論에 在하다.) 彼의 論은 이와 가티 大慨 胡適君보다 急進的이엇다. 그러나 다만 一事는 賛意를 表치 아니하얏스니 그는 文言을 捨치 아니함이라. 彼는 文言과 白話를 對峙 並用하자 하는 中庸說로 同一한 語句에도 이를 白話로 記하야 非常히 適切한 境遇와 文言을 用하야 効果를 收得할 境遇가 잇슨즉 各히 그 長을 取할것이오, 반듯시 文言을 廢할 것이 아니다. 將來에는 全然 白話를 用하야 훌륭한 文學을 作할 時期가 來하겟지만 目下 過渡의 時代로는 並用이 時宜에 適한 處置라는 見解이다. 彼等 一輩의 革命運動이 모다 理想論에 傾한 中에 此論만은 實際를 顧慮한 까닭에 賛意를 表치 아니함인 듯하다.

胡適氏는 劉君의 此論과 同號에 「歷史的文學觀念論」이란 一篇을 揭하야 自己의 前說을 補足하얏다. 이는 彼의 「文學改良芻議」의 序論으로 觀할 수가 잇다. 그 論旨는——一時代에는 一時代 特有한 文學이 잇다. 此 時代와 彼 時代와 承前起後의 關係는 有할지라도 決코 全然 蹈襲함은 不許한다. 만일 如此한 것일진대 眞正으로 그 時代의 文學이라고는 云치 못한다. 故로 今日의 文學은 白話文學으로써 正宗을 삼을 것이라고 吾人은 說하나 그러나 이도 다만 一個의 假定說이니 今後에 果然 그러케 될지 아니될지는 今後 文學家의 實地 證明에 待치 아니치 못하겟다. 그러하지만 吾人이 古文을 觝排하고 白話文을 主張하는 所以는 歷史的으로 文學은 變遷하는 것이라는 觀念上에 立하야 見할 時에 一二千年이나 되는 古昔의 文體를 强作함에 汲汲하고 現在 吾人과 가장 親密한 現代語로써 文學을 創作하는 自然된 方法을 抛棄함은 不能하다 함에 在하다.

그리하야 革新論은 漸漸 熾盛하게 되엇다. 「新青年」 同人以外의 人으로도

注意하는 人이 出來하고 二三人은 此에 對한 意見을 同誌 通信欄에 寄來하얏는데 是等人은 革命에 同情하며서도 오히려 上述한 諸人과 가티 急進黨이 아니오, 舊文學을 不忘하는 溫和派이엇다. 或者는 「文以載道」란 說을 辯護하야 所謂 「道」라는 것은 現今 盛稱하는 바의 「思想」이다, 다만 古人의 道라 云한 것은 多少 制限的의 意味가 有할 뿐이라 하야 理想主義를 唱한 者도 잇섯다.(三卷 二號 曾毅 通信) 或者는 또 文學革命의 影響을 杞憂하야 諸君과 가티 넘우 急進하면 돌이어 다만 老學究의 反感을 强하게 할 뿐이니 彼等이 絶命的으로 破壞 手段에 出할는지도 不知하며 또는 一知半解하는 學生 等이 이를 粗解하야 國粹를 滅亡케 할 誤를 招하지나 아니할가 하고 注意하얏다.(三卷 三號 張護蘭의 通信) 그러나 諸人은 조음도 傾耳치 아니하고 前進을 急히 하얏다. 胡適과 錢玄同 間에 元明淸의 小說에 對한 意見이 交換도 되엇고(三卷 四號 及 六號 通信) 劉半儂의 「詩與小說精神上之革新」이 發表도 되엇다.(三卷 五號) 錢君은 應用文의 改良을 唱道도 하얏스며(三卷 五號 通信) 또한 文章 其他의 書記法을 橫式으로 하고 符號도 西洋式을 그대로 用하자는 議를 發하기도 하야(三卷 六號 通信) 썩 喧盛한 中에 「新靑年」 第三卷(民國 六年 八月까지)은 終了되엇다.

右記 中에 가장 注目할 것은 劉君의 「詩與小說精神上之革新」 一篇이엇다. 詩에 在하야는 彼는 人間 性情의 「眞」을 要求하얏다. 이 意味로 詩經의 國風을 最上品이라 하고 陶淵明, 白樂天을 眞正한 詩家라 하야 此에 次하는 位地를 與하얏다. 그러한 까닭에 모든 作爲的의 詩로써 「虛僞文學」이라 하야 唾棄하고 近人 王次回·鄭所南·易順鼎·樊增祥 等의 僞詩를 塵芥桶에 掃投하얏다. 그런데 彼의 所謂 革新이라함은 眞情이 流露하는 古詩로 復함이라, 時代에 古今이 有하고 物質에 新舊는 有하나 다만 이 「眞」만은 唯一無二로 斷然코 時代와 共히 變化함이 업시 永遠으로 新한 것이라 絶叫하얏다. 小說에 在

하야는 第一로 眞理를 根據로 立言하야 別로히 한 理想的 世界를 創出하는 事이라, 例컨대 「水滸傳」은 一 社會主義的 理想世界를 描한 것이며 톨쓰토이의 作과 如함은 理想的 新宗教世界를 描한 것의 類이다. 第二는 作者의 實見한 바의 世界를 그대로 一縮圖로 할 事이라, 例컨대 「紅樓夢」과 如한 것이라던지 테켄쓰·싸카레, 모파싼 等이 作한 바의 類이다. 그리고 後者보다 前者가 優等의 地位를 占할 것이라 하얏다. 要컨대 詩에 在하야는 詩 發生의 根本義로 還코자 한 것이니 彼가 自言함과 가티 이 생각은 쫀손에게서 得來한 것이며 小說에 在하야는 理想主義와 寫實主義를 併容하야 理想主義를 上位에 置한 것이다. 彼의 이 所說은 무슨 그리 新한 것은 아니나 胡適氏說의 內容的 方面의 不備를 補足한 論으로 이 運動에 對하야는 甚히 重要한 言論이엇다.

議論이 如斯히 着着히 步를 進하는 間에 實行的 方面도 이를 伴하야 多少 進行하얏다. 그러나 이는 다만 理論을 實驗에 依하야 確定하야 보자함에 不過한 程度의 것이니 彼等은 모도 다 論客일 뿐으로 議論은 썩 紛紛하얏스나 그 實力은 좀 疑問이엇다. 胡適君은 例의 「文學改良芻議」를 發表한 翌月號(二卷 六號)에 「白話詩 八首」를 世에 問하얏다. 그러나 이는 舊來의 五七言을 다만 白話를 混用하야 作하얏다 할 뿐이니 詩體上으로는 무슨 特出한 發明도 업고 押韻에 西洋詩法을 模한 事와 叙述法이 散文的이라는 것이 特徵이다. 勿論 試作이오, 成功한 作은 아니지마는 이미 前에 揭한 그 友人에게 答한 白話의 游戱詩에 比하면 만히 洗鍊되얏다.

他(思祖國也)

儞心裏愛他,
莫說不愛他.

要看儞愛他,

且等人害他.

倘有人害他,

儞如何對他?

倘有人愛他,

更如何待他?

奇하기는 奇하다마는 마치 砂를 嚙함과 갓다.

江上

雨脚渡江來,

山頭衝霧出.

雨過霧亦收,

江樓看落日.

이 가튼 것은 족음도 新하지도 奇하지도 안타. 次에 第三卷 四號에는 「白話詞」 四闋을 發表하얏다. 이에는 別로히 들어 말할만한 것도 업섯다. 此間에 彼의 作한 白話의 詩詞는 「新靑年」에 發表한 以外에도 多少 有하야 今은 彼의 「嘗試集」에 收在한데 是等을 通覽하건대 彼가 此期間(民國 五年 九月로부터 六年 七月까지)에 試한 諸作은 新意를 出코자하고는 아즉도 窠臼를 脫치 못한 狀態에 在하얏다. 眞正한 新詩의 成立은 이를 次期에 至하야 始見하겟다. 散文에 在하야는 白話文이 小說 以外에 普通文으로 始用되엇다. 率先하야 이를 用한 것은 陳獨秀氏의 「近代西洋教育」(三卷 五號)과 劉半儂氏의 「詩與小

說精神上之革新」(同上) 二篇이엇다.그러나 是等은 白話라고는 하지마는 文言便이 反勝할만하게 生硬하야 消化되지 못할 文體이엇다.

錢玄同君이 文의 書記 方法을 論한 通信(三卷 六號)에 至하야는 대단히 圓滑하얏다. 此 方面도 此期에 至하야 完成되엇다. 小說은 以前부터 續載하던 飜譯文뿐이오, 新創作에는 指를 染하는 者도 업섯슬 뿐 아니라 이는 次期에 至하도록 容易히 出現치 아니하얏다. 要컨대 實際方面은 아즉 足히 語할만한 何物도 無하얏다 하야도 可하다. 以上을 이 運動의 舊文學 破壞時代라 한다. (二卷 五號(民國 六年 一月)로부터 三卷 六號(同年 八月)까지)

「新青年」이 卷을 改하야 四卷이 되며서 同時에 革新運動에도 一轉機가 來하얏다. 이로부터 運動은 漸漸 建設時代로 進行한다. 먼저 이 時期는 胡適氏의 歸朝로부터 始한다. 彼는 民國 六年 七月 下旬인가 八月 上旬에 上海에 歸着한 듯하다. 그래 九月에는 北京의 人이 되엇다. 無何에 同志와 語하야 白話詩의 試作을 繼하기 始하얏다. 「新青年」은 第三卷의 終了와 共히 무슨 事故로 四個月 間을 休刊하얏다가 年이 改한 七年 正月부터 第四卷을 繼續 發行하얏다. 第一號에는 벌서 胡君의 「歸國雜感」과 近作의 白話詩와 「論小說及白話韻文」의 通信이 揭載되엇다. 「歸國雜感」은 七年만에 歸來한 彼의 新歸朝者 態를 示하고 中國文化의 遲滯를 歎息한 以外에 革新運動에는 何等의 新事實을 齎來치 아니하얏다. 또 通信은 錢玄同君과의 小說討論의 續稿와 錢劉二家의 白話詞에 關한 意見에 答한 斷片的의 論辯이엇다. 然한데 白話詩에 在하야는 確實히 一轉機가 來하얏다.

그는 字法으로는 古典의 窠臼를 脫하고 句法으로는 五七言의 範疇를 打破하야 長短 自在한 言語의 自然에 發한 詩形을 採한 事라. 前者는 일즉이 錢君이 指摘한 忠告에 基한 改良이오, 後者는 劉君의 論에 動한 것인줄로 생각한다. 今에 또 一 新事實은 白話詩의 伴侶를 得한 事이니 劉半儂·沈尹默·唐

俟 等이 馳參하얏다. 이 여러 사람 中에 胡는 툭하면 西學的 新知識을 내어 저으며서 新味를 出하랴고 하는 癖이 잇고 沈은 自國文學의 立脚地에 서서 아조 舊習을 脫코자 하는 努力이 보이기는 하나 往往 古人이 이미 歌하야 荒古된 詩境에 발을 들여 노흐며 劉는 가장 文士質로 新한체 하야 往往 膚薄의 誹를 免치 못하얏고 唐은 詩味가 薄한 詩境에 안되는 말을 그저 쑥쑥 지어내어 털이는 癖이 잇서 얼른 말하면 普通作이엇다. 諸人 中에 想으로 多少 他人들보다 陳古는 하나 가장 詩境을 解하야 詩人的 天分이 豐富한 人은 沈君인 줄로 생각한다. 措辭에 就觀할지라도 劉는 粗笨, 胡는 平明, 沈은優雅, 唐은 平俗하다. 忌憚업시 말을 하면 此等人 中에 新詩人으로 望을 屬할만한 사람은 主唱者의 胡가 아니오, 돌이어 沈劉 二君에 在하얏다. 左에 第一回의 試作에서 例를 擧한다.

一念有序

胡適

(今年在北京, 住在竹竿巷. 有一天, 忽然由竹竿巷想到竹竿尖. 竹竿尖乃是吾家村後的一座最高山的名字. 因此便做了這首詩.)

我笑儞繞太陽的地球, 一日夜只打得一個回旋.
我笑儞繞地球的月亮兒, 總不會永遠團圓.
我笑儞千千萬萬大大小小的星球, 總跳不出自己的軌道線.
我笑儞一秒鍾走五十萬里的無線電, 總比不上我區區的心頭一念.
我這心頭一念,
纔從竹竿巷, 忽到竹竿尖,

忽在赫貞江上, 忽到凱約湖邊.

我若眞個害刻骨的相思, 便一分鐘繞遍地球三千萬轉!

人力車夫

沈尹默

日光淡淡, 白雲悠悠. 風吹薄氷, 河水不流,

出門去, 雇人力車. 街上行人, 往來很多. 車馬紛紛, 不知幹些甚麼?

人力車上人, 個個穿棉衣, 個個袖手坐, 還覺風吹來, 身上冷不過.

車夫單衣已破, 他却汗珠兒顆顆往下墮.

題女兒小蕙週歲日造象

劉半儂

儞餓了便啼, 飽了便嬉.

倦了思眠, 冷了索衣.

不餓不冷不思眠, 我見儞整日笑嘻嘻.

儞也有心, 只是無牽記.

儞也有眼耳鼻舌, 只未着色聲味香.

儞有儞的小靈魂, 不登天, 也不墮地.

呵呵, 我羨儞! 我羨儞!

儞是天地間的活神仙!

是自然界不加冕的皇帝!

爾後 每號에 新詩欄이 設하게 될만치 盛하게 되엇다. 詩形은 大略 右와 如한 것을 自由로 作하얏다. 그 中에도 劉半儂과 如함은 無韻의 詩까지 試하얏다. 彼等이 好하야 咏한 題材는 新을 求하는 趨勢上 될 수 잇는대로는 古人에게 閑却된 것을 拾用하랴 하얏다. 人事를 歌함에는 달디단 戀歌를 斥하고 社會問題에 觸하랴 하얏다. 例컨대 右의 「人力車夫」와 如한 것이라던지 其他 貧富의 差로서 生하는 人事의 矛盾을 諷刺한 것은 不少히 이를 볼 수 잇섯다. 鳥獸를 歌함에도 그는 决코 古人의 그 形體 音聲의 美를 稱한 것과는 달라 이에 托하야 人生의 一面을 諷한 것 가튼 것이 多하얏다. 通覽한 바로는 內容으로던지 措辭로던지 아즉 吾人의 歎賞에 値할만한 作은 不生하얏지마는 新意를 出하랴고 努力한 것은 特筆할 價値가 有하다.

白話詩에 對하야 大聲으로 聲援을 與하기는 錢玄同君이엇다. 彼는 自己는 作치 아니하얏스나 言語革命, 即 에쓰페란트의 旗를 飜하며서 文學革命과 相應하야 奮鬪하는 一方으로는 그 新 言語學的 立脚地에서 徹底的으로 白話詩文을 鼓吹하얏다. 彼는 胡適君이 歸朝하기 以前에 이미 胡君을 激勵하야 「君의 白話詩는 아즉 다 文言의 窠臼를 脫하지 못하얏다」하고 更一層 新한 것을 要求하얏다.(第三卷 六號 通信) 또 胡가 歸朝後 얼마 아니되어 그 「嘗試集」에 長序를 作하야써 彼를 爲하야 陣를 布하얏다. 그것은 言語 變遷의 理論으로부터 文學上의 用語가 白話가 아니면 안된다 함을 論斷한 것으로 아조 痛切을 極한 것이엇다. 또 胡詩의 缺點을 指摘하야 『그 幾首는 아즉 「詞」的 句調를 用하얏고 또 幾首는 「五言」的 字數에 局執된 까닭에 言語와 딱 들어맛지를 아니하며 用語에는 몃 군대 아즉도 만히 文語的의 嫌이 잇다』고 論하얏다. 그런데 作者로의 胡適은 理論만 캐는 新 言語學者와 가티 古典的인 文語

로부터 홀가분하게 아조 脫出치는 못하얏다. 彼는 文言에는 그래도 白話의 不及하는 優雅한 長所가 잇슴을 알앗다. 그래 多少 마음이 그리로 쏠리엇섯다. 그러나 錢君의 激勵는 彼로 하야금 一步 前進의 勇氣를 起케 하얏다. 그리하야 可及的 顧後치 아니하랴 하얏다. 吾人은 白話詩 發達의 黑幕策士로 錢君을 記憶치 아니할 수 업다.

白話文도 胡適君이 北京에 入한 以來 白話詩와 同一한 步調로 前進을 始하얏다. 「新青年」의 卷이 改하야 新詩에 一轉機가 來한 時에 文에도 小說은 勿論이오 論文과 普通 叙事文은 大抵 白話로서 書하기를 始하얏다. 그래 文章體는 稀有하다 할만치 變革이 되엇다. 白話 詩文의 主張은 이에 이르러 그만 議論이 아니오, 事實로 성큼성큼 그 步를 進하얏다. 그러나 오히려 남은 問題가 하나 잇다. 그것은 白話 文學의 用語를 如何히 할가 하는 一項일다. 이 問題는 以前부터 多少 顧慮된 것이다. 例컨대 標準語이니 어느 程度까지 白話와 文言과 調和케 할가 하는 等의 事이엇다. 此期에 及하야 썩 統一한 意見을 發表한 사람은 當時 北京大學 文科 學生인 傅斯年의 「文言合一草議」(四卷 二號)이엇다. 彼의 說의 大要를 말하면 白話 採用의 範圍에 關하야 十箇條를 擧하얏스니 그는 要컨대 代名詞·前置詞·感歎詞·助詞·形容詞·動詞·副詞는 白話를 用할 것이오, 다만 名詞는 文言을 用할 것이니 文言 白話 二者 間에 繁簡이 잇는 境遇에는 簡者를 取하고 또 兩者에 어느 것이던지 一方이 一字로 一方이 二字인 境遇에는 二字를 取(이것은 句調에 局執된 說이다)할 것이라는 程度의 意見이엇다. 其他 論文과 戱曲 小說의 文 間에는 區別이 잇서 可하며 標準 國語를 制定하야 北京이던지 杭州이던지 區別 업시 優한 點을 採用할 일이오, 讀音을 一定케 할 일이라는 等의 議를 揭하얏다. 畢竟 彼의 論은 理論的 人爲的으로 言文合一을 行하랴 하는 机上論이엇다. 미상불 胡適君은 東西의 文學史上에 言文一致가 如何히 하야 成하얏는지를 注目한 사람이라 彼는 人工的 言文一致를 希望하지 아니하얏다. 그는 實行家 卽 文學 作者의 天才에 依하야 模範을 示與하는 것이 最良한 策이라는 생각으로 標準國語說에는 反對하얏다. 彼는 「建設的文學革命」이란 一篇을 草하야 白話 文學의 習作法을 論하얏다.(四卷 四號) 이것이 一面으로는 白話 文學의 用語 問題에 가장 進步的인 解決을 與한 것일다.

今에 그 說의 宗旨에 從하면 『吾人이 提唱하는 바의 文學革命이라는 것은 一種의 「國語的 文學」을 創造하는 事이다. 國語的 文學이 成하기만 하면 從하야 「文學的 國語」가 生한다. 그러케 되면 우리의 國語는 비롯오 眞正한 國語로 意義잇는 것이 되는 것이다. 國語라는 것은 文學에 伴치 아니하면 生命이 업고 價値가 업는 것이다. 딸아 成立도 못하고 發達도 못한다.』 말하자면 國語로써 製作된 活文學이 成立되어야 비롯이 國語의 統一과 發達을 圖할 수 잇다는 생각이다. 딸아서 標準語를 云云하기 前에 먼저 白話 文學의 發達을 講할 것이다. 그러면 標準語는 스스로 定하야진다 하는 結論이 되고 만다. 日『二三의 人이 「若 國語로써 文學을 作고저 생각하면 아모리 하야도 먼저 國語가 업스면 안되겟다. 現今 標準語도 업는데 어떠케 國語的 文學을 作하겟느냐」하고 말하지마는 이는 道理로는 그럴듯하되 實은 그러치 아니한 것이다. 國語는 단지 몃 사람의 言語學者가 모여서 作하는 것도 아니오, 幾冊의 國語 敎科書와 國語 字典으로도 作하는 것도 아니다. 만일 國語를 作하랴 생각하거던 먼저 國語的 文學을 作하지 아니하면 아니된다. 그것만 되면 國語는 自然히 定한다.………國語的 小說, 詩文, 戲曲이 世에 行하게 되는 날이 中國 國語가 成立하는 時일다.………要컨대 吾人이 今日 用하는 「標準白話」는 모든 이 幾部의 白話的 文學이 定하야 된 것이다.』 彼는 그 論斷이 誤가 아님을 證하기 爲하야 歐洲 近世의 國語 問題가 大文豪의 出現에 依하야 解決된 事를 例證으로 擧하얏다.

伊太利의 딴테, 英國의 죠―사―·위그리푸와 如함은 모다 그 때의 俗語로써 大文學을 創作하야 마츰내 國語 統一의 大成功을 成하얏다. 이 過去의 歷史로부터 判斷하야 彼의 立論이 生한 것이니 진실로 穩健한 論이다. 次에 彼는 如何히 하야 白話 文學을 製作할가 함에 論을 進하야 대단히 精細한 說을 發하얏스나 今에 이 問題와 直接 交涉이 無한 故로 後段에 讓하기로 한다.

이로 用語 問題도 大略 解決이 된 모양이다. 各人은 實行으로 向하야 進하얏다. 이리하야 形式上의 文學革命은 大略 形體를 成하얏다 할만치 機運이 熟하얏다. 인제 이 勢로 文學의 內容的 方面의 革命에 向하야 殺到만 하면 文學國의 貴族政府는 打倒될 旗色이 漸現하얏다. 그러나 이는 難하다. 形式의 打破는 政變과 가튼 것이니 機運을 乘하야 若干의 犧牲만 出하면 一朝에도 될 수 잇다. 하지마는 內容의 改革은 社會改造와 如한 것으로 그러케 容易하게는 못되고 아모리 하야도 漸次로 그 步를 進치 아니하면 안되는 것이다. 實際로 文學革命에도 眞正하게 意義잇는 改革은 이 方面에 在하지마는 事는 좀체로 進捗을 아니한다. 爾來 二年半 餘의 歲月을 費하야 아장거름으로 多少 發展은 하야온 모양이나 그 進步는 썩 遲遲하야 一形을 造成하기까지에는 이 압흐로 幾何의 歲月을 要할지 豫測키 難할만치 아즉 幼稚하다. 次에 進하야 이 敍述에 入하겟다.

(未完)

續

胡適氏의 「建設的文學革命論」은 形式的 革命에 最後의 斷定을 與하야 內容的 革命에 着手할 楔子가 되엇다.

勿論 이미 紹介함과 가티 陳獨秀·劉半儂 両君이 彼에 先하야 此論에 指를

染하얏다. 그러나 其時는 아즉 機가 熟치 못하얏슨즉 胡君의 此論이 發表된 時로부터 趨勢가 다시 展開된 듯하다. 彼는 此論의 上半에 文學的 國語의 制定에는 國語的 文學의 必要를 論斷한 後에(이미 紹介함과 가티) 下半에 다시 論調를 進하야 如何히 하야 이 國語的 文學을 創造 建設할가 하는 一般 方略에 及하얏다.

이를 대개 三步의 段階에 分하야 思考하얏다. 【一】工具, 【二】方法, 【三】創造. 第一, 第二는 豫備의 階段에 在한 것이요, 第三에 至하야 비롯오 新文學이 出한다. 【一】工具라 함은 文學 作製에 要하는 言語이니 이에는 無論 口語를 採한다. 如何히 하야 此 口語를 有利한 工具가 되게 할가 하면 【甲】模範的 口語文學, 例컨대 水滸傳·紅樓夢·宋儒의 語錄·傳奇 雜劇의 科白 等을 多讀할 事, 【乙】各種 文學——通信文은 無論이어니와 詩나 飜譯이나 隨筆이나 新聞의 記事 論說이나 學校의 講義錄이나 墓誌나 公文書나——一切 口語를 用하야 作할 事. 【二】方法이라 함은 工具인 口語를 操縱하야 如何히 新文學을 製作할가 하는 問題니 이에는 從來 一切의 陳腐한 舊套를 脫치 아니하면 안 된다. 例컨대 小說 一門에 就見하더래도 從來의 「某生은 某處의 人………」的의 한 판에 박아내인 것 가튼 「聊齋志異」式의 箚記小說이라던지 「儒林外史」, 「官場現形記」 一流의 低級인 娛樂的 章回小說은 얼른 葬送치 아니하면 안 된다.

그리고 文學的 方法에 依하야 眞正한 藝術的 作品을 作出치 아니하면 안된다. 그 方法은 대개 次의 三類로 分한다 (1) 材料集收法, (2) 結構法, (3) 描寫法.

(1) 材料의 集收는 次의 三法에 依하야 爲할 것이다.——【甲】材料의 區域을 推廣할 事. 從來 여러 作家에 依하야 目하던 官界·遊廓·社會의 腐敗的 方面의 三區域은 決코 採用치 안키로 하고 將來는 現代 貧民社會·勞働者 階級·小商人 等 一切 下層民의 苦惱的 生活狀態라던지 新舊 両 思想의 接觸으로부터 來하는 一切의 家庭的 葛藤 等, 從來 일즉이 處理치 아니하던 新問題를 採

할 것이다.【乙】實地的 觀察과 個人的 經驗에 置重할 事. 從來 行한 것 가튼 机上 虛造的 方法은 大不可다.【丙】周密한 想像으로써 觀察 經驗의 補助를 삼을 事. 個人의 經驗 觀察에는 限이 잇다. 그러기에 想像의 力을 借하야 觀察 經驗에서 得한 材料를 軆得하야 整理하고 組織할 必要가 잇다. (2) 結構法은 材料의 剪裁와 布局【卽配置】에 在하다. 今日의 作家와 가티 意를 此에 用치 안코 漫然히 써서 내어 더져서는 價値 잇는 文學은 엇지 못한다. (3) 描寫法은 寫人·寫境·寫事·寫情의 四條로 成立한다. 寫人은 個性의 區別을 明瞭하게 描出치 아니하면 안된다. 寫境도 同樣이요, 寫事는 內容의 貫徹을 必要로 한다. 寫情은 眞에 逼하게 精密을 極하지 아니하면 안된다. 그리고 是等 新文學 創作法의 模範으로는 西洋文學의 名著에 則함이 目下의 急務이다. 何故오 하면 中國文學의 創作法은 實際 不完全하야 아모리 하야도 吾人의 足히 模範할만한 것이 無하다. 是에 反하야 西洋文學에는 吾人의 可히 學할만한 進步한 點이 多하다. 그런즉 吾人은 速速히 西洋의 名作을 飜譯 輸入할 것이다. 이것이 이 中國文學으로 하야금 新生面을 開할 最良한 手段일다. 彼는 여긔까지 論來하다가【三】의 創造의 問題에 及하야는 갑작이 銜口하고 이와 가티 말하얏다.『생각컨대 現在의 中國은 아즉 新文學의 準備·創造를 實行할 地步까지 進치 못하얏다. 지금 創造의 方法과 手段을 空談만 하야도 못된다. 그러하느니 보다 吾人은 먼저 저 第一 第二 両步의 準備的 工夫를 凝하는 데 努力하리라』하고. 올흔 말이다. 그리고 그것은 創作的 才能을 有한 藝術家에 任置하는 것이 可하다. 다만 西洋의 新文藝를 輸入하야 그 사람들의 頭腦를 新鮮케 하는 것이 兄等의 任務일 것이다. 藝術은 直覺으로부터 生하는 것이요, 决코 그것은 議論으로 되는 것은 아니다. 勿論 彼는 오히려 新文學 創造의 誘導를 停하지 아니하얏다. 右는 新文學 建設의 槪論이요, 그에는 二箇의 重要한 各論的 實際 問題가 殘在하얏다. 그것은 新小說과 新劇과의 問題이엇다.

彼는 새로온 小說을 誘致하는 最初의 手段으로 短篇小說을 興起케 하랴고 努力하얏다. 그것은 「論短篇小說」【新青年 四卷 五號】의 一篇이엇다. 彼의 短篇小說 唱道는 이에 이르러 비롯오 形態를 與한 것이나 從來에도 가끔 西洋의 短篇 名作을 飜譯하야 不言裡에서 그 鼓吹를 實行하며 잇섯섯다. 그것은 後에 合하야 「短篇小說」(第一集)으로 出版되엇다.【林紓의 飜譯小說과 가티 陳腐한 것은 아니다】 그런데 彼의 短篇小說論의 眼目은 가장 經濟的 文學 手段에 依하야 作者가 表現코자 하는 事實 中에 가장 精采 잇는 一段 或은 一方面을 描寫하라 함에 在하얏다. 換言하면 社會 事象의 橫斷面을 가장 切實히 緊張한 方法에 依하야 描寫하라 하는 議論인데 이는 勿論 그러할 것이요, 별로이 卓見이라고 할만한 것은 못되나 中國 在來의 消遣的 氣分으로 쓴 「某生은 某處의 人이라[04] 하는 等과 가튼 短篇小說에 對한 一大 痛棒이라고는 이르지 아니치 못할 것이다.

다시 이 論의 注目에 値할만한 것은 中國 短篇小說의 沿革을 概論한 것이다. 이에도 彼의 獨創的인 見識이 나타낫다. 從來 中國小說이라 하는 것은 모다 그 起原이 周代의 稗官에서 出한 것이라 하야 毫도 이를 異치 아니하얏다. 이는 「漢書藝文志」에 盲從한 까닭이다. 그런데 彼는 先秦諸子의 寓言으로써 그 最初의 것이라 하야 이를 擧하얏다. 이는 가장 吾人의 意를 得한 생각일다. 彼의 持論은 「漢志」에 載在한 諸學의 系統을 信用 아니함으로【其著 「中國哲學史」 卷上 附錄 「諸子不出於王官論」을 見하라】『小說家者流蓋出於稗官』의 記載와 가튼 것을 念頭에 不置함은 當然하다. 그래 短篇小說의 核子로 「列子·湯問篇[05]에 見하는 北山의 愚公과 河曲의 智叟와의 寓言이며 「莊子·徐無鬼

---

04 '」' 가 빠져 있다.

05 '」' 가 빠져 있다.

篇」에 見하는 莊子가 惠子의 墓를 지나다가 嘆息하는 話를 擧하얏다. 그리고 彼는 神仙譚을 最下流의 것이라고 斥하얏다. 이는 그 現實的의 思想에 基한 評價일다. 또 「孔雀東南飛」, 「木蘭辭」, 「琵琶行」, 「長恨歌」 等의 叙事詩를 短篇小說이라고 見論한 것도 特異한 所見일다. 論의 當否는 姑置하고 要컨대 因襲에 局執되지 아니한 獨創的인 觀察을 하는 點을 多하다고 아니치 못하겟다. 그 곳에 革命的 新味가 나타나 보이는 것이다.

「新靑年」은 民國 七年 六月【三昨年】에 至하야 突然히 「입센號」【第四卷 六號】를 出하얏다. 이는 文學革命軍이 舊劇의 城으로 攻來한 嚆矢일다. 그 陣容은 胡將軍의 「易卜生主義」를 先鋒으로 胡適·羅家倫 共譯의 「娜拉(노라) (人形의 家)」【全三幕】, 陶履恭의 「國民之敵」, 吳弱男의 「小愛反夫」【各第一幕】를 中軍으로 袁振英의 「易卜生傳」을 後軍으로 勇猛히 出來하얏다.【是等은 後에 號를 逐하야 完成되엇다】 彼等이 此城에 攻來한 行動은 戰鬪의 順序로 반듯이 이곳에 向하야 오지 아니하면 안될 터이지마는 그 行動으로 하야금 이와 가티 迅速하게 奇兵的이 되게 한 原因은 이런데 잇는 듯하다──마츰 그때 北京에서 突然히 崑曲【明 嘉靖 時부터 起한 戱曲】이 大流行을 始한 때문에 이에 對한 反抗의 絶呌를 擧할 必要가 急迫히 來한 것이다. 그 眞相은 同誌의 翌月號에 錢玄同君이 語하야 『而三個月以來 北京의 演劇界에서는 별안간 崑曲이 大流行하게 되엇다. 所聞을 據하건대 韓世昌이라 하는 一人의 崑曲 大家가 入來한 後로 一部의 사람들은 인제야 中國의 演劇은 進步된다, 文藝復興期가 來하얏다 하고 떠들고 잇다나.』云云【隨感錄 十八】하고 發한 反抗的 口吻에 徵하야 明하다. 彼等은 中國의 眞正한 演劇을 起하기 爲하야는 舊劇을 全滅치 아니하면 안된다, 그리고 西洋式의 新劇을 建設치 아니하면 안된다고 생각하고 잇섯다. 演劇 改良의 要는 彼等 사이에서는 以前부터 이미 어떤 機會에 二三次 論한 일이 잇섯다. 劉半儂은 戱曲으로 하야금 眞正한 文學地位로 向上케 하라고 絶呌하고【三卷 三號 「我之文學改良觀」】 錢玄同君은 白話로써 散文劇을 起함이 可하다 論하고 胡君도 機會를 어더 戱劇 改良 私議를 發表하겟다고 豫約하고 잇섯는대 玆에 事가 急함에 至하야 論보다도 먼저 實例로써 天下 讀書人의 直感을 剌戟하는 것이 有利함을 깨닷고 「입센號」를 出한 듯하다. 그러나 그 後부터 議論도 徐徐히 堂堂한 陣을 벌리고 나왓다.

論戰의 先陣은 傅斯年이 이를 마탓다. 彼는 「戱劇改良各面觀」이란 一篇의 長文을 草하야 胡君에게 閱을 請하얏다. 胡君은 이에 聲援하야 「文學進化觀念與戱劇改良」 一篇을 稿하얏다. 此外의 宋春舫의 「近世名劇百種目」, 歐陽予倩의 「予之戱劇改良觀」은 爲하야 鶴翼의 陣을 布한 것이엇다. 다만 一人이 孤軍 舊劇城에서 義士로 力戰한 것은 張厚載의 「我之中國舊劇觀」 及 「臉譜·打把子」이엇스나 傅斯年의 「再論戱劇改良」에 攻迫되어 그 보기 조흔 甲冑에 살을 맛기를 蝟가티 하야 燦爛한 甲冑 압자락에는 끔찍끔찍하게 血點이 淋漓하게 보엿다. 이는 다 「新靑年」 五卷 四號에 戱劇改良號라 할만하게 한께모와 揭載되엇다.

먼저 傅君의 說의 大要를 말하겟다. 彼는 六章에 分하야 論步를 進하얏다. 【一】「舊劇의 硏究」에 關하야 다음과 가튼 缺點을 指摘하얏다. 崑曲이나 京調나 乃至 梆子나 그 組織이 鶉衣와 가티 彌縫的으로 純一치 아니한 것이 第一 缺點이다.【彼는 이를 「百衲體」라 名하얏다】 唱을 廢하는가 안하는가는 別 問題로 하고 設令 唱을 存在케 할지라도 現今 京調의 唱하는 詞句는 絶對로 不可하다. 詩形으로부터 말하더래도 저 七字句 十字句의 單調한 形式은 元曲 等에 比하야 現著한 退化라고 아니하지 못하겟다고 말하얏다. 그 鼻息은 대단히 荒하얏다. 그러나 硏究는 豫想外 아즉도 멀은 모양이다. 【二】「舊戱改良의 必要한 所以」에 對하야는 함부로 美學上의 新知識(족음 舊式인)을 내두르며 第

一 舊戲에는 Profortion(權衡)[06]이 나타지지 아니한 個所가 만타.【實例로 獄囚로도 演劇에는 紬衣를 입은 것 等을 擧하얏스나 이는 不自然한 誹謗은 不免하겟지마는 이는 그런 것이 아니라 돌이어 Profortion을 나타내자는 技巧니 不調和하다고 못한다.】第二는 刺激이 지나치게 넘우 强하다.【이는 吾人의 眼으로도 是認된다. 그러나 彼가 이로써 藝術的 價値가 不成立한다 論함은 獨斷이다.】第三은 形式이 대단히 지나치게 固定하다. 第四는 意態 動作이 粗鄙하다.【꼭 그러치 아닌 것도 잇는 듯하다.】第五는 音樂이 輕躁하다.【이 즈막 彼는 胡琴의 價値를 否定하지마는 胡琴은 바이오린에 比할만한 것이니 音色을 自由로 내는 點에서 决코 樂器로 下等의 것이 아니다. 彼는 音樂을 모르는 사람이다.】以上은 演劇의 技術에 對한 非難이엇다. 次에 脚本의 文學的 價値를 論하야 元曲이라던지 崐曲은 아즉 價値를 認하지마는 現今 京調의 戱本에 至하야는 一句의 好文章도 覓出할 수 업는 되지 안흔 것 뿐이다.【이는 至極히 同感이다.】그 結構도 全혀 曲折 含蓄의 妙味가 업고 登場人物이 넘우도 過多하야 떠들석한 것도 잇고 또 넘우 過少하야 一人 獨唱의 場 等이 잇서서 布置 情節이 맛지를 아니한다고 論하얏다.【三】新劇이 現在 社會에 受容이 되는가 아니 되는가. 現今 劇界를 보건대 北京에 一種의 「過渡戲」라는 것이 出現하야 歡迎되는 것을 보면 看戲劇의 嗜好가 新傾向으로 쏠리는 것이 明瞭하다. 新劇을 受容할 土臺는 생긴 모양일다. 다만 音樂을 除한 新劇이 行할가 不行할가는 좀 問題이지마는 將來에는 반듯이 될 줄로 생각한다.【四】「舊戲의 改良」. 劇界의 現狀으로부터 打算하건대 突如히 新劇을 建設하느니 보다도 「過渡戲」를 次次 改演하야 漸次로 社會를 그 局執된 舊戲 觀念에서 純粹한 新劇 觀念으로 引導하는 것이 得策일게다. 웨 그러냐하면 第一은 現今의 俳優는 十中八九는 新劇의 才가 아니다. 彼等에게 純粹한 新劇을 演케 하랴고 함은 絶對

---

06 중국어 원문과 대조해보면 'Proportion'의 오기임을 알 수 있다. 아래도 마찬가지이다.

로 不可能일다. 第二는 아즉은 歌曲을 廢치 말고 차라리 그 힘을 빌어 一般人을 新戱思想으로 引導하는 것이 조켓다. 그러나 이는 過渡時代에 處하는 一方便이니 改革의 準備가 完了된 後에는 「過渡戱」를 廢하고 純粹한 歌曲 업는 新劇으로 올마가는 것이 當然하다. 純粹한 新劇이 成立된 後의 歌曲의 處置에 關하야는 演劇의 先後, 幕間 等에 演奏하야 餘興으로 하던지 별로이 獨立으로 시키어 一個의 藝術로 存在케 하던지 하는 것이 可하겟다. 【五】「新劇의 創造」. 처음에 余는 西洋劇本을 飜譯하야 舞臺에 上하는 便이 대단히 조흘 줄로 생각하얏더니 가만히 생각하야 본즉 彼와 我와는 社會狀態가 달은고로 그대로 上場하얏다가는 어떠할가 하는 念慮가 잇다. 그런즉 材料와 精神을 彼에게 採來하야 中國의 人情에 合하도록 應用하는 것이 조흘 줄로 생각한다. 그리고 將來의 戱劇은 社會를 批評하는 劇이라야 쓴다. 단지 社會를 形容할 뿐으로는 못쓴다. 作者의 主觀을 混入하기를 바란다. 舊來와 가티 客觀的으로 文筆을 弄만 하는 劇으로는 不可하다.【彼의 이 생각은 問題劇을 要求하는 듯하다.】【六】「劇評 問題」. 從來 中國에는 劇評이 無하다 하야도 可하다. 웨 그러냐하면 彼等은 다만 局部의 末技만 云云하고 大局에는 注眼치를 아니하얏다. 또 彼等은 俳優評과 藝妓의 品評을 混一하얏다. 劇으로 藝術的 品位를 高케 하랴 함에는 斷然히 舊習을 脫하고 眞實한 態度로 出하지 아니하면 안된다. 傅斯年의 說은 大約 以上과 如하얏다.

(未完)

續

本論은 前號에 一時에 接續하야 揭了할 것을 余의 事情으로 中斷하야 本號에 揭하는 것이매 年月日도 勿論 그로 標準을 하얏스니 讀者는 그리 알고 읽기를 바란다.

歐陽予倩은 俳優이다. 스스로 그 舞臺에 나와서 어든 經驗에 基한 說이라 吾人에게 不少한 興味를 끄은다. 彼도 자못 激烈한 革命思想을 가젓다. 彼에 從하건대 今日의 中國에는 戱劇이 無하다 함을 斷言한다. 어찌하야 그러냐 하면 舊戱는 一種의 技藝요, 崑戱는 曲이다. 新戱의 싹 나오는 것까지도 짓밟아 노핫스니 이 外에 무슨 戱劇이 잇는가? 하고 썩 鼻息이 荒하얏다. 그리고 改良策으로는 劇本·劇評·劇論의 文學的 方面에서와 新俳優 養成의 實技的 方面에서 보고 立論하얏다. 劇本·劇評·劇論에 關하야는 傅의 說과 大略 同하얏고 新俳優 養成에는 養成所를 設하고 四五年에 卒業하는 案을 立하얏다. 劇界에 이와 가티 覺醒한 人이 有함은 多幸할 事일다.(彼는 時或 小說도 作한다.)

宋春舫은 北京大學 佛蘭西文學의 敎授이다. 彼는 胡適氏가 일즉이 發表한 西洋 名作 飜譯의 議(「建設的文革命論」의 中에)에 贊同하야 「近世名戱百種目」을 選擇하얏다. 이는 歐米 十二箇 國 五十八家의 代表作을 網羅한 目錄이니 이것이 다만 目錄에 不止하고 그 飜譯이 實行될진대 中國의 劇文學界에 多大한 貢獻을 齎來할 것이다.

舊劇을 爲하야 辯護의 地位에 立한 張厚載는 傅君과 가티 北京大學의 學生인가 본데 彼는 이미 一箇의 劇評家로 筆을 執하고 잇섯다. 그만큼 舊劇에 對한 理解도 잇섯스며 愛着도 잇섯다. 彼는 舊劇의 佳所로 三箇 條의 長所를 擧하얏다. 第一은 舊劇은 假象的이라.(이는 傅君도 駁하얏지만 彼의 意는 舊劇을 「象徵劇」으로 價値를 認하얏다.) 第二는 一定한 規律이 有한 것이라.(演劇上에 諸法의 整然한 것을 說하나 그다지 佳所라 할 것은 못된다.) 第三은 音樂上의 感觸과 唱工(唱法) 上의 感情이라.(音樂을 劇에서 驅逐하랴고 애를 쓰는 新劇論者에게 酬함에 이로써 함은 漁樵問答이다.) 要컨대 彼의 辯護는 第一條의 象徵劇으로의 舊劇의 價値를 見

出한 以外에 그리 適切한 論은 아니엇다. 이에 對한 傅斯年의 駁論은 소리는 크지만 末小한 字句에만 曰是曰非하야 貫革에는 빗나아간 論이라 吾人의 傾聽에 値할만한 것이 못되엇다. 繁瑣하기로 略한다.

最後에 胡君의 改良論은 그 文學的 硏究에 基한 穩健有力한 것이엇다. 彼의 劇에 對한 思考도 그 文學論을 一貫한 進化論에 立脚하얏다. 彼에 從하면 戱曲도 元의 雜劇으로서 明淸의 傳奇로 傳奇로서 近時의 京調 其他의 戱劇으로 進化하야 왓다.(傳奇로서 京調로 推移한 것도 一種의 進步라고 說하얏지마는 이것은 贊成치 못하겟다. 이는 極端한 進化 觀念에 局執되어 退化가 잇슴을 이즌 말이다.) 이러케 中國의 戱劇은 一千年 以來로 힘써 樂曲方面의 여러 가지 束縛에서 脫離를 求하야 왓스나 다만 保守性에 局執되어 아즉 充分한 自由와 自然한 地位까지 到達치 못하얏다. 그런즉 將來는 文學 進化의 趨勢를 能辨하는 人等에 依하야 戱劇으로 一日이라도 速히 進化를 阻礙하는 一切의 惡習慣에서 脫離케 하야 漸漸 完全한 域에 達케 하도록 幇助되지 아니하면 안된다. 그런데 進化論에 依하건대 進化에 伴하는 現象으로 往往 前代의 「遺形物」(Survival for Rudiments)이 紀念品으로 痕跡을 新時代에 留하게 되는 事가 잇다. 戱曲에 就論하면 古代劇의 中堅은 全혀 樂歌에 在하야 道化와 科介와 白이 一小部分에 不過하더니 後에 元의 雜劇에 至하야 科介·白이 重要한 部分이 되엇다. 그리하야 元明의 時에는 이미 終曲 하나도 樂曲이 無한 幕(屠長卿의「曇花白」과 如한──臧晉叔의 元曲選의 序說에 見함)까지 有함에 至하얏다. 그런 故로 中國劇의 進化史上으로부터 觀하야 樂曲은 漸漸 廢去할 傾向을 示하얏스니 終乃에는 一種의 「遺形物」이 될 것이다. 此外에 臉譜(顔의 化粧), 嗓子(歌聲을 내는 법), 台步(文戱에 行하는 발 띠어 놋는 法), 武把子(劒術과 柔術의 類) 等이 모다 「遺形物」일다. 얼른 廢止하여야 可할 것이 只今까지 傳하는 것이다. 次에 文學의 進化는 時或 一箇의 地位에 到하야 停滯不進하는 일이 잇나니 이러한 境遇에는 別

種의 文學의 接觸을 因하야 無形한 中에 그 影響을 受하기도 하고 또는 意識的으로 그 長處를 取하기도 함에 因하야 다시 前進을 繼續하게 된다. 그런즉 現在 中國의 演劇도 西洋劇을 比較 叅考의 資料로 硏究하야 彼의 長을 取하야 我의 短을 補하고 舊時代의 여러가지 「遺形物」을 掃除하야 버린 後에 西洋의 最近 百年以來 漸次 發達 以來한 新觀念·新方法·新形式을 採用할진대 어떠케 改良 進步의 望이 잇슬는지도 모를 것이다. 그런데 무엇이 中國 演劇의 가장 顯著한 缺點이냐 하면 悲劇的 觀念의 缺乏과 文學的 經濟方法이 不行하는 事일다. 小說이던지 劇이던지 모다 一箇의 美滿的 團圓이 常套 手段으로 되어 잇다. 現今 劇에 最終에 一男一女가 出來하야 一禮하고는 「團圓」이라 人事하고 打出하는 式은 團圓 迷信의 好標本일다. 이는 中國人의 思想이 薄弱한 證據이다. 이와 가티 悲劇的 觀念이 缺乏한 結末은 决코 人에게 深刻한 感動을 與하야 人을 徹底的으로 悟케 하야 人으로 하야금 根本的 思量反省을 起케 하기 不能하다. 此病을 治하는 妙藥으로는 悲劇的 觀念 밧게는 다른 조흔 處方箋이 업다. 次에 文學的 經濟方法의 必要함은 演劇 時間에 限이 잇고 演戱者의 精力에 限이 잇스며 舞臺上의 設備에 여러 가지 困難이 잇고 複雜한 事件을 一一이 舞臺에 나타내기 어려온 等의 여러 가지 拘束이 잇슨즉 可及的 時間·人力·設備·事實을 經濟的으로 使用하야 그리고도 만흔 効果를 収하도록 힘쓰지 아니하면 안된다. 元曲은 四折에 限한 까닭에 往往이 經濟的 方法이 行使되엇스나 南曲 以後 齣에 制限이 無하고 作者는 그저 다만 詞章 音節에만 置重을 한 까닭에 甚히 不經濟한 일이 行使되엇다. 是等의 兩件은 將來 新劇을 起하는 人等의 가장 注意 改良 아니치 못할 要件일 게다. 彼의 論旨는 大約 以上과 如하얏다. 彼는 또 現代의 舊劇에 就하야 微細한 點에까지 亘하야 여러 가지로 思考를 한 모양인데 이는 傅斯年의 論에 盡하얏다 하야 다만 그 補遺로 進化 觀念 及 二箇의 缺陷을 擧한 것이다. 그 論은 元

明 以來의 戱曲 硏究에 出發한 根據 잇는 說로 决코 단지 西洋熱에 뜨인 論이 아닌 點이 十分 吾人의 傾聽에 値한 것이엇다.

論戰의 主潮는 略 右에 盡하얏다. 그러나 逆流 及 餘波로 玆에 若干의 事實을 말하지 아니하면 안되겟다. 먼저 逆流로 이 論은 다시 前으로 돌아간다. 彼等이 盛히 白話 詩文을 鼓吹하고 잇슬 때에 썩 크게 激昻的인 反抗을 叫한 者가 잇다. 그는 王敬軒이라 하는 人이 氣가 나서 「新靑年」社에 寄來한 通信이라.(第四卷 三號) 彼는 古文 小說家 林紓를 爲하야 熱心으로 辯護를 試하고 또 選學家의 騈文과 桐城의 古文으로써 白話 詩文과 同日의 比가 아니라고 尊崇하고 「新靑年」一派의 新詩를 西洋에도 無한 突飛한 新試驗이라 熱罵하얏다. 國粹 謳歌를 爲하야 팔을 것고 나선 그 尊王攘夷的 慷慨의 意氣는 可愛롭다마는 惜乎라 頭腦가 岩上의 이끼가티 堅하고 且古하얏다. 多血質인 「新靑年」 同人의 事라 가만히 잇슬 리 업다. 劉半儂이 應戰을 마타 가지고 盛히 揶揄 熱罵를 浴케 하얏다.

그런데 敬軒에게 同情을 寄하는 二三의 特志家도 잇서서 「討論學理之自由權」(崇拜 王敬軒者, 四卷六號), 「駁王敬軒君信之反動」(戴主一, 五卷一號) 等의 通信도 뵈엿다. 그러나 彼等은 그것을 한 벼룩이 안지니 만치도 생각 아니한 모양이다. 第二의 反對의 聲은 馬二先生이라는 者가 上海의 「時事新報」 上에다 陳獨秀·胡適·錢玄同·劉半儂을 모조리 罵倒한 것이다. 남에게 지기 슬혀하는 劉君은 應戰을 錢君에게 謀하얏는데 錢君은 『이러한 言論은 腦筋 組織이 그리 複雜치 아니한 群輩의 하는 일이라……』(五卷 二號의 通信)하고 不顧하얏다. 其他 一半은 贊成, 一半은 不贊成의 折衷論者, 例컨대 張厚載의 「新文學及中國舊戱」(新靑年 四의 六, 黃覺僧의 通信), 「折衷的文學革命論」(上海, 時事新報)과 如한 것은 頗多하얏지마는 大勢는 漸次 革命論을 容하게 되어 胡適氏가 最初 白

話詩를 試할 時에 極力 反對하던 그 米國 留學生 間의 友人 等도 漸漸 我를 屈하야 新詩文에 同情을 가지게 되엇다. 그의 一人인 朱經은 胡適에게 書를 寄하야 文言 白話 折衷的 雅俗 共賞의 活文學을 作함이 조켓다고 하고 足下의 白話詩는 甚好하다고 贊辭를 呈來하얏다. 又 其 一人인 任鴻雋은 아즉까지도 白話詩에 對하야 중뿔나게 反對를 하며 그 詩調를 論하야 또한 文話라도 好詩를 作치 못할 理가 無하다고 頑抗하며서도 兩人이 共히 그 通信文은 白話體로 書한 것이 애오라지 쓸개빠진 證據일다. 胡君이 조하라고 『經農君의 白話의 書翰이 來하야 깃거하얏더니 只今 또 貴兄에게서 白話의 便紙가 來하야 모도 다 僕의 文學革命에 對하야 크게 贊成하야 줌은 實로 僕이 깃븜을 견디지 못하겟다』하고 答信을 書한 것도 怪異치 안흔 일이다.(모다 新青年 五卷 二號에 見)

文學革命의 形式的 方面, 即 白話가 漸漸 世人에게 容認된 것은 事實이다. 저 頑固한 老 古文家의 林紓까지도 『科學的 記載에는 古文을 不用할 것이라』하고 許하게 되엇다. 그러나 內容的 方面, 即 新文藝 思想에 對하야는 世人의 理解는 容易히 來치 아니하얏다.

再昨年 十月, 新詩家 俞平伯은 「新潮」(二卷 一號) 誌上에 「社會의 新詩에 對한 各種의 心理觀」이란 一篇을 草하야 이를 慨하야 이를 論究하얏다. 彼는 抽象的으로 新詩에 對한 世上의 感情을 分類하야 ⑴ 詩의 改造에 反對하는 者(古典 趣味의 國粹派의 人等), ⑵ 中國詩의 改造에 反對하는 者(外國의 詩趣 輸入을 排斥하는 一種의 國粹派), ⑶ 吾人一派의 中國詩 改造에 反對하는 者(新詩에는 贊成하는 吾人 等 新詩人을 攻擊하는 者), ⑷ 贊成者(盲目的 贊成者와 有意識的 贊成者)가 有함라 하얏스나 以上 四種 中에 三種까지는 反對者일다. 또 戲曲 小說에 對하야도 同樣으로 新 趣味가 一般에게 容納되지 못하얏다. 曰 『去年 六月 「新青年」이 겨오 一冊의 입센號를 出하야 彼를 中國에 紹介하얏스나 社會上에서

이를 보고 注意와 感興을 引起한 者는 甚少하얏다………要컨대 現今의 社會는 다만 新文藝의 形骸를 不容할 뿐아니라 그 精神까지 不容한다………』하고 彼는 絶望하얏다. 그러나 總히 이러한 革新運動이 二年이나 三年으로 널리 世上에 認知되는 것은 아니다. 朝鮮에서도 近者 新詩를 作하는 人이 多出하지만 全 社會에서는 아즉 그 價値를 認치 아니할 뿐아니라 漢詩人들은 그 詩意가 淺薄하고 句調가 不成이라고 一笑에 附치 아니하는가.

이 運動에 右와 가튼 逆流를 免키 어려움은 不得已한 事이나 그러나 一方으로는 또 新鮮한 空氣에 生하랴 하는 青年 等을 漸漸 만히 引入하얏다. 第一 먼저 馳參하기는 是等 革新家에게 敎育을 受하던 北京大學 文科의 學生 等이니 彼等은 昨年 一月(民國 八年) 「新潮」라는 文學雜誌를 發刊하야 盛히 氣勢를 揚하얏다. 그 主唱者는 「新青年」에 時時 評論을 執筆하던 傅斯年으로 敎授 胡適氏의 後援을 得하야 羅家倫·徐彦之·康白情·汪敬熙·俞平白·潘家洵 等 十數輩의 同人이 붓을 들고 나셧다. 彼等의 取한 進路는 「新青年」과 略同하게 新思想의 輸入·新文藝의 輸入과 製作에 在하야 評論으로 創作으로 飜譯으로 學生의 하는 일로는 넘우 손에 넘치는 일이엇다. 文學革命論의 餘熱은 이에도 傳染되어 「怎樣做白話文」(傅斯年, 一卷 二號), 「怎麼是文學」(羅家倫, 上同), 「駁胡先驌君的中國文學改良論」(羅家倫, 一卷 五號), 「白話文學與心理的改革」(傅斯年, 上同), 「社會上對于新詩的各種心理觀」(俞平白, 二卷 一號), 「我的白話文學研究」(吳康, 二卷 三號)이라는 等의 論이 盛히 載議되엇다. 今에 一餘波가 及한 出店으로 北京에서 「少年中國」이라 하는 雜誌가 昨年 七月에 發刊되엇다. 是는 全然 西洋思想의 謳歌에 滿하얏다. 多少 幼稚하나 哲學과 詩學에 力을 注하야 創刊號에 호이트만의 百年祭가 紹介되기도 하고 「詩學研究號」가 八九의 二號에 亘하야 出하고 이에는 田漢의 「詩人與勞働問題」라는 時潮에 棹한 大論文이 登載되기도 하얏스며 타코르의 詩가 譯載되기도 하얏다. 또

이에도 文學革命論의 餘熱이 點燃하야 「詩的將來」(周無), 「新詩略談」(宗白華, 八號), 「新詩底我見」(康白情, 九號), 「補充白話文的方法」(鄭伯奇, 十二號) 等 論文이 나타낫다. 其他 「曙光」이라 하는 科學 文學 混合의 雜誌 等도 餘波로 볼 수 잇겟다.

本家되는 「新青年」은 그 後에 어떠케 되엇느냐 하건대 劇論의 熱이 暫續하야 周作人은 「論中國舊戲之應廢」(五卷 六號)를 草하야 應援을 하고 震瀛은 米人 E·Goldman의 「近代戲劇論」을 譯載하야(六卷 二號) 新知識의 普及에 努力하고 通信欄에도 匿名의 某가 譯劇의 論을 寄하얏스며(六卷 三號) 宋春舫의 「才登格雷[07] (Gardon Craig)[08]的傀儡劇場」(七卷 二號) 等도 新劇 建立의 參考에 資하는 目的의 紹介일다. 新詩 其他 一般의 改良論도 時時 議論되어 「文學上之疑三則」(張效敏, 五卷 五號), 「人的文學「(周作人), 「文學改良與孔教」(張壽朋, 共히 五卷 六號), 「白話詩的三大條件」(俞平伯, 六卷 三號), 「白話文的價值」(朱希祖, 六卷 四號), 「關于新文學的三件要事」(潘公展, 六卷 六號), 「國語的進化」(胡適, 七卷 三號) 等이 載見되엇다. 右 中에 注目에 價할만한 것은 第一 周作人의 「人의 文學」이니 同君은 最新한 文學에 接觸한 頭腦로써 現代의 文學은 「人의 文學」이 아니면 안된다, 「人의 文學이라 함은 人道主義를 本으로 하야 人生 諸 問題에 對하야 正面으로부터 理想生活 或은 人間 上達의 可能性을 描寫하고 또는 側面으로부터 人의 日常生活 或은 非人間的 生活을 寫出」하는 것이라고 道破하얏다. 이는 西洋 近代 文藝思潮의 受賣이나 彼等의 間에서는 最新한 意見이엇다. 次에 兪平伯의 白話詩에 對한 見解는 매우 穩當한 考察이엇다. 彼는 字句의 雕琢에는 反對하얏스나 精當 雅潔의 修飾을 必要타 하고 또 音節

---

07 '戈登格雷'의 오식이다.

08 'Gordon Craig'의 오기이다.

의 諧適을 要求하얏다. 宜好한 事일다. 新詩라도 韻文인 以上에 散文과 同樣인 散漫한 句法이라던지 全혀 音節을 無視한 放縱은 許키 難하다. 이 考察은 胡君에게도 常存한 모양이엇다. 最近 再版한 同氏의 「嘗試集」의 「再版自序」에는 自作에 對한 音節上의 細心한 注意를 말하얏다. 康白情도 新詩도 또한 唱得할 것이라는 것을 主張하얏다. 看來하건대 彼等 新詩人도 決코 詩의 本來의 面目을 忘하고 함부로 猛進하는 者가 아님은 理解하야 주어야 한다. 次에 朱希祖[09]이 白話文의 價値를 論한 것도 자못 吾人의 興味를 끄은다. 彼는 北京大學의 國文의 教授인데 此論은 學究的 冷靜한 態度로써 白話文에 對한 諸家의 說을 列擧 比較하야 그 價値를 論定한 것이 他의 熱狂的인 主張과 感情的인 排擊과 족음 考察의 다른 落着이 잇다. 胡適의 「國語進化論」은 一 海外 留學生 及 孫文氏가 白話는 文言의 退化라고 論한 說의 反駁으로 白話는 文言에 比하야 表情 達意에로던지 人類 生活의 過去의 經驗을 記載하는 事에로던지 또는 教育의 用具로던지 人類 共同生活의 惟一한 媒介로던지 그 應用的 能力이 極히 만타. 이것이 그 進化하는 證據라고 하는 論旨를 實例에 徵하야 論斷한 것이다. 彼等 革新家의 論戰은 今年 二月에 出한 此論에 止하고 今에는 이미 議論의 時代를 通過하야 全혀 實行的 方面으로 向하야 步를 進하는 모양일다.

上來는 主로 議論의 方面만 본 것이나 創作的 方面은 新詩를 除하고는 只今은 말할만한 作物이 아즉 未出일다. 新詩는 近來 長足의 進步를 하야왓다. 形式으로던지 內容으로던지 優秀한 作이 次次 發表가 된다. 「新青年」과 「新潮」의 諸人은 勿論이어니와 「少年中國」의 同人에도 未來를 期待할만한 作家

---

09 '朱希祖'의 오식이다.

가 雨後의 竹筍과 가티 자꾸 擧頭를 한다. 詩格의 自由로온 方面은 자꾸 自由로 擴大하고 音節의 不諧·用語의 蕪雜은 次第로 修正되어 內容은 一槪로 말하지 못하겟스나 各各 自己의 欲하는 곳으로 目標를 定하고 或은 象徵的으로 或은 寓意的으로 或은 中國 固有한 情趣에 憧憬하는 者도 잇다. 何如間 今後가 可觀일게다.

劇曲 小說의 方面으로는 그리 눈에 띠일만한 것이 업다. 飜譯으로 周作人은 近世 大陸 文學의 紹介者로 其勞가 多大하다. 譯筆도 舊文話에 局執되지 아니한 直譯體로 그저 다만 原文의 妙趣를 傳하랴고 努力하는 듯하다. 小說로 魯迅은 未來가 有한 作家이니 그 「狂人日記」(新青年 四의 五와) 如한 것은 一迫害狂의 驚怖的 幻覺을 描寫하야 至于今 中國 小說家의 未到한 境地에 足을 入하얏다. 「新思潮」 同人도 創作에 努力하나 遺憾이지마는 朝鮮 現下의 文壇에서 散見하는 幼稚한 程度의 作品 가튼 것이 그 大部分을 占하얏다. 그러나 汪敬熙, 俞平伯·歐陽予倩과 如함은 特出한 才技가 보인다. 歐陽의 「斷乎」[10] 一篇(一卷 二號)과 如한 것은 確實히 完成된 作品일다. 劇으로는 楊寶三의 「一個村正的婦人」(新青年 七의 二), 陳綿의 「人力車夫」(同 七의 五) 等 一幕物의 習作이 有하나 말할만한 것이 못된다. 胡適氏는 「終心大事」[11]라 하는 笑劇의 作이 有하나 一 戲作이라 文學的으로 云云함을 彼는 돌이어 辭할게다. 다만 近來의 佳作으로 天津 南開學校의 新劇團에서 「新村正」이라는 것이 出하얏다 한다. 述者는 아즉 그 劇本을 보지 못하얏스나 胡君 等도 新味가 有하다 嘆賞하고 宋春舫氏도 團圓主義를 打破하얏다고 賞賛을 하얏다. 要컨대 劇曲 小說 二面은 아즉은 足히 말할 것이 못된다. 그러나 오래지 아니한 將來에 讀者의

---

10 '斷手'의 오식이다.

11 '終生大事'의 오식이다.

卓上에………食膳 方丈까지는 가지 못할지라도………腹을 充할만한 盛饌을 벌여 노흘 날이 오기를 翹望不已한다.

(完)

1922년

中國의 思想革命과 文學革命[01]

記者(역)

(一)[02]

中國이 어늬 點으로 觀察하면 우리 朝鮮과 事情이 比等하다.

그 思想에 在하야 道德에 在하야 社會組織과 政治程度에 在하야 더욱히 啓蒙時代에 處한 것과 革命의 氣運이 醞釀하는 點에 在하야 그러하다. 新中國이 建設되는 過程이 新朝鮮의 建設되는 過程과 比等比等할 것이오, 또 舊中國의 破壞되는 것이 亦 舊朝鮮의 破壞되는 것과 同一한 運命을 經過할 것이다.

그러긔에 우리는 新中國運動에 對하야 多大한 興味를 有하며 靑年의 革命運動에 對하야 深烈한 同情을 表한다. 이 論文은 七月號 日本及日本人에 揭載된 中國의 新生命과 新機運이 어늬 方面으로부터 엇더한 方法으로 엇더한 色彩를 帶하고 出現하는가를 論述한 것인데 上述한 바와 갓흔 興味를 有하는 吾人은 이것이 多少間이라도 朝鮮靑年에게 或은 老人에게 더욱히 中國思想

01 『東亞日報』 1922.8.22~8.23, 8.25~9.4, 1면. 머리글에서 보다시피 일본의 문장을 번역한 것이다.

02 매회 연재분 표기로서 13회에 걸쳐 연재되었다.

이 骨髓에 저즌 一般 父兄에게 暗示가 될가 하야 이에 飜譯하는 바이다.

一. 現 中國은 文藝復興 時代

中國革命史를 兩頁에 記錄할 수가 잇다 하면 그 中의 一頁는 맛당히 『思想革命』과 『文學革命』을 爲하야 割愛하여야 할 것이다. 孫文과 陳獨秀, 宋敎仁과 胡適 此等 名詞[03]는 同一한 程度로 大書特書하는 것이 맛당할 것이다. 政治革命者 假令 潭天鳳,[04] 宋敎仁, 黃興, 孫文 等의 半生 或 그 全 生涯는 勿論 吾人의 感激에 値하는 바가 多하다. 그와 同時에 吾人은 陳獨秀, 胡適, 錢玄洞,[05] 高一涵 等의 그 勇敢한 奮鬪에도 相當히 讚揚할 것이 存在하는 것을 發見한다. 그러나 一般人은 그 政治革命을 너무도 凝視하는 結果 『思想革命』과 『文學革命』은 無視하는 弊端이 有하다.

中國이 目下 如何한 時代에 處하얏는가를 正確히 알기 爲하야는 더욱 深切히 思想革命과 文學革命을 講究할 必要가 無할가. 佛蘭西革命을 爲하야 쟌작 룻소의 民約論과 몬테스큐, 마부리— 等의 新說이 大한 動力을 寄與한 것은 歷史가 證明하는 바이어니와 마루틴, 루테루가 獨逸語로써 聖書를 飜譯하야 新時代의 轉向을 促하고 또 톨스토이, 도스토에푸스키의 文學이 赤色 露西亞를 爲하야 强力의 前衛가 된 것이 事實이라하면 思想革命과 文學革命은 將來 新中國을 爲하야 貴重한 土臺가 될 것이다. 元來 思想이 世界를 革命하야 가는 것은 모든 革命史에 明記된 바——오, 决코 單히 中國에 限한

---

03 '名士'의 잘못이다.

04 '譚人鳳'의 오식이다.

05 '錢玄同'의 오기이다.

것은 아니다. 그러나 中國의 政治的 革命家는 大部分이 思想的 方面에 對하야는 너무 等閑視한 慊[06]이 不無하다. 秘密結社, 陰謀, 戰爭과 如한 것에 對하야는 晝夜의 別이 無하얏스나 思想的 戰鬪에 對하야는 努力할 餘裕를 有치 아니하얏다. 彼等은 革命만 成立이 되면 思想革命과 如한 것은 無難히 될 줄노 生覺하얏는지도 未知이며 또 그들이 言論의 自由는 姑舍하고 生命의 安全까지라도 保障을 得치 못하얏든 境遇에 對하야는 一點 同情이 不無하나 그들은 自由의 中國이 到來한 以後에도 思想方面에 對하야는 何等 着目한 바이 無한 것이 事實이 안인가. 『建設』이라든지 『孫文學說』이라든지에 揭載되는 宣傳 氣分의 極히 淡白한 것을 見할지라도 此를 可히 知할 것이다. 宋敎仁이 좀 더 長生하얏드면 하는 生覺이 無한 것은 아니나 此는 마부리가 佛蘭西革命을 爲하야 一年만 더 長生하얏드면 하는 카―라일과 同感이란 以外에 所用이 無한 歎聲에 不過하다.

思想方面의 開拓를 等閑視하얏기 따문에 彼等 政治的 革命家는 엇제든지 妥協으로부터 妥協에 虛飾으로부터 虛飾에 流轉할 수 밧게 道理가 無하얏다. 或은 『排滿興漢』이라는 旗를 翳할 必要도 有하얏고 或은 『入하야는 狹隘한 日本主義에 隱하고 出하야는 誇大妄想에 走하는 中國浪人』과 握手할 必要도 有하얏스며 或은 一世의 奸雄 袁世凱와 妥協할 必要도 有하얏다. 그러나 그와 갓치하야 獲取한 天下는 다시 顚覆이 되야 尙今에 오히려 北伐을 云々하는 境遇에 陷하얏다. 如此할진대 차라리 룻소의 一卷을 著하고 死한 것이 快하지 아니한가.

---

06 '嫌'의 오식이다.

(二)

一. 現 中國은 文藝復興 時代(續)

民衆 적어도 讀書人階級에 理解되지 아니하고 根柢잇는 革命이 成功할 理가 萬無한즉 政治的 革命家 等이 取한 길은 너무도 近徑인 것 갓다. 日本外史 神皇正統記와 其他가 産出된 幾年 後에 비로소 日本의 明治維新이 成功한 것을 生覺하여야 할 것이 아닌가. 孫文과 갓치 現 中國에 向하야 直히 米國化를 希望한다고 할지라도 그는 木에 竹을 接부치는 以上의 至難한 事일 것이다.

> 吾苟偸庸懦之國民, 畏革命如蛇蝎, 故政治界雖經三次革命而黑暗未嘗稍減. 其原因之小部分則爲三次革命, 皆龍頭蛇尾, 未能充分以鮮血洗淨舊汗[07], 其大部分則爲磐踞, 吾人精神界根深底固之倫理, 道德, 文學, 藝術諸端, 莫不黑幕層張垢汚深積並此虎頭蛇尾之革命而未有焉. 此單獨政治革命所以於吾人社會, 不生若何變化, 不收若何效果也. 推其總因, 乃在吾人嫉視革命, 不知其爲開發文明之利器故.

以上은 陳獨秀의 言이나 吾人이 亦 同感이다. 現 中國으로써 하야는 政治革命家의 能力까지라도 疑問이 되야 끗노―博士와 如히 中國帝政論을 提唱하게 될는지도 未知이다. 그런즉 今後 中國革命에 結實이 된다 하면 그가 비록 外觀上 政治革命家에 依하야 成功이 된다할지라도 그實『思想革命』과

---

07 '舊汚'의 오식이다.

『文覺革命』으로부터 出發된 것이라고 觀察하는 것이 至當할 것이다. 一人 二人의 革命家의 隱謀와 奮鬪에 依하야 中國이 革命될 것이 아니라 教育의 普及, 思想의 民主化, 文學의 勃興에 依하야 根本 土臺가 成한 後 아니면 참 革命을 이루지 못할 것이다.

現 中國이 政治革命에 一進一退의 形態에 在함으로 中國을 悲觀하는 者가 許多하나 此等 人士는 現 中國의 時代를 理解치 못하기 따문에 換言하면 現 中國이 政治的 革命時代에 處하야잇는 줄노 生覺하기 따문에 悲觀하게 되는 것이다. 그는 맛치 犁鍬로써 耕하기를 始作한 春日에 在하야 收穫의 日이 遠한 것을 悲觀하는 것과 無異하다. 現 中國은 政治的 革命時代가 아니라『思想革命』과『文學革命』時代에 屬하야 잇다. 換言하면『루넷산스』中國語로 飜譯하면 春秋 戰國時代이다. 爲先 文藝復興 時代로 相當한 成功을 收한 後에 비로소 참 革命이 成立될 것이다. 思想革命과 文學革命에 沒交涉한 政治革命이 起할 道理도 無하거니와 設或 起한다 할지라도 그 政治的 革命은 그 實質에 在하야는 舊態와 何等 差異가 無할 것이다.

> 『現在新人物中流行一種態度是不談政治, 打破政治救國的迷夢, 而從事社會事業, 原是好現象. 研究科學, 哲學, 文藝, 更好傾向.』— 五月 廿五日 晨報 —

中國의 新人이 거의 政治를 談코자 하지 아니하고 目下의 中國을 文藝復興 時代로 觀하야 가장 確實한 武步를 取하랴 하는 것은 眞摯한 態度라 할 것이다. 이는 一見 政治革命에 比하야 遲遠한 道程을 取하는 것 갓흐나 그實 意外에 近徑이 될는지도 未知이다. 然則 中國을 悲觀하는 者는 孫文과 張作霖 等의 軍隊의 擧動 進退出入에만 着目하야 悲觀하지 말고 眞實로 悲觀하랴 할진대 文藝復興 時代로서 現 中國에 루一테루가 存하는가 릇소가 存하는가 春秋 戰國時代로서 諸子百家의 小한 者라도 存하는가 하는 것을 講究하야 보고 悲觀함이 可할 것이다.

二. 陳獨秀를 先驅로 하야

『思想革命』, 『文學革命』의 名稱은 民國 六年 二月 一日 發行 雜誌 『新青年』 二卷 六號에 揭載된 陳獨秀의 論文 『文學革命論』으로부터 始作이 된 것이다. 그 論文 中程에 如左한 文句가 有하다.

> 『孔教問題方喧呶於國中, 此倫理道德革命之先聲也. 文學革命之氣運醞釀已非一日, 其首擧義旗之急鋒則爲吾友胡適.』

그 孔教問題를 國中에 喧呶케 한 것은 陳獨秀 自身이오, 文學革命을 絶唱한 것은 胡適인즉 思想革命의 先驅는 陳獨秀, 文學革命의 先頭는 胡適이다. 그러고 그 順序로 論之하면 思想革命이 開始된 後에 文學革命이 從起하얏슨즉 吾人은 爲先 思想革命을 論述하고 그 後에 文學革命을 研究코자 한다.

陳獨秀의 革命者로서의 經歷과 態度들 略述함은 必히 徒勞가 아닐 것이다. 彼는 天生 革命者이다. 中國이 비록 廣大하나 今日 그와 갓치 矯激한 精神을 所有하는 者는 無할 것이다. 勿論 非難할 短點도 만은 것은 事實이나 何如間 革命者로서의 勇氣와 執着과 識見을 有하는 點에 對하야는 畏敬할 것이 有한다. 或은 『陳獨秀로부터 胡適에』하는 者도 有하나 此 兩者를 比較하기에는 그 方面이 너무도 相異한 것 갓다. 漢學에 對하야는 勿論 陳이 胡에 對하야 確實이 遜色이 有할 것이나 思想에 對하야는 過去나 今後에 決코 遜

色이 無할 터이며 또 中國青年을 챠一ㅁ하는 力量에 在하야는 胡適이 到底히 陳에게 及치 못할 것이라.

(三)

二. 陳獨秀를 先驅로 하야(續)

胡適은 陳獨秀가 推稱한 新人物이나 너무도 温和하기 따문에 陳獨秀의 思想的 直系는 오히려 李大釗에게 移하고 胡適은 自已의 獨特한 分野를 開拓하얏슬 따름이다. 胡適은 週刋雜誌『努力』에 依하야 熱冷이 無한 議論으로써 新生面을 開拓하랴 한다. 그는 아즉 開始하얏슬 따름인즉 좀 더 時日을 經過하지 아니하면 果然『陳獨秀로부터 胡適에』가 될는지 아니 될는지 아지 못할 것이다. 그러나 何如間 今日까지의 胡適은 社會問題, 政治問題에 關하야 評判이 良好하지 못하얏다.

中國哲學者로서의 氏의 位置는 勿論 確乎不拔의 것이 存하는 터이나 元來 温和하야 冷熱이 無한 것은 人이 不好하는 것이라. 陳獨秀는 依然히 李大釗과 갓치 左向하랴는 中國思潮의 中流를 成하는 感이 有하다.

陳獨秀는 政治革命者로서 그 最初의 生活을 營하얏다. 柏安徽督軍의 傘下에 入하야 政治革命에 參加한 彼가 東京에 群益書社라는 書店을 開하고 學籍을 早稻田大學에 置하얏슬 때는 革命의 志士이엿섯다. 그는 革命의 同志를 糾合하기 爲하야 東京에 留한 것이라 한다.

그러나 革命이 成立되야도 中國에 何等 進化를 發見치 못한 彼는 政治革命을 離하야 思想革命에 着目하얏다. 그런즉 陳獨秀의『思想革命』은 徹頭徹尾 中國革命의 道程으로서 思考한 點에 存하얏다.

『今日莊嚴燦爛之歐洲何自而來乎. 曰革命之賜也. 歐語所謂革命者, 爲革故更新之義, 與中土所謂朝代鼎革絕不相類. 故自文藝復興以來, 政治界有革命, 宗教界亦有革命, 倫理道德亦有革命, 文學藝術亦莫不有革命, 莫不因革命, 而新興而進化……』

所謂 政治革命에 終始하지 아니하고 一步를 更進하야 徹底한 點에 彼의 非凡한 點이 잇다 할지니 彼를 歐洲 文藝復興의 誰에게 譬하면 可하다 할가. 마루틴, 루—테루에게 比할 것 갓흐면 彼가 全 中國의 思想的 仇敵이 되야 四千年의 孔敎傳統을 破壞하랴 한 熱狂的 態度를 讃歎하고 獄裡의 人이 된 豪膽을 歎稱하는 點에 잇서 適評이라 할 것이다. 彼의 無信無倫 그러나 自由, 友愛, 平等에 熱하는 點으로부터 言하면 或은 룻소에 近似할는지도 未知이다. 그러나 이는 或 過讃일는지.

思想革命은 大概는 雜誌『新青年』에서 絕叫가 된 것이다.『新青年』은 最初『青年雜誌』라 稱하고 極히 穩健히 出發한 것이나 陳獨秀와 까치 年一年 左向하야 간 形跡이 有하다. 陳獨秀 自身도 壓迫 抗爭 等에 依하야 自然히 左向하야 간 感이 不無하다.

陳獨秀가『新青年』以外에 그 手中에 掌握한 絕好의 機關은 北京大學이얏다. 文科長으로서 青年을 煽動한 것은 多大한 効果를 收하얏다. 갓흔 鍾을 칠지라도 山谷에서 치는 것과 山頂에서 치는 것과는 그 音響의 及하는 바가 다를 것이다. 孔敎反對라든지 自由思想의 提唱이라든지 彼가 北大의 文科長으로서 한 點에 全國的 反響이 有한 것이다.

三. 思想革命의 根本精神

陳獨秀의 思想革命의 根本精神은『新青年』의 發刊辭라고 할 수잇는『敬告青年』中에 가장 明白히 發露되얏다.

㈠ 自由的而非奴隸的

㈡ 進取的而非退隱的

㈢ 進步的而非保守的

㈣ 世界的而非鎖國的

㈤ 實利的而非虛文的

㈥ 科學的而非想像的

彼는『謹陳六義, 幸平心察之』라고 書한 故로『六大新主義』라는 稱을 受하는 此 六義를 範疇로 하야 모든 因習과 傳統을 批判하기를 始作하얏다. 此 六義를 範疇로 하고 그 周圍를 觀할 時에 彼는 雜多한 舊力에 抵抗할 必要가 存하는 것을 感하얏다. 民國 四年 十一月 十五日 發行『新青年』에 揭載된 彼의 論文『抵抗力』은 爲先 青年으로 하야금 抵抗하는 勇氣와 反抗하는 意志를 涵養케 할 目的으로써 書한 것일 것이다.『抵抗力은 萬物이 害를 避하고 侮를 禦하고 自我生存을 爲하야 天道自然과 戰함을 云함이라. 萬物이 進化하는 與否는 此 抵抗力 有無에 由하는 것이니 抵抗力이 無한 者는 滅하되 精神에 抵抗力이 無하면 人格이 無하고 身體에 此──存치 못하면 生命을 失하는 것이다. 中國人에는 此 抵抗力이 欠乏하다는 評이 有하다. 中國人의 抵抗力이 薄弱하게 된 原因은 ㈠ 學說의 害──老尚雌退, 儒崇禮讓, 佛說空無. ㈡ 君主專制의 流毒. ㈢ 統一의 害가 곳 그것이다. 今後는 此 三原因을 打破하고 抵抗力을 크게 涵養하여야 할 것이라 하얏다.

『抵抗力』의 次에 現出한 彼의 論文은 『吾人 最後의 覺悟』이얏다. 彼는 『六義』에서 態度를 決定하고 『抵抗力』에서 反抗을 決心하고 『最後의 覺悟』로써 勇躍驀進하기를 期한 것이다. 時에 彼가 反逆하기에 絶好한 機會가 來到하얏다. 그는 곳 康有爲가 總統 總理에 致한 尊孔案의 電請이얏다.

(四)

三. 思想革命의 根本精神(續)

『新靑年』 第二卷 第二號의 『駁康有爲致總統總理書』는 此時에 書한 것인대 此 一文은 實로 『思想革命』의 喊聲을 첨으로 擧한 것이다. 彼는 몬저 康有爲를 『吾國先覺之士天下所同認』이라 賞歡하고『先生은 歐文을 學하고 新學을 談함으로 皆曰 『洋奴』라 하야 名敎의 容치 못하는 바 되얏스나 先生과 그 門弟 梁啓超는 今日 我國에 在하야 世界知識의 源泉이 되얏다. 兩 先生의 維新 覺世의 功은 我國 文明史가 特筆大書하는 바──라.』하고 將次 痛擊을 加하랴 하는 者가 몬저 그 卷頭에 讚揚辭를 呈하는 것과 갓치 陳獨秀는 此 賞歎을 呈하기에 不吝하얏다. 『國人이 血을 流하야써 得한 共和를 呪咀할 때 天下의 先生을 敬愛하는 者 先生을 爲하야 可惜히 覺치 아니하는 者 無하얏다. 先生은 다시 尊卑를 別하고 階級을 重히 하야 事天 尊君하는 歷代 民賊의 利用하야 온 孔敎를 銳意 提唱한다. 近日 詞費를 不惜하고 黎段 兩公에 書를 致하얏스나 識者는 모다 笑하는 터인즉 그를 駁할 價値도 實은 無한 것이라.』하얏다. 陳獨秀의 筆鋒은 此로부터 一轉하야

『先生은 自誇하되 『三周大地, 遊遍四洲, 經三十國, 日々讀外國書』라고 書하얏스나 그實은 秋毫도 外國文에 不通하는 것 갓하야 外國의 論理學, 宗敎

史, 近代文明史에 關한 所得이 無한 것 갓다. 『今萬國之人莫不有教, 惟生蕃野人無教. 今中國不拜教主豈非自認爲無教之人乎. 則自認與生蕃野人等乎.』하얏스나 臺灣 生蕃과 苗族도 迷信을 持하는 터인즉 文明人이 皆 有教오, 野蠻人이 無教라 함은 그 前提에 在하야 발서 誤한 것이라.』하얏다.

陳獨秀는 諄々히 歐米 文明國의 宗教 情況 政治 對 宗教의 態度 等을 論述하얏는데 吾人은 彼의 宗教에 關한 知識이 康有爲 等의 到底히 及할 바── 아닌 것을 感한다. 『西洋 近代文明史에는 信仰의 自由라고 大書特筆하얏다. 近代 政治는 信教를 强制치 아니하는 것을 定則으로 한다. 英國의 淸教徙는 國教에 服치 아니하고 米大陸에 移住하지 아니하얏는가. 先生은 回耶佛道의 信仰을 輕蔑하고 孔教만을 立하랴 하나 此는 近代文明史, 政治史를 不知함으로 如此한 議論을 立하는 것이라.』하얏다.

吾人은 康有爲의 文章에 誤謬를 發見할뿐 아니라 互相 矛盾되는 點이 不無한 것을 覺한다. 陳獨秀는 그 不合理한 點 二三個 所를 擧하얏다. 그 中 『不與民國相抵觸者皆照舊奉行』이라는 康有爲의 文字를 指摘하야 孔教와 民國은 到底히 合致하지 못하는 것과 孔教와 帝政은 不離의 關係를 持하는 것을 論破하야써 矛盾의 最大한 者라 하얏다.

『駁康有爲致總統總理書』를 讀破하고 吾人은 陳獨秀의 論鋒이 康有爲의 尊孔教案을 擊破한 것을 感得한다. 그 正否는 何如間 論調에 在하야 康有爲는 陳獨秀의 敵이 아닌 것을 覺한다. 吾人이 然할뿐 아니라 中國靑年은 모다 陳獨秀에게 共鳴치 아니할 수 업는 것이다.

四. 反孔教와 道德革命

康有爲의 大同論의 見地로부터 論하면 尊孔案은 別로히 矛盾되는 바가

無한 것 갓다. 陳獨秀가 攻擊하는 孔敎와 康有爲가 提唱하는 孔敎는 그 內容이 相異하다. 陳獨秀가 攻擊하는 孔敎는 所謂 從來의 孔子敎오, 康有爲의 大同論은 共和라든지 世界主義라든지 하는 方面에 近한 孔敎이다. 그럼으로 康有爲의 尊孔敎案은 陳獨秀의게 叱咤를 當할 舊孔敎가 아니라 民主的 時代의 到來에 應하야 儒敎는 大同論을 正統으로 認定하여야 한다, 大同論을 國敎로 하라 하는 것이다. 民國과 抵觸되지 아니하는 것을 行하라 한 것은 要컨대 大同孔敎를 採用하라 하는 意味이라.

康有爲의 大同論에 關하야는 다시 項을 改하야 論述하려니와 이에는 그 爲人을 몬저 批判할 必要가 有하다. 彼는 大同論을 唱하고 率先하야 世界思想을 研究한 者이나 그 行爲는 恒常 帝政이라든지 復辟이라든지와 關連이 되얏다. 張勳이 復辟을 行하얏슬 時에도 彼는 宣統帝를 爲하야 『三度天을 仰하야 慟하얏다』는 文을 書하얏다. 主義와 實行의 合致되지 못하는 所以가 光緖帝의 恩顧를 忘치 못하는 點에 存한다 하면 勿論 一點의 同情이 無한 것은 아니나 如何間 尊孔案이 如此한 人物로부터 提案이 된 것은 陳獨秀의 反孔論에 對하야서는 큰 僥倖이엿슬넌지도 未知이라.

(五)

四. 反孔敎와 道德革命(續)

民國 五年 十一月 一日 發行 『新靑年』에는 『憲法과 孔敎』라는 陳獨秀의 論文이 揭載되얏다. 此는 袁世凱의 天壇草案 第十九條를 辯駁하기 爲하야 書한 것인대 그 論旨는 要컨대 『惟明々以共和國民自居, 以輸入西洋文明自勵

者, 亦於與共和政體西洋文明絶對反之別尊卑,[08] 明貴賤之敎不欲吐棄, 此愚之所大惑也.』라는 一句에 盡한 것 갓다. 陳獨秀의 反孔敎論은 當初에는 康有爲에 對한 論駁을 主眼으로 하얏스나 此 論文에 至하야는 孔子 그 自體에 肉迫하는 感이 有하다.『新國家, 新社會, 新信仰은 全然히 孔敎와 不相容』이라고 主張한다. 彼의 所謂 新信仰은 무엇인가? 自由, 友愛, 平等 此 三者를 意味하는 것이다.

民國 五年 十二月 一日 發刊『新靑年』에는 更히『孔子의 道와 現代生活』이라는 論文을 揭載하얏는대 彼는 孔敎는 封建의 道德이라 現代生活과는 到底히 合致되지 못한다는 것을 論述하고 特히 孔敎의 女子觀을 罵倒하야『男女七年不同席不共食』이라는 惡風을 攻擊한 點은 크게 敬意를 表할 價値가 存한다.

讀者는 陳獨秀의 反孔敎論이 大한 價値가 無한 것 갓치 或은 此가 何等 理由로 如此한 大問題가 되는지 疑訝할넌지 未知이나 顧하야 陳獨秀의 心理를 觀察하면 彼는 實노 一大 決心과 偉大한 覺悟로써 此 運動을 捲起한 것이다. 彼는 그 地位를 弊履와 갓치 捨할 覺悟와 또 生命에 對한 脅威를 感하면서 오히려 斷々히 그 所信을 吐露한 것이다. 彼는 孔敎가 中國에 蟠居하는 以上 到底히 革命은 成功치 못할 것으로 認定하얏다. 그 信念을 爲하야 彼는 全 國民에 敵視될지라도 하는 覺悟로써 敢然 驀進한 것이다. 彼가 康有爲를 論駁할 時에는 아즉도 揶揄的 氣分이 不無하얏스나 彼가 數千年來의 傳統을 對抗하야 挑戰하는 것을 覺한 時에는 果然 緊張치 아니치 못하얏스며 一種의 悲壯한 氣分를 帶치 아니치 못하얏다. 時代를 背景하얏다고는 하지만은 그래도 孔敎를 支離滅裂하게 粉碎하랴고 하는 大膽不敵의 行動을 陳獨秀가 아

---

08 중국어 원문은 '亦於與共和政體西洋文明絶對相反之別尊卑'로서 '相'자가 탈락되어 있다.

니면 뉘 敢히 生意하얏스리오.

反孔 此 傳統에 對한 反抗이 얼마나 中國靑年을 引着하얏는지는 可히 推定할 수 업다. 아마 룻소의 國家에 對한 解說이 當時의 佛蘭西를 動搖한 것과 如한 効果를 得하얏다면 可할가. 孔教에 對한 反抗은 即 各方面의 舊來傳說과 舊權威에 對한 逆行의 傾向을 現出하얏다. 爲先 男女의 自由交際가 流行되야 北京의 各 大學은 男女共學을 實行하게 되고 活動寫眞舘에서까지라도 男女 分座의 制를 廢止하게 되얏다. 親은 그 子에게 孝順을 强制하는 것이 아니라 오히려 그 子孫을 爲하야 生活하지 아니하면 新時代의 親이 되지 못하게 되얏다.

反孔教는 子를 親으로부터 叛케 하고 道德으로부터 人間을 解放케 하고 女子를 男子와 同等한 位置에 立케 하기 爲하야는 반드시 한 번은 絕叫가 되여야 할 것이얏다. 그 意味로서 反孔教는 思想革命 前에 必然히 行할 破壞運動이얏다고 할 수가 잇슬 것이다. 中國에 民主主義를 付植하기 爲하야서는 或은 中國에 新時代를 展開하기 爲하야서는 몬저 孔教를 犧牲할 必要가 잇섯다 할 것이다.

五. 孔教革命과 大同論

思想革命은 反孔教로부터 出發하야 民衆文化運動을 捲起하고 文學革命을 喚起하고 社會主義硏究에 左向하야 가는 터이다. 此等은 稿를 更히 하야 論述하기로 하고 玆에는 그 反孔教의 反響을 좀 더 考察하야 보고자 한다.

反孔教論은 孔教 自體를 爲하야서도 오히려 感謝한 刺戟이 되얏다. 數千年來의 孔教가 一大 轉回를 하지 아니하면 아니될 것을 教徒 自體가 切實히 感하게 된 것만하야도 感謝하여야 할 것이다. 孔教가 現 中國에 處하야 如何

히 하면 新生面을 開拓할가 하는 것은 孔教徒에 對하야는 如干 重大한 問題가 아니다. 換言하면 新中國은 孔子를 如何히 待接할가, 經書를 如何히 解釋할가, 一層 適切히 言하면 現代生活에 矛盾이 업도록 孔教를 如何히 改造할가, 孔教를 改造한다는 것이 孔教의 權威를 傷하는 것이라 할 것 갓흐면 孔子의 教理 中에 現代生活과 一致하는 何等의 方法을 發見히지 못할가 하는 이 問題는 孔教에 對하야는 實노 死活問題이다. 이 問題에 對한 論難으로 엇지 中國의 思想界가 沸騰하지 아니할가. 陳獨秀와 갓치 未練업시 孔教를 抛棄하고 말면 問題는 업겟지만은 事大思想의 中國民이 아닐지라도 自己 나라 자랑은 모든 國民性에 附着物인즉 中國民이 그 나라 數千年來의 傳說인 孔教에 對하야 深한 執着을 持하는 것도 無理는 아니다. 그리하야 엇지하든지 孔教를 廢치 아니하랴고 各 方面으로 考究 結果 案出한 것이 尊孔教案이다. 元來 中國에 在하야 楊墨과 道回는 政權과 結托하야 布教의 能力을 優越히 한 事가 少하지만은 孔教는 漢武帝以來 權門에게 利用을 當함이 常例이다. 아니라 孔教의 傳說은 王官에게 依하야 傳한 바 되얏다 하야도 可하다. 그럼으로 現 境遇에 處하야 總統과 憲法에 依하야 孔教를 擁護하랴고 案出한 것이 또한 無理한 것이 아니다.

封建主義, 階級主義의 哲理를 共和民主 時代의 總統과 憲法에 依하야 活用하랴 하는 터인즉 그 事業이 如干 困難하지 아니한 것은 勿議[09]이다. 이 때에 適히 着想한 것은 孔教는 宗教가 아니라는 名論이다. 孔教非宗教라는 見地에 立하야 教育部는 依然히 孔教를 國民教育의 權威로 하기를 決定하얏다. 이는 맛치 日本의 當局이 神社 神道를 宗教가 아니라고 認定함으로 因하야 小學教師가 어린 學生을 神社 前에 拜跪케 하는 것과 同一한 歸趣이다. 그

09 '勿論'의 오식이다.

러나 神社의 本體가 무엇인가 하는 質問을 受하야 小學敎師가 答辯에 窮하는 것갓치 孔敎의 內容如何를 問할 時 그가 共和時代의 自由生活과 何等 合致되는 것이 無하야 中國敎師는 크게 窮하얏다 한다.

反孔敎論을 主張할 수도 업고 또 大同論을 奉할 수도 업는 孔敎의 徒는 孔敎의 精神을 捕捉함이 可한 것을 提唱하얏다. 맛치 近代 基督敎의 新神學者와 高等 批評學者가 聖書의 骨과 肉을 大部分 削除하고도 오히려 그 基督을 讚美할 時에 그 宗敎는 다만 愛의 宗敎에 不過하는 것갓치 孔敎로부터 現代生活에 抵觸하는 모든 것을 拔去할 時에 오즉 殘餘하는 것은『仁』一字 뿐이다. 此 仁을 捕捉하야 가지고 此로부터 新儒敎를 出發케 하라 하는 것이 飮氷室集에 見하는 梁任公의 孔敎이다.

(六)

五. 孔敎革命과 大同論(續)

右述한 孔敎非宗敎說이라든지 孔敎眞髓論이라든지 此를 稱하고 彼를 唱함은 畢竟 傳說을 棄치 못하는 心理에 不過하는 것이다. 此 心理를 發見하야 國民의 欲求를 充足하고 世界思潮에 順應하기 爲하야 建設的으로 孔敎를 革命한 것이 大同論이다.

廖平은 何如間 新說을 吐한 先驅者이다. 그 學은 公羊派이나 禮廣森,[10] 莊存與, 莊翔鳳[11] 等과는 多少 趣意가 相異하다. 廖平은 더욱히 奇拔하고 더욱

10 '孔廣森'의 오기다.

11 '宋翔鳳'의 오기다.

히 滋味잇는 新說을 吐치 아니하면 不能已한 것 갓다. 彼는 四川 井穽의 人인데 學을 王闖運[12]에게 受한 바 그 著 益世舘叢書는 思索에 構想에 優秀한 것이다. 彼는 그 思想이 四次 變改한 것을 告白하되 그 變改는 變化가 아니라 進化라 하얏다. 彼는 年若하야 光緖 十一年에 第一變을 經하얏스니 그는 곳 古文과 今文의 別을 知함이오. 그 古今文의 別을 知하야 古文을 取할가 今文을 取할가 彼는 그 一生의 思想的 出發點을 此 兩叉路에 置하얏섯다. 第二變은 光緖 十四年에 來하야 彼는 尊今僞古의 說을 明立하얏다. 古文이 孔家의 墻壁으로부터 出하얏다 하는 것은 全然히 虛說이라고 說明하얏다. 光緖 二十四年에 第三變이 來하얏다. 彼는 禮運編은 子游에게 傳한 것이라 하야 此를 重要視하고 論語를 孔子 年若의 說이라 하야 價値를 輕蔑하얏다. 따라 大同說을 孔子 晩年 圓熟의 敎理라 한 彼는 日本 漢學者 等에게 指彈됨을 不忌하얏든지 猛然히 小球에 對한 孔子의 說보다도 大球에 對한 孔子의 敎를 力說하야 千萬年 後에는 平和와 同化의 世界가 現實될 것을 論하얏다. 第四變에는 天, 地 即 神人의 關係를 悟得하얏다 한다. 彼는 年已高하야 白髮이 漸多하고 老를 蜀에 養하는 터인데 近年에는 消息이 杳然하야 그 高說을 聽할 수가 업다.

廖平의 說을 借하야 더욱 大膽히 大同論을 稱한 者는 康有爲이다. 彼는 字를 伯尼南海라 하고 그 著 甚히 多하다. 門弟 梁啓超의 言으로써 하면 彼는 理想이 高하고 熱誠이 燃하고 膽氣가 具備한 一世에 그 比──無한 人物이라 한다. 果然 엇더할넌지. 廣州 南海의 人이라. 論語注, 孟子微, 禮運注, 大同書 그 他를 著하얏스며 梁啓超, 陳煥章, 王德潛, 王覺任 等의 門弟를 出하얏다. 그 大同書를 一見하면 그 思想의 傾向을 可히 知할 것이다. 大同書는 十項에

---

12 '王闓運'의 오식이다.

分하야 第一項에서는 入世界觀衆苦라는 것을 說明하얏다. 即 此世에는 苦가 多하다. 有國家之苦, 帝王之苦 等 奇拔한 苦를 倂列하고 第二項으로부터 第十項까지는 大略 次와 如하다.

去國界合大地
去級界平民族
去種界同人類
去形界各獨立
去口界爲天民
去產界同生業
去亂界治太平
去類界愛衆生
去苦界至極樂

要컨대 世界主義, 社會主義, 共產主義, 國際主義, 人道主義, 天國主義, 過激主義 等 一切 主義를 滿足케 하는 時代를 大同時代라 하는 것으로 認定하면 可할 것이다. 康有爲의 說에 依하면 論語는 孔子의 眞相을 傳하는 것이 아니라 曾子와 그 門人의 說에 不過하다 한다. 子游가 禮運을 傳하고 子貢이 性與天道를 傳하고 子木이 孔子의 陰陽을 傳하고 子思가 中庸을 傳하고 曾子가 論語를 傳하고 그 門弟가 此를 編纂하얏다 한다. 此說은 陸九淵과 程允夫며 柳宗元 等도 일즉히 編述한 바인즉 極히 陳腐한 것이나 果然 禮運을 子游가 傳한 것인지 그는 아마도 獨斷을 包含하얏슬 것이다. 何如間 康有爲가 禮運篇에 基하야 廖平 以上 熱烈히 大同說을 提唱한 것은 感心한 일이라 할 것이다.

벨사이유 講和會議에서 顧維均 博士는『中國에는 古來 國際思想이 有하

얏다. 그는 孔教의 哲理에 發見된다』하얏다 하며 또 宣傳書를 配付하얏다 한다. 此는 勿論 大同論에 依하얏슬 것이며 北京 孔子廟 大成殿에 『道治大同』이라는 額이 懸하얏는대 大總統 黎元洪이 書한 것이라 하며 또 北京에 孔教會이라는 것이 存하는대 그 牧師라 할가 住持라 할가 何如間 그와 갓흔 職에 陳煥章이 任하야 잇다. 陳煥章은 參議員이오, 近年에는 曲阜의 孔子祭까지라도 掌司하게 되얏는대 氏는 康有爲의 門弟인즉 今日은 大同 孔教가 中國의 儒教가 되얏다 하야도 可하다.

(七)

五. 孔教革命과 大同論(續)

長久한 期間 歷代의 王者가 自己의 地位와 制度를 擁護하기 爲하야 使用하야 온 孔教를 大同論으로 變色하야 다시 民主國民에게 活用시기랴고 하는 것이 無理는 無理나 또한 保護色으로는 善한 方法이라 할 것이다.

思想革命을 爲하야 陳獨秀는 孔教를 抹殺 粉碎하랴 하얏스나 孔教 自體에서도 此에 對抗하기 爲하야 孔教革命을 開始하야 西洋思想의 最左翼을 理想으로 한 點이 果然 滋味잇다. 그러나 政府의 擁護에 依하야 此 新孔教를 宣傳하랴 한 點에 所謂 反孔論을 喚起한 所以가 存하는 터이다. 換言하면 孔教革命을 教理에 斷行하고 宣傳 方法에 敢行치 못한 點에 時代錯誤가 存한 것이다. 此와 反對로 宣傳 方法에 革新을 斷行하야 長久한 期間 政權 援助下에 保護되든 孔教를 解放하야 가지고 階級哲學으로서의 古來 孔教를 그대로 宣傳할 것 갓흐면 그야말노 共和를 다시 帝政에 個人主義를 다시 家族主義로 復舊하여야 할 터인즉 現 中華民國을 爲하야서는 或 危險思想이 될는지 아지 못하거니와 教理를 革新하고 宣傳에 革命을 斷行치 못하는 現 大同論에 比하면 그래도 活氣가 잇고 滋味가 잇슬 것이다.

六. 文學革命과 胡適

思想革命은 微温的인 『孔教革命』에 不關하고 漸々 青年民衆을 征服하야 갓다. 思想革命을 無限히 聲援한 것은 『時代』와 『新』이라는 兩語이얏다. 新時代 此 文字가 如何히 中國의 青年을 魅하얏슬가 到底히 推定할 수도 업다. 文學革命은 實노 如此한 傾向에 乘한 것이다. 文學革命은 民國 五年 十月에 當時 콜름비아大學에 在學하든 胡適이 陳獨秀에 寄한 書簡으로부터 始作이 되얏다. 그 書面의 大意는 次와 如하다.

> 『足下는 『中國의 文學은 尙今 古典主義, 理想主[13] 時代에 在한다, 今後로는 寫實主義에 趨하여야 한다』고 言하얏스니 果然이로다. 그러나 『新青年』 三號에 某君 謝無量의 長律 一首를 揭載하고 記者는 此에 對하야 稀世之音이라고 雅稱하얏스나 此 詩에는 古典 套語가 一百以上이나 된다. 古典 套語를 使用함은 要컨대 創造의 能力이 無한 것을 表示한 것이 아닌가. 自己는 年來로 文學改良에 就하야 考究하야 왓는대 이제 八個의 改良規則을 得하얏다……足下는 世界文學의 趨勢에 通曉하고 또 文學改革의 宏願을 有하는 터인즉……이에 一考에 供한다.』 云々.

---

13 응당 '理想主義'여야 하나 '義'가 빠져있다.

此 書面에 接한 陳獨秀는 크케 깃버하엿다. 그러고 直히 胡適에 對하야 文學革命의 擧旗를 慫慂하얏다. 民國 六年 一月 一日 『新青年』誌上에 저 有名한 『文學改良芻議』의 一 論文이 揭載되게 되얏다. 此 論文은 胡適에게나 中國文學史에 對하야서나 實노 一 新時代를 劃하는 것이 되얏다. 이제 그 要點을 紹介하면 左와 如하다.

『自已는 年來 文學改良에 就하야 潜心 考究하야 왓다. 이제 文學을 改良하랴면 不可不 『八事』로부터 着手하여야 할 것이다. 『八事』는 一曰須言之有物, 二曰不模倣古人, 三曰須講求文法, 四曰不作無病之呻吟, 五曰務去爛調套語, 六曰不用典, 七曰不講對仗, 八曰不避俗字俗語.

㈠ 曰須言之有物

物에는 二種이 有하니 그 中 一은 情感이라. 文學에 情感이 無함은 맛치 人間에 魂이 無한 것과 如하다. 그러고 他 一은 思想이다. 見地, 識力, 理想 此 三者를 思想이라고 하는데 思想은 文學의 價値가 存하는 바이다. 中國 近世文學에는 高遠한 思想, 摯의 情感이 無하다. 이 文學 衰微의 最大 原因이라.

㈡ 不模倣古人

文學은 時代를 따라 變遷하는 것이다. 各 時代는 各히 그 時代의 文學을 有하는 것이다. 此는 自已 一個의 私見이 아니라 文明進化의 公理이다. 그런즉 今日 中國은 今日의 文學을 生하여야 할 것이다. 唐을 模倣하고 周를 追從할 必要는 無하다. 今日 中國의 第一流 文學者 陳伯嚴先生까지라도 『半歲禿千毫』라든지 『此老仰彌高』라든지 하야 古人의 心理를 模倣한다. 自已는

每樣 云하되 今日文學으로 世界 一流文學과 比較하야 遜色이 無한 것은 白話小說뿐이라고. 今日 社會의 情況을 書치 아니하고 엇지 眞正한 文學을 造出할 수 잇스리오.

(三) 曰須講文法

文法에 合치 아니한 文은 不通한다. 此는 勿論이나 騈文 律詩를 作하는 者는 文法을 無視함이 甚하지 아니한가.

(四) 曰不作無病之呻吟

今日 少年은 往々히 悲觀하야 『寒灰』, 『無生』, 『死灰』 等으로 號를 作하고 日沒에 對하야는 年去를 思하며 秋風에 關하야는 零落을 感하며 春來하면 그 去할가 恐하고 花笑하면 그 散할가 懼하야 悲觀에 沈하니 此는 正히 亡國의 哀音이라. 老人도 此를 爲하야서는 不可하거든 况 少年이리오.

(五) 務去爛調套語

今日 學者는 胸中에 幾多한 套語를 記憶하는 것으로써 詩人의 稱號를 受하는 所以로 認定하나 此는 絕憎之할 것이다. 『蹉蛇』, 『身世』, 『寥落』, 『飄零』, 『玉梅』, 『殘更』, 『愁魂』 等이 모다 그것이다.

(八)

六. 文學革命과 胡適(續)

(六) 曰不用典

自己가 主張하는 『八事』 中에 此 一項이 가장 攻擊을 受하고 또

誤解되기 易한 것으로 思하는 터인데 典에는 二種이 有하니 廣狹 二義로 分할 수가 잇다.

廣義의 典은 自己가 云하는 바 典은 아니다. 廣義의 典은 大略次 五種을 云하는 것이다. ㈎ 時代에 依하야 그 効用을 失치 아니하는 것은 今人이 用할지라도 不可함이 無하다. 假令 『以子之矛攻子之盾』이라고 古人이 言한 것을 今人은 此를 讀치 아니하고 『自相矛盾』이라고 用할 수가 잇다. ㈏ 成語가 되야 字를 合하야 別한 意義를 成하는 者는 此를 用할지라도 無關하니 『利器』, 『虛懷』, 『舍本逐末』 等은 모다 日用語오 典이 아니며, ㈐ 史事를 引用한 것. 『所以曹孟德猶以漢相終』과 如한 것은 亦 典을 用한 것이 아니다. 杜甫의 詩 『諸[14]新瘦開府, 俊逸飽[15]參軍』과 如한 것도 用典한 것이라고 言치 못할지며, ㈑ 古人의 語를 用함이 亦 典은 아니다. 『我聞古人之言, 艱難惟一死』, 『嘗試成功自古無, 放翁此語未必是』 此等은 古人의 語를 引用함이오, 典을 用함은 아니라. 狹義의 典은 곳 自己가 用함이 不可하다는 典인데 典을 用함은 大概 創作의 能力이 無한 것을 表示하는 것이다. 狹義의 典을 用하는 者에도 巧拙 二種이 有하니 巧한 者 典을 用함은 或可하거니와 拙한 者에 至하야는 그 可한 바를 不知하겟다.

㈦ 曰不講對仗

對句는 人類 言語의 一種 特性이라. 故로 老孔의 古代文字에도

---

14 두시의 원문은 '諸'가 아니라 '淸'이다.

15 두시의 원문은 '飽'가 아니라 '鮑'이다.

騈句가 有하얏스니『道可道非常道, 名可名非常名, 無名天地之始, 有名萬物之母. 故常無欲以觀其妙, 常有欲以觀其微[16]』, 이와 갓흔 것은 곳 三對句이다. 그러나 後世末流에 至하야는 主張할 바 思想이 無함으로 文 그 自體를 飾하야 優秀한 文이라고 하게 되고 騈句 詩律로써 文을 飾하려 하얏다. 此 騈句 詩律을 能히 廢치 못하는 者는 文學의 末技에 拘抵하는 者이다. 騈文 律詩는 文章의 小道이오, 大道는 아니다. 鄙夷 白話小說이야말로 文章의 正宗이다.

(八) 曰不避俗語俗字

自己는 施耐菴, 曹雲斤, 吳研人을 文學의 正宗이라고 思하며 俗字 俗語의 不避를 提唱하다. 中國의 言語와 文章의 背驅됨이 實로 久한데 佛書가 傳來하얏슬 時에 此를 飜譯한 者는 文語로써 하야서는 그 意가 達치 못함으로 淺近한 文으로써 飜譯하얏다. 그는 白話에 近한 것이얏다. 佛氏의 講義錄은 大概는 白話(俗語)를 用하야 語錄體의 創始가 되얏다. 宋에 至하야 白話로 語錄을 作하야 講學正體를 成하얏다. 明도 亦 此에 依하얏다. 白話가 韻文에 入하야 唐宋의 白話詩가 成立하얏다. 元時代로부터 異族 遼金元 下에 三百年을 經하얏는대 此 三百年間에 通俗文學이 生하얏다. 水許傳, 西遊記, 三國誌 其他 戱曲關漢의 脚本 數十種이 그것이다. 就中에도 元 時代가 가장 盛旺하얏는대 後世에 傳할만한 不朽의 作이 許多하다. 그러나 明時代에 入하야 此 傾向은 全然 阻止가 되고 復古로써 理想을

16 '微'는 '徼'의 오식이다.

> 定함에 至하얏다. 史的 眼識으로써 하면 白話文學은 正宗이라. 將來 中國文學의 利器가 될 것이다.
>
> 上述한 바 八事는 自已가 年來에 硏究하야 온 바인즉 國中 先輩는 此에 對하야 討論하기를 바란다.』

七. 文學革命과 新人

『文學改良芻議』 此 一文이 中國 文學界에 捲起한 波瀾은 到底히 推想을 許치 아니한다. 今 春二月 二十五日 發行 雜誌『學林』에 揭載된『民國十年以來文學的革新』이라는 論文에서 羅汝榮氏는 左와 如히 言하얏다.

> 『我等 中國文學의 新紀元은『新靑年』 雜誌 第二卷 第五號 出版의 其日──民國 六年 一月 一日에 起하얏다. 此 一卷 雜誌에 揭載된 一篇은 我 中國文學史上에 가장 關係잇는 文章이얏다. 則 胡適之──胡適은 號를 適之라 함──의『文學改良芻議』, 此篇 中에서 芻議하는『八事』가 가장 注意할 것이라』고.

吾人은 羅汝榮氏의 形容이 조곰도 誇大하지 아니한 것을 知한다. 그런데 此『文學改良芻議』가 이와 갓치 有名하게 된 것은 兩個 理由가 存하야 그러한 것이다. 그 一은 此 改良案이 提出될 때까지에 발서 靑年學者와 思想家 中에 白話文이 流行하랴는 傾向이 有하든 것이니 此는 胡適도 感得하얏섯다. 故로 彼는 云하되『今之談文學改良者衆矣, 記者末學不文, 何足以言此.』라 하얏다. 胡適은 그 大勢를 感得한 最初의 人이라 할 것뿐이니 萬一 胡適이 不言하면 石이 且 絕呌할 形勢에 在하얏섯다. 換言하면 胡適의 改良案을 理解할만한 準備가 充分히 되야 잇섯다는 것을 意味함이라.

(九)

七. 文學革命과 新人(續)

陳獨秀가 推稱한 것이 胡適의 文學革命을 이와 갓치 有名하게 한 他 一 重要原因이다. 雜誌『新青年』民國 六年 二月 一日 發刊 第二卷 六號에는 陳獨秀의 文學革命論이 揭載되얏다. 그 矯激하고 赤熱이 燃하는 곳에 果然『文學革命』을 成功시길만한 筆勢가 存하얏다. 胡適의 文章에는 謙讓이라면 謙讓, 狐疑이라면 狐疑가 有하얏스나 陳獨秀에 至하야는 斷々乎 勇住 邁進하는 慨가 有하다. 그런즉 年少한 胡適으로 하야금 一步도 退치 못하게 그 後를 援助하고 煽動한 者는 實로 陳獨秀 그 人이라고 稱할 수가 잇다. 此는 陳獨秀의 次 一句를 見하면 可히 知할 것이다.

> 『文學革命의 氣運이 醞釀된지 一日이 아니나 그 비로소 義旗를 擧한 急先鋒이 된 者는 吾友 胡適이라. 余는 全國 學究의 敵이 됨을 甘受하고『文學革命軍』의 大旗를 놉히 張하야써 吾友의 聲援을 爲하노라. 吾 革命軍의 二大主義를 旗上에 大書特筆하얏스니 曰 彫琢的 阿諛的 貴族文學을 推倒하고 平易舒情的 國民文學을 建設함, 曰 陳腐 誇張的 古典文學을 推倒하고 新鮮立誠的 寫實文學을 建設함, 曰 迂晦艱澁的 山林文學을 推倒하고 明瞭通俗的 社會文學을 建設함.』

胡適이 具體化하야 屢陳함과는 反對로 陳獨秀는 主義綱領을 大體로 放言力說한 點에 그 强烈한 氣慨가 存한다. 그러고 胡適이 退步함을 許치 아니할 뿐아니라 君을 爲하야서는 百萬軍 以上의 聲援을 與하리라고 高唱한다. 胡適의 改革 動機가 破壞에 偏하고 建設에 迂한 慊이 不無한대 陳獨秀는 中國文學의 前路를 指示하는 點에 그 强點이 有하는 터이다. 然則 文學革命에 對한 陳獨秀의 位置는 明瞭하지 아니한가.

北京大學 教授 劉半農, 錢玄洞[17] 等은 清末 第一流의 碩儒 章太炎의 高弟이나 敢然히 起하야 此 文學革命에 呼應하얏다. 就中에도 漢學에 通曉한 點에 在하야 胡適에게 遜色이 無한 錢玄洞과 如한 人士가 非常한 雅量으로써 此 運動에 應한 點에 文學革命의 成功이 存하는 터이다. 吾人은 그 文學改革의 識見에 在하야 또 改革意志가 鞏固한 點에 在하야 錢玄洞은 胡適 以上의 人物인 줄을 知한다. 엇던 中國 新人은 言하되『白話文學은 其 源流가 實노 章太炎에서 發한다고』하얏다. 吾人은 그 言을 否認할 수 업는 줄을 認定한다. 章太炎이 日本에서 學을 講할 때『故凡有句讀文, 以典章爲善,[18] 局[19]學說科之疏證類, 亦往々附其居其列.[20] 文皆質實而遠浮華, 辭尚直截無蘊籍.』(國粹學報 二十三期)이라고 書하얏다. 此는 全然히 相城派[21] 選學派의 弊를 駁한 것인대 實質 直截는 文學革命의 旗標이다. 胡適이 如何히 知者이라 할지라도 章太炎 門下의 錢玄洞, 劉半農이 此에 呼應하지 아니하고 同門의 周作人이 白

---

17 '錢玄同'의 잘못이다. 아래도 마찬가지이다.

18 중국어 원문은 '以典章爲最善'으로서 여기서는 '最'가 빠져 있다.

19 '爾'의 잘못이다.

20 중국어 원문은 '亦往々附居其列'이다.

21 '桐城派'의 오기이다. 아래도 마찬가지이다.

話의 美文을 書하지 아니하얏드면 文學革命은 到底히 그와 갓흔 成功올 收하지 못하얏슬 것이다. 그럼으로 玆에 數言으로써 그 文學革命의 根源을 明白히 한다.

八. 胡適의 新文學 建設

辜鴻銘의 言을 藉하면『改良』은『良을 改하야 惡을 造한다』한다. 胡適의『文學改良芻議』에는 通俗文字가 散見하지 아니하는 것은 아니나 그러나 純然한 白話로써 書한 것은 아니얏다. 그러나『建設的文學革命論』에 至하야는 全然 白話 아니라 官話로써 書하얏다. 白話는 무엇인가. 石山福治氏의 中國語辭典에 依하면 白話는 談話體 言文一致라 하얏다.

文學革命은 胡適의 歸朝와 同時에 一段의 展開를 示하얏다. 一九一八年四月 十五日 發行『新青年』四卷 四號에 揭載된『建設的文學革命論』은 勃興하랴고 하는 新文學을 爲하야 的確한 向方을 指示하얏다.『學林』에 羅汝榮은 云하되『此一篇의 文章 發表 後 白話文學에 對하야 懷疑하든 者도 그 態度를 變하게 되얏다』고 하얏다. 써 此 一篇의 及한 바 影響을 想像할 것이 아닌가. 吾人은『建設的文學革命論』을 抄譯할 必要와 義務를 切實히 感한다. 如何히 忍耐力이 缺乏한 讀者라도 此는 一讀할 必要가 有하니 大槪 此는 中國의 時代와 向方을 知하기 爲하야서는 絕好한 材料가 될 것이다.

胡適 著 建設的文學革命論(抄譯)

(一)

……文學革命은 當然히 破壞로부터 開始하여야 할 것이나 現在 舊派 文學 中에는 一駁의 價値를 有하는 者도 無하다. 相

城派, 文選派, 江西派, 夢窓派, 聊齋志異派 此等 무엇인가. 모다 僞文學, 死文學이 아닌가. 此等은 破壞할 것도 업시 新文學이 出現만 하면 直히 消滅되고 말 것이라. 그럼으로 吾等 文學革命論者는 此等 陳腐한 文學에 代할 新文學을 創造하면 足하다……

(二)

余의 『建設新文學論』의 主意는 『國語的文學, 文學的國語』, 此十文字에 盡하는 것이라. 吾等은 中國을 爲하야 國語文學을 創造하랴 한다. 國語文學이 生하면 반드시 文學的 國語도 產出될 것이다. 中國에 二千年 以來로 價値와 生命 잇는 文學이 發生치 못한 것은 死文學, 死文言으로써 文學을 作하야온 까닭이다…木蘭辭, 烏雀東南飛의 兩詩, 陶淵明의 詩와 李後生의 詞, 杜甫의 『石壕吏』, 『兵車行』을 吾人이 何故로 愛讀하는가 하면 그는 白話로 書한 까닭이며 韓愈의 『南山』을 愛讀치 아니하는 理由는 그를 死字 死語로써 書한 까닭이다……近世文學에 在하야 水滸, 西遊, 儒林外史. 紅樓夢을 活文學이라 하는 所以는 白話로써 書한 까닭이니 萬一 施耐菴, 邱長春, 吳敬梓, 曹靈芹[22] 等이 白話로써 하지 아니하고 文言으로써 書하얏슬 것 갓흐면 아마 死文學 밧게는 能히 產出치 못하얏슬 것이다……

---

22 '曹雪芹'의 오식이다.

(十)

八. 胡適 著 建設的文學革命論(抄譯)『續』

그러나 讀者는 誤解치 말라. 余는 決코 白話를 用하는 者는 모다 價値 잇고 生命 잇는 文學을 作한다고 言치 아니한다. 白話를 用하야 生命 잇고 價値 잇는 文學을 作할 수도 잇스나 또 生命과 價値가 無한 文學도 作하는 수가 잇스니 假令『儒林外史』도 作할 수가 잇스며『肉蒲團』도 書할 수가 잇는 것이다. 그러나 文言으로써 하야서는 決코 生命 잇고 價値 잇는 文學을 作할 수가 업다.『擬韓退之之原道』,『擬陸士衡擬古』는 作할 수가 잇슬지언뎡 一 儒林外史는 能히 産出치 못할 것이다. 此言을 不信하는 者는 明의 古文大家 宋濂의『王冕傳』과『儒林外史』를 比較하야 보라. 最初의 一章「王冕傳」에 在하야 그 死文學과 活文學의 別을 知할 것이다.

何故로 死文言은 活文學을 作치 못하는가? 그는 文學의 性質에 原因한 것이다. 文學의 價値는 表現에 在하다. 書할 것이 存하되 此를 一々히 數千年 前 故典에 飜譯하랴 하면 그 存하는 바 感情이 如實이 流露할 道理가 無하지 아니한가.『旅人이 家를 思한다』하지 아니하고『王粲登樓』라든지『仲宣作賦』라든지 하여야 하며『送別한다』고 하는 것을『陽關三疊』이라든지『一曲渭城』이라든지 하여야 하며『陳寶琛 七十歲 誕生日을 賀한다』고 할 것을『賀伊尹周公傳說』이라고 하여야 하며 그 中에도 더욱히 甚한 滑稽는 田舍 老婆 談話를 唐宋八大家文으로 綴하여야 하며 下流 娼妓의 言을『胡天遊洪亮吉』이라고 駢

文으로 書하여야 한다. 此로써 感情이 如實히 流露가 될 것인가………儒林外史와 王冕傳을 比較하면 그 差異에 依하야 此를 充分히 悉知할 것이다. 前者가 二千年 後의 活人이면 後者는 二千年 前의 木偶이다.

(三)

以上은 文學方面으로부터 論述한 것이나 이제 國語의 方面으로부터 國語文學의 重要한 所以를 論하겟다.

或은 云하되『國語가 無한 今日에 엇지 國語文學이 存할 수 잇스리오』하는 者 有하고 此가 一見 事實일 듯하나 그 實은 不然하다. 國語는 教育部 教科書 言語學者 國語辭典 等으로 造出되는 것이 아니라 實노 國語文學에 依하야 되는 것이다.

吾人은 直히 一篇의 白話文을 綴할 수가 잇다. 此는 水滸傳, 西遊記, 紅樓夢, 儒林外史 等 文學으로써 可히 知할 것이 아닌가………此等 文學의 勢力은 教育部보다도 强한 것이다. 新文學의 提唱者는 必히 國語가 無함을 念慮할 必要가 無하다. 水滸傳, 西遊記, 儒林外史, 紅樓夢 等의 白話를 用하고 此가 今日에 不合하는 바는 今日의 白話로써 補充하야 新文學을 創造하면 可하다. 그러고 新文學이 成立되면 標準語는 自然히 成立될 것이다………今日 歐州 各國의 國語는 教育部가 作한 것이 아니라 文學이 產出한 것이다………伊太利에서는『단테』가 래틴文을 排斥하고『츄스카니』의 方言으로 喜劇… 그 後에 神聖喜劇을 作하야 自然한 中에 伊太利의 標準語가 되고 後에

BOccacio[23] LOReNZO De[24] MeDICI 等이 白話文學을 作한 百年을 不出하야 伊太利의 國語는 完成이 되얏다. 英吉利에는 無數한 方言이 有하얏다. 今日 英文은 五百年 前에는 倫敦 附近의 『中部土語』에 不過하얏다. 十四世紀 末에 『촛사一』가 中部土語로써 詩歌 散文을 作하고 『윗크리브』는 新舊約을 飜譯하얏다. 그리하야 此 中部土語는 標準國語가 되고 世界語까지도 되게 되얏다.

中國의 情況은 伊太利에 近似하다. 伊太利는 羅馬帝國의 近畿附近이오, 래틴文學의 故鄕이다. 各處의 方言도 『래틴』語에 가장 近하다. 如此한 곳에서 래틴文을 排斥하고 白話를 使用하는 것은 中國에서 漢文을 廢止하고 白話를 用하는 것과 同一한 艱難이 存한다. 中國에서도 『단테』, 『알벨트』와 如한 大文學者가 出하면 國語는 必히 完成이 될 것이다……中國에도 施對菴[25] 以來 白話文學이 着實히 流行하얏다. 그러면 엇지하야 標準語가 成立치 못하얏는가. 그는 二千年來로 白話를 文學國語라고 主張한 者가 無한 까닭이라……陸放翁이 興이 動하면 白話詩를 作하고 柳耆卿이 興이 動하면 白話詞를 作하고 朱晦菴이 興이 動하면 白話信과 白話隨筆을 作하고 施對菴, 吳敬梓가 興이 動하면 白話小說을 作한 것은 모다 不知不覺 中에 偶然히 產出된 것이오, 有意의 主張은 아니다. 그럼으로 古文을

23 'Boccaccio'의 오식이다.

24 'Lorenzode'이다.

25 '施耐菴'의 오식이다. 아래도 마찬가지이다.

作하는 者는 古文을, 八股를 作하는 者는 八股, 白話를 作하는 者는 白話만을 作하얏다………有意의 主張이 아님으로 白話文學者는 저 死文學과 文學 正系의 位置를 爭한 바이 無하얏셧다. 白話가 文學의 正系가 되지 못하얏슴으로 白話는 일즉히 標準國語가 되지 못한 것이라. 그러나 我等의 國語的 文學은 即『有意의 主張』이라…………

(四)

上述한 바와 갓치『國語的文學, 文學的國語』이는 我等의 根本主張이라. 그러면 此 根本主張을 實行함에는 如何히 하면 可할가 하는 것을 述하려 한다.

惟컨대 新文學 進行에는 三步가 有하다. (一) 工具, (二) 方法, (三) 創造 이것인데 前 兩者는 準備오, 第三步는 新文學 創造의 實行이다.

(一) 工具……我等의 工具는 白話이다. 白話를 工具로 하야 新文學을 創造하랴 한다. 그런즉 新文學을 創造하랴 하는 者는 速히 不少한 工具를 準備하여야 할 것이다. 그 準備方法에 兩種이 有하다.

(甲) 模範的 白話文學을 多讀하라. 水滸, 西遊, 儒林外史, 紅樓夢, 宋儒語錄, 白話信札, 元人 戱曲, 明淸 傳奇의 說白, 唐宋의 白話詩詞 等을 選할 것이다.

(乙) 白話로써 各種 文學을 作하라. 我等 新文學을 創造하랴 하는 有志는 決코 文言을 用치 말고 通信, 詩, 譯書, 筆記, 新聞記事, 學校의 講義, 死人의 墓誌, 活人의 上條文 等 全部를 白話로써 作하여야 할 것이다.

(十一)

八. 胡適 著 建設的文學革命論(抄譯)『續』

白話에 反對하는 者로 白話를 使用치 아니하는 者는 白話에 反對하지 못할지니 北京大學 國文 敎授 錢玄洞이야말노 참으로 漢文 廢止를 主張할 수 잇는 것갓치 白話를 使用하야 보지 아니하고 此에 反對함은 不可하다. 或은 云하되『白話를 作하는 것은 容易하지 아니하되 文言을 作하는 것은 오히려 簡易하다』하는 者 有하다. 此는 古文 中毒者의 言이다. 自已의 甥으로 今年 十五歲 되는 者가 有한데 彼는 今年에 白文으로써 書信을 作하얏다. 그 用文이 决코 不可한 點이 無한즉 此로써 見할지라도 白話가 困難하지 아니한 것을 可히 知할 것이다.

㈡ 方法……新文學을 創造한다 하지만은 鄭孝胥, 陳三立의 詩를 白話로 飜譯한다고 新文學이 되는 것은 아니다. 新華春夢記, 九尾龜를 白話로 譯出한다고 新文學이 되는 것은 아니다. 惟컨대 現在 中國에 起한 文人의 一群은 高尙한 文學의 方法을 아지 못하는 것 갓다. 그것이 彼等의 病弊이다……現今 小說에는 二派가 存하니 그 最下等은 聊齋志異派의 隨筆小說이다.

『某生……一日於某地遇女郎……好事多魔……遂爲情死……』或은『某地 某生이 某地에 遊하야 某妓를 買하얏다. 情이 篤하야 百年의 約을 契하얏다…… 正妻가 妬하야 許치 아니한즉 女는 鬱을 抑함에 死로써 하얏다. 某生은 女의 屍를 撫하고 慟死하얏다.』이와 갓흔 文學은 如何히 多存할지라도 一駁의 價値도 無한 것이다. 第二派의 文學은 儒林外史와 官場現形記를 模

倣한 것인데 그 上等은 廣陵潮, 下等은 九尾龜이다. 此派의 文學은 儒林外史의 惡한 點은 模倣하고 善한 點은 조금도 模倣하랴 하지 아니한다. 儒林外史의 短處는 體裁가 緊縮하지 못하야 全篇이 雜然한 點이다. 儒林外史의 長點은 그 人物描寫가 妙한 點이다. 現今의 長篇小說은 大概 그 雜湊한 것은 儒林外史에 近하되 人物의 描寫와 如한 것은 讀後 二三個月을 不過하야 忘却하고 말만한 터이다……그러고 現今 『新小說』은 다만 긴 文字를 並列하야 三面記事와 갓흔 것을 書할 뿐이다.

이제 『文學方法』은 무엇인가를 論述하려 한다. 그러나 此 問題는 容易한 問題가 아닐 뿐 아니라 本文의 本題가 아닌즉 다못 數言으로써 略說하랴 한다. 大凡 文學에는 三方法이 有하다.

㈎ 材料 集收의 方法. 中國文學은 材料의 範圍가 狹小하다. 그런즉 ㈠ 材料를 取하는 區域을 擴張하야 貧民社會, 工場의 男女工, 人力車夫, 農家, 大小商店, 新舊文明의 接觸, 家庭의 悲劇, 女子의 位置, 教育의 不適當 모든 것을 文學的 材料로 하여야 할 것이며, ㈡ 現今 文人은 門을 閉하고 虛造를 是事하는 터인즉 참으로 文學家가 되랴는 者는 實際의 觀察과 個人 自已의 經驗으로써 材料를 取하여야 할 것이며, ㈢ 施對庵이 視察과 經驗에만 依하얏드면 水滸傳을 能히 書치 못하얏슬 것이라. 個人의 經驗에는 限定이 有한 것인즉 周密한 想像으로써 經驗과 視察을 補助하여야 한다.

㈏ 結構의 方法. 材料가 有할지라도 構造를 善히 하지 못하면 不可하니 이럼으로 構造를 研究함이 必要하다. ㈠ 剪裁. 材料가 잇스면 그로써 小詩를 作할가, 長歌를 作할가, 或 長篇小說

을 作할가, 短篇小說을 作할가 이것을 計劃함이 必要하고 이 計劃이 決定되면 無用한 것은 棄하고 所要한 것만 取하야 如何한 體裁의 文學을 作할가를 決定할 것이오. (二) 布局. 剪裁가 何를 作할가 함을 決하는 것이라 하면 布局은 엇더케 作할가 하는 것을 定하는 것이다. 杜甫의 『石壕吏』는 旅人이 一夜 盜聽한 것을 一百二十字로 書한 것인대 唐朝 天寶時代의 兵禍가 善히 描寫되얏다. 古詩에 『上山採薇蕪, 下山逢古夫』라 하야 一家 夫婦의 悲劇을 描한 것이 有한대 『其人[26]娶妻甚賢, 後別有所歡遂出妻再娶』로부터 說하지 아니하고 山을 下하야 妻가 前夫를 逢하는 데로부터 着筆하얏다. 此만 書할지라도 家庭의 情形은 充分이 表現이 된다. 近來의 文人은 場面을 考慮치 아니하고 若干의 文字를 集하야 若干의 金錢으로 賣하면 足한 模樣이다……

(丙) 描寫의 方法. 描寫의 方法은 千頭萬緖이나 人을 寫하고 境을 描하고 事를 書하고 情을 現함에 在하다. 老殘遊記의 大明湖와 西湖는 同一하지 아니하며 또 洞庭湖와도 相似하지 아니한다. 紅樓夢 中의 家庭과 金甁梅의 家庭과는 同一하지 아니하다. 그와 갓치 個性의 區別이 잇서야 하는 것이다. 或은 境을 用하야 人을 寫하며 或은 情으로써 人을 寫하며 又或은 人으로써 境을 描하며 事로써 境를 寫하며 情으로써 境을 描하는 等 千變萬化, 實노 一言으로써 盡하기 難하다.

다시 本文에 還하야 論하건대 此後 中國文學을 高尙히 進步케

---

26 '某人'의 오식이다.

하기 爲하야는 中國文學을 模範으로 하지 말고 西洋文學을 學할 必要가 有하다. 材料의 方面으로 보든지 方法의 方面으로 보든지 中國文學은 吾人의 模範 되기에는 不足함이 多하고 西洋文學에는 모든 方面에 在하야 吾人의 模範될 것이 許多하다.

西洋文學을 飜譯함에 對하야 余는 二個條의 考案을 有한다.

(一) 다만 名家의 著作만을 飜譯할 것이오, 第二流 以下의 著作은 飜譯할 必要가 無한 것. 西洋文學에 通曉한 學者會議를 開하고 第一流의 長編小說 一百, 短篇 五百, 脚本 三百, 散文 五十을 飜譯하야 西洋文學叢書로 作하되 五年 間에 譯畢하고 譯이 成하면 學者가 그 原稿를 審查한 後 一一히 長序와 著者 略傳을 附하야 印刷하면 엇더할가………

(二) 모다 白話를 用하야 韻文의 戱曲이라도 白話 散文으로 譯하여야 할 것이라. 林琴南과 갓치 쉑스피아를 古文으로 譯함과 如한 것은 쉑쓰피아에게 對한 大罪人이다. 飜譯小說集『圓室案』中에 一 探偵을 描하되『勃然大怒拂袖而起』라고 書한 것이 有한데 그 探偵은 아마 劍橋大學의 外衣나 着하얏든 模樣이다………

(三) 創造 工具와 方法이 準備가 되면 中國 新文學은 創造가 될 것이라. 中國은 今日 新文學 創造의 準備를 行할 時期에 在한즉 吾人은 爲先 第一步, 第二步 準備에 努力하여야 할 것이다……

(十二)

九. 中國 國文의 將來

胡適의 文學革命을 讀하는 者는 胡適이 古文을 敵視하는 것 갓치 思할 것이나 此는 참으로 胡適을 不知하는 것이다. 胡適은 古文의 硏究를 好하며 또 生來 漢學者이다.『古文的文學』與『拉丁文學』,『希腦文學』,『佔同等地位』라 하얏는대 彼는 다만 래틴 구리—ㄱ에 對한 歐米 學者의 心地로써 古文에 對하랴고 하는 것이다. 此點에 彼의 識見이 存하지 아니하는가. 胡適의 文學革命이 米國 콜롬비아大學의 學窓으로부터 絕唱이 된 것은 吾人의 興味를 唆하는 바이니 想見하라. 父祖 傳來의 漢學者 腦髓에 漢文字로써 充滿한 年少한 中國人이 콜롬비아 學窓에 在하야 祖國을 回顧할 때에 毛筆을 遲鈍하게 運하면서 古死文字를 傾首하야 考量하는 自已의 同胞를 思할 時에 그 感이 果然 如何할가. 此 心地를 理解하지 못하면 彼의 文學革命論의 大幟는 到底히 了解되지 못할 것이다. 彼의『八不主義』가 制限的이오, 拘束的이오, 窮屈的이라 云々하는 者는 漢文이 中國을 毒하는 弊를 實感치 못하는 者이라. 胡適으로서 見하면 强制로서라도 白話를 使用케 하고십흘 것이다.

그러나 何如間 彼의 文學革命이 規則的이오, 同時에 拘束的인 것은 事實이다. 中國文을 英語化하기 爲하야 中國人이 生存하는 觀이 有하다. 此點에 着目하고 此點을 補充한 者는 實노 周作人 其人이다. 七年 十二月 十五日 出版『新靑年』五卷 六號에『人的文學』의 一文이 周作人에 依하야 寄稿되얏는데 그 人에게 置重하고 文은 人의 物이라고 한 點은 文學革命의 劃一主義를 打破하고 그를 善히 補充한 것이다. 周作人의 文章은 아름다울뿐 아니라 明瞭한 白話文인 點에 在하야 到底히 他人의 追從을 許치 아니한다. 左에 彼의

自話詩[27] 兩個를 紹介하노라.

岐路

거친 들에 만흔 발자취가
압사람의 간 길을 뵈이는데
或은 東으로 或은 西으로
또는 곳바르게 南으로 간 것도 잇다.
이 만흔 길은 結局은 갓흔 한 곳으로 가지 아니하얏슬가.
나의 靈은 그와 갓치 밋으려 한다.
나는 어늬 길노 갈가 定할 수가 업다.
나는 다만 눈을 바로 뜨고 岐路의 한복판에 서잇슬 뿐이다.
나는 耶蘇를 사랑한다.
그러나 나는 모―세도 조아한다.
耶蘇는 말하기를 『人이 너의 右頰을 치거든 左頰까지를 돌여
대이라』 하고
모―세는 말하기를 『눈은 눈으로, 이는 이로 갑흐라』고
우리 스승이여, 우리 스승이여
스승님들의 말은 그 어늬 것이 正當함닛가.
나에게 힘이 잇스면 나는 耶蘇의 十字架로 갈 것이오
나에게 힘이 업스면 나는 모―세의 軍으로 갈 것이다

---

27 '白話詩'의 오식이다.

나는 弱한 사람이다!
네가 하기는 무엇을 할 것인가.
——記者 譯

蒼蠅

我們說愛
愛一切衆生!
但是我——却覺得不能全愛
我能愛狼和大蛇
能愛在林野背景裡的猪.
我不能愛那蒼蠅
我憎想[28]他們, 我咀呪他們.
大小一切的蒼蠅們.
美與生命的破壞者
中國人的好朋友的蒼蠅們呵!
我咀呪爾的全滅
用了人力以外的
最黑最黑的魔術的力.

彼의 白話文은 이와 갓치 外國人인 吾等에게도 了解되리 만큼 鮮明한 點

---

28 '憎惡'의 잘못이다.

이 有하다. 惟컨대 『八不主義』라 무엇이라 하야 暄嘩를 始하는 것보다는 周作人과 갓치 人을 魅하는 白話의 美文을 書하는 것이 더욱히 有意義하고 더욱히 宣傳의 能力을 發揮할 것이다. 文學革命은 此 『人的文學』으로 爲先 一段落을 告하얏다. 白話文學에 躍起하야 反對의 旗幟를 擧하든 林琴南 그他의 白話 反對派도 그 鋒을 納하고 靜肅에 歸하얏다. 八年 十一月 七日에 北大 總長 蔡元培氏가 『國文之將來』라 題하고 講演을 하얏는대 그 講演 一節에 『我敢斷定白話派一定占優勝, 但文言是否絕對的放[29]排斥』이라는 것이 有하얏다.

一時는 『北大』가 白話派로 占領이 되얏느니 白話派의 首領은 過激派이니 白話派의 某는 唱妓를 買하얏느니 하고 『公言報』에 記載되야 困難한 事도 업지 아니하얏스나 蔡元培 自身이 白話派에게 勝利를 宣言하고 明白히 그 將來를 祝福할 수 잇스리 만큼 天下의 大勢는 발서 歸定이 된 것이라.

(十三)

九. 中國 國文의 將來(續)

白話派의 强點은 青年의 後援을 有하는 點이얏다. 即 그 成功은 思想革命과 文學革命은 同一한 것이라고 思考케 되는 點에 原因한 것이다. 그럼으로 新思想家는 白話로써 意見을 發表하지 아니하면 아니 되게 되얏다. 萬一 古文으로써 新思想을 發表하면 그 思想까지라도 陳腐한 것 갓치 認定이 되게 되얏다. 新文學과 新思想은 이와 갓치 密接한 關係를 持하게 되얏는대 新文

29 '放'은 '被'의 오식이다.

學이 新思想을 發表하는 道具가 된 것은 雙方을 爲하야 서로 조흔 일이오, 또 必要한 것이엿다. 新思想을 發表하기 爲하야는 或 飜譯하기 爲하야는 古文으로서는 到底히 充分한 表現을 期待할 수가 업다. 그럼으로 新思想을 書하기 爲하야서도 新文學은 絕對로 必要한 것이 되얏다. 이에 所謂『文學革命』과『思想革命』이 二가 아니라 一이 되는 理由가 잇다.

文學革命이 成功한 다른 有力한 原因으로서 此外에 兩個 事實이 存하니 그 一은 白話가 文化運動의 使用語가 된 것이다. 使用語가 되얏다는 것이 不穩當하다 할 것 갓흐면 文學革命의 同志가 文化運動을 捲起한 것이 文學革命이 成功한 一 有力한 原因이 되얏다 하야도 可하다. 五四運動의 宣傳文이 되고 通電文이 된 것은 白話이라 白話와 愛國, 白話와 文化가 結合하야 國民의 耳와 目에 入한 것이라. 그런즉 白話 中에 愛國心이 潛在하는 것 갓치 또 白話로부터 黎明의 光이 射出되는 것 갓치 一般이 思量하게 된 것이 엇지 無理라할가.『文學革命』이 成功한 右 兩個 原因 中 他一은 白話로써 書하는 詩人과 新人이 輩出하야 相當한 著書도 著하며 新聞 雜誌도 出刊한 그것이다. 胡適의 中國哲學史綱은 梁任公이 무엇이라고 批判하든지 훌융한 書物이며 周作人, 魯迅, 康白情, 葉聖陶, 氷心女士의 文學은 决코 侮蔑할 價値의 것이 아닐 뿐 아니라 新人 陳獨秀, 張東孫,[30] 高一涵, 錢玄洞,[31] 朱希租, 劉半農, 李石會, 李大釗 等의 文章은 그 殆히 全部가 白話라고 하야도 可하다. 此等 新人이 白話를 使用하고 아니하는 與否는 文學革命에 對하야 至大한 影響이 有하다. 晨報, 社會報, 新潮, 學林, 婦人雜誌 等의 新聞 雜誌가 白話를 使用하랴 하고 또 使用하기도 한다. 今日에 坐하야 觀하면 文學革命은 임의 大勝利

---

30 '張東蓀'의 잘못이다.

31 '錢玄同'의 잘못이다. 이하도 마찬가지이다.

를 得하얏다 하야도 過言이 아니다.

文學革命이 너머 일즉히 成功하기 따문에 錢玄洞 等이 主張하든 漢字全廢論은 將次 埋葬이 되려는 傾向이 有하다. 錢玄洞이 師事하는 章太炎一派의 學者는 漢字의 弊害를 數하고 日本 諺文式의 併音文學을 製造하얏다. 換言하면 中國文學을 全部 日本 諺文式의 글字로 書할 수 잇게 考案한 것이다. 이 所謂 文字改造運動이라고 稱하는 것인대 胡適은 不徹底, 不精密한 理由로써 此 運動을 攻駁하얏다. 文字改造運動의 目下 首領은 錢玄洞이다. 此 運動은 今後로부터 發展할 터인데 各 方面에 贊成者를 得하며 또 教科書도 編成이 되얏다.

漢字全廢論 中에는 佛蘭西語로써 中國 國語를 作하라, 或은 英語로써 國語를 作하라 하는 激論家도 有한다. 胡適은 後者에 贊成하는 者이다. 事實上 目今 形勢로 論하면 北京官話와 英語와는 殆히 同等의 勢力을 持하게 되얏다고 하야도 可하리 만큼 英語는 中國의 通話가 되고 잇다. 中國 南北人이 英話로써 意思의 疏通을 期하는 事實은 稀少한 例가 아니다. 今日과 如히 中國의 國民教育이 英米人의 手中에 在하는 以上 英語가 中國 國語로 化하랴 하는 것은 無理치 아니한 것이 안일가. 國語가 되기까지에는 勿論 아즉도 數世紀를 要할 터이지만은 何如間 通話가 되기는 意外에 迅速할는지 아지 못할 것이다. 中國 々語改造論者 中에는 에스페란토를 中國에 紹介하랴는 者가 多하고 또 日々히 增加하는 模樣이다. 胡適은 此에 對하야서도 反對하는데 에스페란토는 胡適의 反駁을 受할 그와 갓치 貧弱한 것은 안일 것이다. 彼는 云하되 『에스페란토는 目下에는 記憶하기가 容易하고 單純하나 多數가 使用하기를 始作하면 반드시 複雜하야질 것이라』하얏다. 그러나 英語보다는 조흘 것이 안일가 하고 某는 云하는 터이라.

吾人은 結論에 到達하얏다. 『思想革命』은 『文學革命』을 産하얏다. 그러고

『文學革命』은 『文字革命』, 『國語革命』을 產할넌지도 亦 未知이다. 그러나 何如間 新人이 新思想을 新表現의 工具로 著述하는 것만은 確實하다. 中國은 아즉 國語도 成立되지 못한 나라이다. 只今으로부터 될 터이다. 『只今으로부터』라는 말이 그러면 悲觀할 것인가 或은 樂觀할 것인가. 『벌서』라는 말과 『只今으로부터』라는 말을 比較하야보면 吾人은 오히려 中國에 希室[32]이 만흔 것을 覺하겟다.

(完)

32 '希望'의 잘못으로 보인다.

現 中國의 舊思想, 舊文藝의 改革으로부터 新東洋文化의 樹立에 - 他山의 石으로 現 中國의 新文學建設運動을 이약이 함[01]

北旅東谷

曾國藩의 上海機械廠 設置──陳獨秀의 文學革命──梁啓超의 新學會 宣言──蔡元培를 中心한 北京大學의 新教育──胡適의 文學改良芻議──周作人의 人的文學──王世棟의 新文學評論

一

去 十月號에 나의 北陸에 온 後의 現 中國의 各 方面에 對한 때로 感想되는 바를 淺近히 記載하얏섯나이다. 그 後 小春兄으로부터 本誌의 來 新年號에 다시 中國에 關한 記事를 써보내라는 懇託을 바닷는데 今月號에 또한 本記事를 쓰게 됨은 多少 重複된 感도 업지 아니하리라 思하며 又는 中國 事情에 對한 頻繁한 紹介가 實로 우리 社會에 무슨 큰 補益을 줄까 함도 期必할 수 업습니다마는 本記事에 關하야는 現下 兩地의 新文化運動이 日로 激烈한

---

01 『開闢』 제30호, 1922.12.

이 때에 그에 對한 如何의 報道는 어느 點에셔 確實히 우리의 文化運動에 多少의 刺激과 叅考를 주리라고 思하나이다. 그러나 나의 淺見으로써 어찌 周到히 記出한다 하리오. 爲先 나의 보는 바에 限하야 쓰려 하나이다.

二

現 中國 思想界의 伊來의 過程과 推移를 一觀할 때에 먼저 나에게 한 聯想을 주는 것은 마치 千年의 古木이 容易히 그 斧鉞을 밧지 안는 것 가트며 마츰내 그의 斫伐을 바드되 묵고 묵은 그 精神의 本面目은 일치 안은 것 가트외다. 딸하 이로써 그의 民族的 本性의 如何와 그의 在來思想의 如何를 어느 程度까지 짐작할 수 잇는 것이다. 現今의 所謂 新文化, 新思想하면 거진 西洋의 文化를 稱하는 代名詞인 것 가튼데, 그의 西洋文化와 中國과의 接觸됨은 이미 明朝의 中葉으로부터 비롯하얏나니 그러면 그의 年代가 이미 三百餘年前이요, 그 後 淸朝의 時에 이르러서는 康熙 以後 咸豐 時로부터 西洋人과의 關係가 더욱 깁헛스며 洪秀全의 革命運動 時에는 英米 兩國人이 多數로 上海 其他 廣東 等地에 와서 居留하얏슬 뿐만이 아니라 洪秀全의 南京政府에서는 美國에 大使를 派遣한 事도 有하얏스며 淸朝에서도 그 後 時代의 變遷에 順應하야 歐米 各國에 官費 留學生을 派遣하얏스며 曾國藩의 建議로 上海에 機械製造廠까지 設置한 事도 잇섯는지라. 此가 이미 百年 以前의 事인즉 中國에 對한 西洋文化 輸入의 歷史가 이미 久遠하얏슬 뿐만이 아니라 그 동안에 이미 西洋文化의 輸入에 成熟이 잇섯다고도 할 것이라. 그런데 現 中國의 西洋文化에 對한 程度를 보면 어느 點에서는 오히려 그의 歷史가 짜른 우리 社會보다도 더 나을 것이 업다. 그러면 中國人이 低能의 國民이 아니

요, 人間文化에 對한 意識이 確實히 잇다 할 수 잇는 가온대서 이가티 되어 왓슴은 最初에 純然한 反對이엇거나 又는 무슨 理由가 個中에 存在하야 잇슬 것이다. 西洋文化에 처음으로 接觸되는 때에 그 文明의 精華에 對하야 多少의 驚異를 아니 가젓슴도 아니엇다. 그러나 原來에 排外의 特性을 가젓스며 妄大의 氣風을 가진 그이들은 絶對로 排斥도 하얏거니와 無條件하고 妬視하야 完全히 서로 接觸되기를 忌避하얏다. 此에는 近代의 西化東漸의 歷史에 그 事實이 만이 露出되엇는지라 다시 贅言을 不要하거니와 그 後 列强의 脅威와 勸告가 一二次가 아니엇슴에 最後에 無理로 自國의 疆域을 領呑함에까지 至하얏스며 內部의 搖動도 實로 覺悟할만한 境遇에까지 이르럿스나 自體의 進展하는 程度에서 더 무슨 警惕과 緩急이 업섯다. 이는 勿論 好現象도 아니엇스며 中國民의 將來에 賀할 바도 못된다. 이가티 列强의 그 脅威와 自體의 그 貧弱은 時代에 淘汰되며 滅亡을 免치 못할 것이엇다. 그러나 그의 存在는 一邊에 더욱 튼튼한 點도 잇나니 그럼으로 「不可思議」라 하는 말은 中國에 對하야는 누구나 만이 正評가티 말한다. 自家의 文化가 過去에 누구에게나 부끄럽지 안케 發展되엇슴이 事實이라 그 國民的 心理와 그 民族的 本質上에 무슨 不思議의 『力』이 隱在하야 잇슴인지 오즉 그로써 自家 文化의 末記에 對한 여러 病弊를 오히려 집어가는 것 갓다. 그뿐아니라 調和와 融解의 一種 特性이 가장 豐富한 그이들은 무엇에나 自我의 意識과 樣式에 合致한 後에야 비롯오 그에 寄依케 되매 그를 履行한다. 그럼으로 中國人에게는 中國人의 것이라야만 쓰여진다. 딸하 어떠한 驚異의 物이라도 外來의 것은 선뜻 그의 本身에게까지는 接觸되지 안흐며 接觸된다 할지라도 곳 中國人의 것으로 化한 後에야만 된다. 그리하야 現 中國人이 西洋文化를 輸入하야 現在에 施設된 바이 업지 안나니 그것은 이미 中國化가 된 그것이엇다. 此가 中國人의 眞裡面을 看破한 正倫이라 할는지 모르나 그의 情態가 이

가티 되어잇는 때에 外來的인 西洋文化에 對하야 從來로 一種의 排斥과 妬視의 態度도 가저왓거니와 設使 順受한다 할지라도 奚暇에 그를 그 根抵로부터 理解하며 吟味하야 곳 自家의 原有처럼 化케 되랴? 一 民族의 文化와 生活의 基礎는 少하야도 그 民族의 歷史가 잇슨 後 幾多의 階段과 磨鍊을 經하야 築成하는 者이라. 一朝에 自家의 잘되엇거나 못되엇거나 數千年 동안 築成한 그 土臺를 破壞하고 또한 그마마한 經歷을 가진 他家의 文化를 受用하려 함에 自然히 만흔 混沌과 疲緩을 免치 못할 것이어늘 더구나 他家의 것을 가저다가 自家의 樣式에 맞추어 自家化로 된 後에야 實行하려 함에는 더욱 만흔 年月을 가질 것이요, 又는 그의 步驟가 自然히 迅速치 못할 것이다. 그러고 그 核面에는 언제든지 自家의 精粹라는 것은 그대로 남아 잇스며 西洋文化의 方式 下에 맨들어진 物件이라도 또한 언제든지 純西洋式은 아니요 곳 一見에 中國式가태 보힌다. 그리하야 現 中國을 外面으로 보면 全혀 非新非舊요, 非東非西의 現態인 것 갓다. 그러나 그 內面에는 오히려 向上이 잇섯스며 西洋文化에 對한 完全한 理解를 가진 그것에는 自家化로 맨들기에 努力하야 잇섯다. 此에서 그 民族的 內部의 充實은 오히려 一時 外面에만 차르를 발라 마추어 歐化하얏다는 日本人보다 나은 點도 잇다고도 할 것이다. 以上은 如何튼지 近代 中國社會의 推移해온 바와 그 國民的 性質에 關하야 贊意로써만 觀察한다 하면 以上의 論斷이 實로 그 眞義에 가깝다고 할지오. 그 外에 큰 病弊도 만하나니 爲先 中國 思想界 巨人들의 恒常 痛切히 奮叫하는 바를 들어보면 더욱 明瞭히 알 수 잇슬지라. 陳獨秀氏는 新青年 誌上에서 首先 現 中國의 全般 改造를 痛論한 後에 新文化에 對한 中國人의 懷疑 及 遲緩的 態度를 痛迫하야 曰 中國人의 最大의 病毒은 오즉 中國 全文化의 結晶인 孔學의 陳腐한 舊道德, 舊思想의 固執에 在한즉 먼저 此를 完全히 打倒치 안흐면 안될지오, 此를 打倒하려 하면 곳 中國 在來의 舊文化는 다 破壞함에도

躕躇치 아니하여야 하겟다 하고 又는 糊糊模模하는 國民的 劣性과 支離하고 汗漫한 民族的 惡弊는 新文化의 向上에 對한 最大의 缺陷이라 할 수 잇는 中 더구나 調和와 叅考의 主義를 가저옴이 더욱 現下의 失敗를 招致한 大原因이 되엇다 하얏다. 그러면 中國人의 思想的 裡面에는 陳氏의 駁論한 病毒이 存在하야 잇슴이 事實이다. 그럼으로 第一은 過剩한 自家 本位에 傾倒된 것, 第二는 糊塗 疲緩의 病弊와 調和 叅考의 態度에서 新文化의 建設에 對하야 失敗라 하면 失敗하얏고 至今껏 무슨 큰 成効를 가저오지 못한 貌樣이다.

三

如斯히 以上의 國民的 保守라 할는지 모르는 一種 强靭의 思想이 顚樸不破하게 一般 社會의 空氣를 包括하야 잇섯슴으로 西化東漸 後의 西洋의 文化가 日로 侵入되는 때에 勿論 一部의 思想界의 新人들도 업지 아니하얏스며 新思想과 新文化의 宣傳도 直接 그 思想界의 新人들이나 又는 外國 宣敎師 及 外國人들의 만흔 努力으로 各般의 機關 及 施設이 만엇스나 이에서 新思想界 出現의 新紀元을 그럴만한 時機가 업서왓다 하여도 可하며 또한 그 때에는 注目하고 놀낼만한 新運動이 업섯다. 그럼으로 中國 思想界의 紀元은 그 때에 엇지 안엇다. 革命이 일어나고 民國이 成立되어 外面으로는 中國有史 後의 民族的의 空前의 一大 變換이라 하겟스나 革命이라 함은 洪秀全 革命運動의 餘威로 異族(淸朝)的 征服의 反抗을 意味함이엇스며 民國이라 함도 時代的 思潮에 如何히 할 수 업는 不得已의 方法에 出함이엇고 족음이라도 自家의 固有하던 一切를 轉換하야 西洋의 「데모크래시」的 眞精神을 옴겨옴은 아니엇다. 그럼으로 換湯不換藥 格으로 民國이지마는 幾分 專制의 色彩도 업슴도 아니엇섯다. 그리하야 무슨 徹底한 覺悟와 行動에서 社會는 所

謂 民國이라는 그 制度, 그 精神下에서 運轉되지 못하고 또한 此에 對하야 先見이 잇는 思想界의 큰 宣傳과 指導가 업섯다. 딸하 이에서도 그 思想界의 正當한 出發點을 잡을 수 업스며 오히려 그 뒤에 잇섯다고 하겟다. 나의 보는 바에 依하면 中華民國 三年 以後의 歐洲大戰이 爆發되든 當時라고 爲先假設的으로 말하야 두려 하나니 此를 두 갈내의 理由로써 보면【一】은 內部的으로 革命이 일어난 後 그러케 短少한 時日에 容易히 成功됨은 實로 意外의 事이려니와 그 後 直接 民衆的 政治를 行하려함에 一般의 國民은 그 程度에서는 覺醒되지 못하얏는지라 돌이어 日로 混沌의 狀態로 만들어 가게 되고 이에 袁世凱의 帝制가 起하며 張勳의 復辟이 起하야 全中國은 革命 當時 以上의 大紛亂으로 들어가게 되매 於是乎 全 中國人은 큰 苦痛, 큰 懷疑의 期에 잇서 大勢의 紛糾는 決코 政治의 一段으로만 不可能하얏던 것.【二】는 外部的으로 歐戰이 일어나자 中國의 此에 參戰키로 되엇슬 뿐만이 아니라 當時의 內政도 더욱 紛糾의 狀態에 잇섯스며 그 後 漸且로 全 世界가 다 黑暗에 빠젓다가 비롯오 제가끔 부르지지는 改造의 聲에는 中國民도 根本的으로 좀 覺醒치 아니할 수 업섯던 것. 以上 두 理由에서 그 當時의 環境이 그마마한 中 有知識級의 人들은 一切의 改造는 오히려 政治의 變換에 잇다는 것보다 民衆과 社會의 改造 卽 新思想의 改革과 新文化의 建設에 잇슴을 切實히 痛感하는 때에 비롯오 政治界에 잇던 여러 新人 等은 다 民衆的 覺醒을 促成함에 出力케 되엇스며 又는 歐戰 後 所謂 和平會가 開催되는 때에 講和條約의 締結도 大事件이엇거니와 共倒同亡의 悲運에 빠진 列强들은 그의 瘡傷을 제각금 中國에 向하야 回復하려 함에 中國民은 此에서 한 번 깁히 覺醒할 機會를 엇게 되엇다. 그리하야 當時 中國의 社會에서는 비롯오 眞正한 民衆運動이 크게 開始케 됨을 預想하게 되다. 어느듯 陳獨秀氏가 廣東에서 新文化運動의 先鋒으로 新靑年 雜誌를 刊行하야 참으로 時代와 人心에 迎合되

는 新主張과 新議論이 社會의 큰 波動을 일으키게 되고 從하야 梁啓超 等의 新學會 宣言 及 其他 有力한 新思想의 鼓吹가 日로 奮興케 되며 그 中에 더욱 큰 事實은 蔡元培氏가 政治界로부터 脫退하야 北京大學의 校長으로 就任하야 校務를 크게 擴張하고 全國 新思想界의 各 新人物 等을 網羅하야 時代的 新精神에서 新敎育을 施與하고 民衆的 改造를 絶叫함에 沈鬱하던 社會에는 새 空氣가 돌며 寂寞하던 思想界에 새 勢力이 생기어 社會는 무슨 큰 衝動과 變換을 보게 되엇다. 이는 民國 五六七 兩三年 間의 事이다. 此에서 나는 그 期間을 謂하야 中國 新思想界의 出發點이 비롯하여젓다고 하겟다. 從하야 新文化運動의 有力한 機關으로 社會의 信任이 隆篤하던 新青年 雜誌上에는 더욱 各 新人들의 思想과 議論이 만히 發表되어 잇고 其他 有力한 出版物 及 有力한 社會指導者의 鼓吹는 一瀉千里의 勢로 一般社會의 覺醒이 日로 促成되며 더욱 北大學派의 大活動은 무엇보다도 當時 社會의 第一景象이엇다. 이 가티 社會 一般의 空氣가 크게 緊張한 가온대 잇서 어떠한 動機로서라도 民衆的 運動이 일어나게 되엇섯는데 日로 더욱 紛糾의 狀態로 들어가는 當時의 政治上에는 安福派一流의 跳梁이 劇甚하야 曹汝霖, 章宗祥 等의 日本에 對한 賣國的 行動과 山東의 問題가 世에 暴露되매 此에서 純然히 北大學生으로 中心된 民國 八年 五月 四日 이른 「五四運動」이 爆發되어 全 社會의 響應으로 各地의 國民大會 其他 示威의 運動이 協作 幷進하야 마츰내 그의 勝利로 全 中國 思想界의 큰 勢力이 樹立되고 全 社會의 覺醒이 크게 洗禮를 밧게 되자 더욱 吳佩孚將軍의 對安福派의 戰爭이 더욱 民衆의 覺悟를 促進하얏다. 此는 確實히 中國 思想界의 大進展의 階段으로 볼 수 잇는 때에 새 紀元이 크게 그어젓다고 한다. 그의 覺醒이 오히려 느젓다 할지나 이미 잇는 때에 能力과 勇氣를 가지어 잇슬 뿐만이 아니라 新文化의 建設을 期待할 수 잇섯다.

四

이로부터 全 社會에 純然한 文藝 及 思想의 革命이 起하야 마치 歐洲의 文藝復興이 잇슴과 가타엿나니 第一에 新舊思想의 衝突과 辨論이며 第二에 新文學의 宣傳과 樹立이엇다. 次第로 그 思想界의 推移과 各 新人界의 思潮를 들어보건댄 第一着 一邊에 過激한 新思想의 宣傳과 舊文學革命의 運動이 爆發되는 때에 먼저 新舊의 鬪爭과 辯論이 激起하야 舊文學의 大家로 有名한 林琴南氏가 蔡元培氏에게 致한 長篇의 書가 民國 七年 十月頃 公言報에 發表되엇는데 그 辭意의 大概는 孔子를 擯하며 倫常을 剷한다 하야 크게 攻擊을 加하고 又는 白話文의 主張을 反對하야 此는 文言에 能치 못함으로 通俗野卑의 語로써 其 拙을 藏함에 不過하다 하얏다. 그의 一二節을 紹介하면 必覆孔孟, 剷倫常爲快, 嗚呼, 因童子之羸困, 不求良醫, 乃追責其二親之有隱瘵逐之, 而童子可以日就肥澤焉, 有是理耶? 하고 又는 若盡廢古書, 行用土語, 爲文學,[02] 則都下引車賣醬之徒, 所操之語, 皆有文法[03](下略)? 凡京津之稗販, 均可用爲敎授矣, (下略) 蓋存國粹而說文可也,[04] 以說文爲客, 以白話爲主, 不可也——라 하야 其他 措辭의 懇摯 嚴切함은 舊文學 舊思想 擁護의 唯一의 代表的 好文字라 하겟다. 蔡元培氏는 此에 對하야 또한 謹嚴히 答한 中에 逐節하야 辨明하얏는데 「民國에 잇서 오히려 倫常의 大綱인 君臣의 義를 守키 可能하며? 孔子는 時의 聖이라 한즉 此時에 在하야 時代에 順應함이 엇지 孔子의 意에 悖한다 하리오 하고 現在의 胡適, 錢玄洞 諸君의 主張하는 白話文이 純

---

02 林紓의 원문은 '文學'이 아니라 '文字'이다.

03 林紓의 원문은 '按之皆有文法'이다.

04 林紓의 원문은 '蓋存國粹而授說文可也'이다.

然히 都下의 引車賣槳의 徒의 操語하는 바와 如함인지 又는 白話文으로는 決코 古書의 義와 人間의 意識을 完全히 發表키 不可能한지? 此 亦 深히 考索할 問題이려니와 確實히 時代에 順應하야 健全한 一切의 革新을 務치 아니할 수 업다[05] 하얏다 . 이 가티 一時는 新舊의 辯論으로 全般 思想界의 進展이 참으로 漸且 튼튼한 新의 土臺上에 들어언치게 된 後로 先히 舊思想의 革命은 勿論이려니와 特히 普遍의 教育과 知識에 가장 不適當한 漢文字에 關하야 各 新人 及 學者의 辯論이 만어오다가 그 가온대 가장 劇烈한 分子로서는 現 北大教授 錢玄洞氏는 漢字廢止論까지 世에 發表케 되고 그 後 不得已한 新의 考案으로 注音字母의 法을 考究하야 英語의 綴語成音의 法과 가티 字母 三十九字(그 字母 原字 署)를 特別形으로 製作하야 民國 七年 十一月에 教育部令으로 發表하야 各 省區에 特히 傳習케 하얏스며 그 後에는 文言에 意思를 一層 明瞭히 하는 方法으로 新式의 標點과 符號를 作文에 使用하자 함이 多年間 各地 教育會議의 만흔 提唱으로 民國 七年 教育部令에 依하야 發表케 되엇는데 그의 內容은 全혀 西洋語學과 文字에 標點과 符號를 찍은 것과 가티 略 英語의 使用하는 表號와 一樣이엇다. 그런데 그 注音子母는 現在에 一邊에서만이 提唱하는 터이로되 아즉은 將來로도 共通히 使用될는지 疑問이나 그 表號에 對하야는 벌서 公私 文字 間에 恒用이 되다십히 되엇다. 以上은 新舊의 辨論期로부터 着着히 新의 建設期에 入케 되어 直接 文學의 革命으로는 新青年의 雜誌가 그의 先驅로 偉大한 論議와 策案이 多數히 發表되엇는데 이에서 비롯오 全 中國의 文藝復興의 紀元을 긋게 되엇나니 民國 六年 一月頃에 胡適氏가 「文學改良芻議」라 하는 破天荒의 大論文을 新青年誌上에 發表케 되고 從하야 陳獨秀氏의 文學革命論과 周作人氏의 「人的文

---

05 '」'가 탈락되어 있다.

學」 以上의 三 論文이 世에 發表된 後로 全 社會는 如狂如醉하야 그의 主張에 다 贊意를 表케 된다. 그럼으로 王世棟氏의 新文學評論이라는 著書 中에

「우리의 新文學運動은 이미 辯論期로부터 實行期에 到着되엇나니 그 經過의 歷史를 暫說하면 第一次宣言으로 「文學改良蒭議」가 有하고 從하야 文學革命論이 잇슨 後 「建設的文學革命」(胡適氏 作)이 出來하야 그의 基礎가 大略 奠定된 後 「人的文學」이 잇서 그의 建設의 意思를 充分 圓滿히 發表」

하얏다 한다. 그런데 以上 各 論文 中의 主意를 暫히 紹介하면 現 思想界 及 新文化運動의 內容 如何를 略히 窺知할 수 잇도다.

五

中國 舊文學의 革新에는 무엇보다도 複雜한 漢文字의 難關이 잇서기 때문에 누구나 文學의 革命을 主張하는 이는 爲先 文字에 對하야 만흔 思考를 費하얏고 그 次에는 言文이 無如不一致한 것이 重大의 問題이엇슴으로 以上에 述한 바와 如히 錢玄洞氏는 直接 漢文字의 廢止를 主張하기도 하얏거니와 그 後에는 가장 圓滿하다고 할만한 白話 即 現時 民衆의 一般 通用하는 「官話」로써 그 舊文言을 代하자 함이 當時 各 新人界의 一般 主論이엇다. 그리하야 「死文字는 活文學」을 産出치 못한다 함이 文學革命의 標語가 되다십히 되고 當時의 出刊物 其他 著書 中에 或 白話를 使用한 者이 잇섯스나 社會의 別 反響이 업고 新青年 雜誌가 多數히 白話文을 使用한 以來로 一部의 贊

揚과 一部의 非難이 서로 만히 일어나오다가 胡適氏의 「文學改良芻議」가 直接 白話文 使用을 主張하야 「新青年」誌上에 發表되고 이여 陳獨秀氏의 文學革命論이 또한 白話文을 高調로 하야 登載된 後에는 社會의 反響이 크게 振動되어 白話文學의 價値가 世에 어느 程度까지 表現되엇다. 그러면 中國의 文學革命이라 함은 곳 白話文學의 建設을 意味함이엇나니 此가 胡適氏의 具體論에 이르러 現下의 이마마한 大勢力을 이루엇스나 白話文學의 倡導는 實로 그 以前에 잇섯다 할 수 잇나니 古代로 보면 元宋以後 佛書가 飜譯되는 때에 文言으로는 到底히 解釋할 수 업는 句節로 만히 語錄 即 白話를 使用하얏고 그 後로 水滸誌, 石頭記의 有名한 小說이 다 白話로 著作되어 原來로 白話文學이 漢文學의 一部에서도 한 位置를 占領하야 보던 바 더욱 近來로는 陳獨秀氏가 北大 文科長으로 잇슬 때에 그 主張을 힘써 宣傳하얏고 錢玄洞, 周啓孟 諸氏도 만이 此에 主力하야 極力 宣傳하는 때에 胡氏는 米洲의 學窓으로부터 그의 考案을 가저오다가 歸國하는 때에 곳 發表케 됨에 참으로 成熟되랴는 穀物의 秋收와 一般인 셈이엇다. 今에 그 「文學改良芻議」로부터 그 骨子 되는 바를 紹介하면

「나는 생각컨대 現在에 文學의 改良을 言하려 하면 반듯이 下列의 八事로부터 入手하여야 할지니 곳 그는

一. 須言之有物

二. 不模倣古人

三. 須講求文法

四. 不作無病之呻吟

五. 務去爛調套語

六. 不用典

七. 不講對仗(卽 對 마추는 것)

八. 不避俗字俗語」

以上 八大의 主張이 곳 一邊에 舊文學의 病弊를 痛駁하고 白話文學의 建設을 意味함이엇섯는데 次第로 그의 意思를 解釋하면 一. 須言之有物이라 함은 中國 舊來文學의 大病은 오즉 無物을 말하는 것 卽 事實이 업는데 虛文을 崇尙하야 文學이라 함은 人間의 事實을 記錄하는 工具가 되지 못하고 돌이어 文學은 곳 文字 그것만 恒常 重記 複書함에 不過하얏던 것이요. 二. 不模倣古人이라 함은 舊來의 文學은 幾千年 동한을 오즉 古人의 粗率한 著作에만 憑據하야 비록 어떠한 名篇과 巨作이라도 字字句句가 古人의 除睡가 아니면 반듯이 世에 需用되지 못할 뿐만이 아니라 돌이어 攻擊과 非難을 밧게 되엇나니 此는 中國文學의 發展되지 못한 最大의 原因인 것. 三. 須講求文法하면 中國文學을 純然히 文理와 文法이 업다함과 如하나 事實上 完整한 文法도 아즉 업슬뿐이 아니라 到底히 어떠한 것으로써 完全한 文法이 된다 할 수 업슴으로 古來의 文學을 보면 純然히 그 意思를 解得치 못할 것도 多數이거니와 全혀 文法에 不符되는 것도 잇슨즉 반듯이 文法에 依據치 아니할 수 업는 것. 四. 不作無病之呻吟이라 함은 一見에 別로히 主要치 안흔 것 가트나 確實히 國民的 思想과 國民的 文學에 큰 病毒이 되어잇섯나니 所謂 古來의 文人이나 文學을 보면 그 文人은 愁病과 苦惱를 아니 밧는 때가 업는 것 가트며 딸하 그 文章은 그 愁病과 苦惱를 裝飾하고 寫出한 一種 感想錄에 不過한 것 가튼데 此는 空然히 無病을 呻吟함이엇던 것. 五. 務去爛調套語라 함은 더욱 中國文學의 病弊를 痛詆하는 바가 될지니 自我의 意思는 別外에 두고 오즉 古人의 糟粕인 一種 奇警한 爛調와 套語를 가저다가 作文의 一篇을 形成함이 더욱 詞調에는 그 太半이엇다. 六. 不用典이라 함은 文字를 記

述함에는 반듯이 古典 或은 古人의 作物에서 術語 或은 文字를 抽來하지마자 함이니 이는 平民의 文學을 建設하랴 하는 때에 一種 至難 至奧의 古典만 依據한다 하면 到底히 文化의 普及을 圖할 수 업는 것. 七. 不講對仗이라 함은 科擧가 施行된 以來로 八股文 或 賦詞가 盛行함에 딸하 對 마추기를 조하함은 一般 文人의 通弊일 뿐이 아니라 구태여 自我의 意思는 無視하고서라도 문득 對 마추기에만 汲汲하얏던 것. 八. 不避俗字俗語라 함은 新文學 建設에 가장 重要한 배니 所謂 古文學이라 하는 것은 純然히 通俗의 語言 及 文字는 野卑라 하야 使用치 아니하고 日로 深僻한 古文字 引用으로써만 일을 삼기 때문에 文學의 大沈衰를 致케 하얏나니 以上의 主張이 참으로 中國 舊文學 改良에 對한 切實의 策案이라 하겟스며 이의 解釋은 原文에 依하야 簡單히 나의 意思대로 썻스나 그 原意에 別로히 誤錯될 것이 업슬 줄 思한다. 그런데 以上 胡氏의 主張이 中國文學 及 思潮에만 病弊가 되어 잇슬 뿐만이 아니라 所謂 漢文學의 純然한 征服을 바든 우리 朝鮮文學의 改良에도 同一한 策略이 안될는지? 그리고 從하야 陳獨秀氏의 文學革命論은 新文學 建設에 對하야 策論的으로 建議함보다 完全히 宣傳의 文字인데 먼저 革命의 偉大를 贊言한 後에 文學의 革命은 곳 新中國 建設의 第一步라 하고 그 다음에 胡氏의 主張과 大差가 업는데 從來로 虛文을 만히 崇尙하야 왓슴을 大히 攻擊하고 到今으로부터는 阿諛的, 虛僞的, 舖張的, 貴族的, 古典的 文學은 全部 廢止치 아니하면 안되겟다 하얏다. 그의 文學革命論으로부터 一節을 紹介하면[06]
文學革命之氣運, 醞釀已非一日, 其首擧義旗之急先鋒, 則爲吾友胡適. 余甘冒全國學究之敵, 高張「文學革命軍」大旗, 以爲吾友之聲援. 旗上大書特書, 吾革命軍三大主義. 曰推倒彫琢的阿諛的貴族文學, 建設平易的抒情的國民文學. 推

06 '「'이 탈락되어 있다.

倒陳腐的舖張的古典文學, 建設新鮮的立誠的寫眞文學. 推倒迂晦的難澁的山林文學, 建設明瞭的通俗的社會文學」이라 하고 該論 最末에 「有不顧迂儒之毁譽, 明目張膽, 以與十八妖魔宣戰者乎? 予願拖四十二生的大砲, 爲之前驅.」라 하얏다. 이로써 보면 그 壯快한 氣魂은 참으로 新文學 革設의 初頭賀砲라 하지 아니할 수 업스며 其外에 周作人氏의 「人的文學」도 참으로 價値 잇는 著作인데 그의 主論에는 過去의 文學은 一言으로 蔽하면 다 非人的 文學인즉 今에 一切를 다 廢止하고 곳 人的 文學을 建設하자 함이엇고 其後 從하야 또 發表된 胡適氏의 建設的文學革命論이 더욱 具體的으로 中國의 新文學 建設의 方策을 赤裸裸하게 表明하얏다.(下譯出參考)

六

如斯히 新文學 建設의 運動이 急轉 直下的으로 進步되는 때에 그 文學界의 牛耳를 執한 이는 如何턴지 胡適氏로써 推치 아니할 수 업다. 陳獨秀氏도 此에 對한 不朽의 功勞를 가진 이나 原來에 胡氏와 如한 豐富한 知識을 가지지 못하얏스며 又는 革命家의 本色을 가젓슴으로 어떠한 主張이던지 急激하고 快活은 할지언정 周到한 見識으로써 策案的으로 論議함에는 自然 胡氏에게 讓步치 아니할 수 업슬뿐만 아니라 胡氏는 또한 純然히 文學의 革命을 主眼으로 하고 努力하며 陳氏는 原來의 社會主義者로 現 中國 社會主義者 間의 首領이라 할만하다. 그럼으로 文學에 對하야는 胡氏가 勿論 그 中樞가 된다 할 수 잇스며 其他 北大學派 中에 有名無名의 大學者, 大文人이 實로 그 人이 乏치 안는지라 압흐로의 無限한 希望은 確實히 中國文化의 新生을 可히 期待할 수 잇스며 各 新人들의 思想과 全般 社會의 共通한 思潮로써 보드래도 이미 新에 理解되어 반듯이 一切 舊의 破壞와 一切 新의 建設 即 西洋文化의 輸入이 아니면 안되겟다는 것이다. 그리하야 米國式의 「데모크래시」 思想派, 社會主義派 又는 無政府主義派, 其他 色別의 思想派가 無數한 中 「데모크래시」, 「쏘이알니슴」 以上 兩派가 最多數인데 北大學派는 大概 「데모크래시」的이라 할 수 잇스며 陳獨秀氏一派는 社會主義派로서 純然히 勞農派이다. 現 中國의 新文化運動의 內面은 略 以上과 如한데 本論 初頭에 敍論的으로 中國人의 特有한 그 不可思議의 國民的 共通의 性質 及 생각을 略述한 바와 如히 무엇무엇하야도 一切 外來의 것은 决코 그대로는 그 國民의 腦底에 侵入도 못할 뿐만이 아니라 到底히 實行도 못된다. 그럼으로 爲先 胡適氏의 內面的 主張을 보면 곳 中國 原有 文學의 復活이지 决코 西洋文化의 本體化가 아니며 該氏의 著 「中國哲學史大綱」 導言에 보면 首先 中國哲學의 곳 復活을 宣言하다십히 하고 現今 東西 兩文化의 日日의 接近은 確實히 中國哲學의 以後 大成을 意味함이라 하얏섯다. 그 外에 社會主義니 無政府主義니 하야도 곳 中國式的 그것으로 만들랴 함에 힘쓸 뿐이나니 爲先 北京에도 世界가 蛇蝎視하는 無政府主義者同盟이 들네여 잇고 그의 宣傳 文字가 날로 配布되어 잇스되 오히려 專制의 色彩가 만흔 現 北京政府라도 족음도 阻止하지 안는다. 그러나 무슨 危險도 안생길뿐더러 民族的 一種 特有의 그 무슨 힘은 眼前에 무엇무엇할지라도 自我의 구든 意識에서 輕輕히 妄動하지 아니하고 오즉 自家의 것으로 漸且 融合된 後에야 비롯오 움직이려 한다. 그런데 現 中國의 各 思想界나 一般 社會의 空氣를 簡單히 말하야 보면 「舊中國의 文化로부터 復興된 新의 文化를 建設하랴 함이」 惟一의 趨向 갓다. 그리하야 新東洋文化의 樹立에 이르려 한다.

(完)

1923년

支那 新人과 文化運動[01]

一庭生

徹底한 文化運動, 濫橫한 自由平等

現代支那의 靑年이 孜々히 西洋學術을 講論하며 그 思想을 硏究하야 그네의 文化를 景仰함은 可히 疑치 못할 事實이며 時勢의 使然할 바이라. 或은 唯物論에 偏하며 或은 唯心論에 偏하나 如何間 西洋의 文化를 景仰하는 證據로는 每年 歐米 遊學生이 事實 倍增되야 近한 將來에는 米國化가 되리라 하며 英語는 國語에 準하려 함이 過去 時代에 在한 支那의 現狀이다.

新人 文化運動에 對하야는 烈々함이 速度에 速度를 加하야 超越 濫橫的으로 疾馳코져 하는 感이 不無함으로 反히 進展을 挫折케 하고 旗幟를 各立하야써 橫溢한 言論은 底止할바를 不知하는 觀을 呈하나니 그들은 第一로 婦人의 解放을 叫하며 家族制度의 破壞를 主張하며 儒敎의 罪過를 指摘하야 共和에 不容됨을 喝破하야 祀孔의 國是들 破壞코져 各樣의 猛烈한 運動을 起하얏나니 最新의 理想家인 陳獨秀氏는 民國 七年에 其 主宰하는 新靑年 誌上에 中國의 改造들 論述하되 歷代帝王의 實行하야 온 祀孔 尊孔의 大權과 威儀는 共和國에는 相容치 못 할 矛盾이며 不條理라 論하야 孔子의 理

01 『每日申報』 1923.1.1, 2면.

想 即 孔子의 教로써 新時代의 適應치 못할 保守的 奴隷 道德이라 題하고 孔子의 道는 冷尸된지가 벌셔 오래되얏스니 地體가 高하고 進化的 年齡이 多한 新人의 批評을 受하여야 可하다 反覆 說明하야써 『忠孝節義는 奴隷의 道德이오』, 『稱頌 功德은 奴隷의 文章』이라 論破하고 『拜爵 賜第는 奴隷 光榮의』이오, 『豐碑高墓는 奴隷의 紀念物』이라 喝破하고 更히 孔子의 道를 評하되 『孔予의 道가 今日까지의 文明을 維持하얏스나 思潮의 回轉된 今日에는 活用의 道가 絕하얏스니 孔子의 時代에는 諸侯가 離散되얏슴으로 此를 嘆하야써 宗周主義들 宣佈한 그 道를 純全한 民木[02] 時代에 移用코자 함은 冷尸를 撫하며 當年의 勇敢을 稱頌함과 無異타』 主張하얏셧다. 如斯한 思潮가 浸浸然 四百餘州에 風靡 濫橫하는 現象이니 그네의 革新運動이 如何히 될는지 容易히 逆睹키 難하나 衷心으로 成功의 根蒂가 鞏固하기를 期望하며 新文壇의 建設이 眞純하야 過度의 濫橫이 업기를 企待하는 바이다.

古典詩學의 打破, 白話文壇의 建設

文學革命으로는 白話體 文章의 流行이니 白話體라 함은 言文一致體 又는 口語體의 新文體이라. 이것은 革命이라 함보다는 復興이라 함이 可하니 現今 世界의 思潮에 順應할 運動인 것과 歷史上의 根據로 認할 것이다. 前者는 贅論할 배 업거니와 後者에 就하야는 主로 元代 文化의 特徵이라 할만한 것을 擧하기에 躕躇치 안이하노니 大元은 勿論 支那人으로 見하는 夷狄의 蒙古大帝 成吉斯汗의 創業한 것으로 忽必烈 即 元世祖에 至하야 大成한 것이

---

02 '木'은 '本'의 오식이다.

라. 全 支那를 統治하야 穢德이니 天厭이니 하얏스나 이것은 그 때 一部 人士의 感情眼으로써 天을 呌하고 地를 叩하는 憾情의 觸感인 그것이며 其 實力의 展開하는 前面에는 堂堂한 宗祠가 一百年 間에 亘한지라 此 時代가 上古의 春秋時代에 比할 바 안인 文化方面으로 黃金時代라 할지니 即 그 때가 支那의 文化는 各 方面에 亘하야 注意할 新現象을 呈하얏습니다. 그 때는 맛참 佛敎의 弘布 時代임으로 佛敎 經典의 飜譯에 其 萠芽를 認하얏스니 宋代 佛氏의 語錄에 白話體들 用하얏슴을 發見하겟스며 儒家에도 往往히 文字上 變革을 致하야 何 方面으로 보든지 多少 影響을 受하얏스니 一方 唐宋人의 諢詩 乂는 諢詩 小說이라 稱하든 것이 元代에 至하야는 戱曲 小說의 類는 勿論 皇帝와 詔勅과 官廳의 往復 文書의 公文과 如함에 至하기까지 白話體 文章이 流行하얏스니 그것의 證據는 一般 蒙古人, 西藏人 等이 武力으로 漢族을 征服하는 同時 漢族의 文化에 征服되야 日用의 支那語를 僅히 習熟한 者에 在하야는 專혀 白話文을 書하얏든 것이 推測되기 充分할 뿐 안이라 溯考하야 그것을 證明하겟다. 이러한 史的의 淵源으로써 平民的 文學을 盛히 唱導하기는 北京大學을 中心으로 新人 間에 盛히 活用하나니 胡適, 李大釗, 李人傑 等을 先頭로 敎科書, 雜誌, 新聞의 記錄이 모다 白話躰로 變하얏스며 그 新人 等의 運動이 漸次 進展되야 漢字 存廢 問題에 對하야 議論이 紛紜하나니 國語統一運動이 일어나며 漢字改良團이 일어나며 國字改良會가 組織되야 이러한 許多 問題가 層生疊出하는 中 甚함에 至하야는 漢字들 아조 廢止하여 버리고 新文字를 製成하야 使用하기로 主張한다. 五千年 來의 長遠한 歷史를 가진 漢字가 大革命에 遭遇하야 將次 何頃에 歸할는지 揣摩키 難하나 이것도 歷史에 溯考할진대 文壇改革의 動機는 唐의 中葉 以後로 始作되얏스니 文學者에는 絶句들 作하야 諷刺 即 評判으로 用하는 者가 出하야 五代의 風塵을 經하고 宋의 中葉에 性理學과 倂히 詩는 漸次 詞로 化하야 盛行

하얏고 元代에는 劇으로 化하야 活用이 始作되얏스니 幕의 上下와 回轉 舞臺의 創始로 小說도 全盛을 始하얏다. 元代에는 夷狄의 皇帝를 推戴함에 反應하야 漢族만 自尊하든 習性이 多少 改革되는 同時에 文壇에도 貴族主義로브터 平民主義에 波動되얏스니 下層民의 思想 感情을 詞로써 或은 歌로써 覺悟케 함에셔 由함이다. 漢字와 漢字의 活用이 絕對 神聖을 保하는 反面에는 改革을 主張하는 源淵도 併進하얏셧다.

國音統一과 註標, 簡字運動과 實用

文學이란 高貴한 價値가 實用的 되는데 잇스며 活用이 自由로운 데에 普及됨을 覺悟한 新人들은 그 妙法 妙術을 漸次로 發見함에 至하얏스니 彼 勞働者의 血과 汗과 涙들 灑함을 보는 그들은 古典的 文學 即 貴族的으로 漫々히 黃金과 歲月을 費하야 啓蒙으로브터 一生을 齷齪하야 實用의 敵이 되는 貴族的 文學의 그것이 痛烈히 人生을 어나 便으로는 向上을 助長함을 得할지나 生活 그것과는 關係가 疎遠하고 時代에 伴한 不平은 各樣으로 煩熱케 함으로 生活 그것과 密接한 不平을 展開코져 할진대 國民의 教育 普及에 由하야 解決을 得할지며 그 뿐안이라 複雜한 不平 情曲을 記錄키 難하고 記錄한다 할지라도 一般 民衆이 會得치 못할지라도 會唔키 易한 文字로써 一般 民衆 그것을 背景으로 或은 艶愛的 小說로 或은 活劇的의 詩로 摸寫하야 即 無名 民衆도 鴛鴦錦帳에 溫柔한 甘夢을 得코져 羨望하는 反面에는 獨占의 尊榮福樂을 諷刺할 수도 잇슬지며 亡羊歌를 唱하는 政治도 改革할 수도 잇슬지며 火急한 教育 普及으로 人道도 主唱할 수 잇슬지나 第一 大問題는 그 燦爛한 光榮을 有한 漢字가 造詣와 綴集에 모다 深奧하고 難解難書로 되야셔 이것으로는 到底히 그들의 意氣들 伸長할 수 업슴으로 記習에 便易한

新文字를 製作하지 안이하면 不可能으로 되겟슴으로 新人 中의 先輩 等은 輿論을 鼓吹하얏스며 或은 實用的으로 音標를 製作하얏다. 이 모든 音標 中에는 日本의 假名字를 模倣한 것도 잇스며 或은 拉典字를 採用하야 讀音을 定한 것도 잇스며 各様各式으로 腦神을 費盡한 中에 王照氏의 官話字母라는 것이 最히 適宜한 바로 認定된 바 이것은 五十個의 音母와 十二個의 音韻으로써 組成된 것인대 亦是 漢字의 形式을 取한 것이니 此 字母에 依하야 勞乃宣氏가 若干 修正하며 그 不足을 補한 것을 簡字라고 名命하얏셧다. 最近 民國 二年 二月에 教育部의 主催로 簡字運動을 繼續하야 讀音統一會를 設置하고 國音과 字母들 製作하기로 되야 讀音統一會에셔 以下 三項을 決議하얏스니 一. 普通 官音을 國音으로 定함, 二. 三十九個의 注音字母를 製成함, 三. 前淸 李光地의 音韻闡微에 選擇한 六千餘字와 白話에 常用하는 字(麼阿哈們)와 新造字(鉀鋰) 等 約 六百餘字를 標準 讀音으로 하야 注音字母로 定함이 갓치 進展되다가 民國 七年에야 國語運動者의 陳懋治, 錢玄同 諸氏는 小學校의 國文科를 國語로 改用하자고 主張함에 因하야 同 十一月 二十三日에 教育總長 傅增湘氏가 注音字母施行案을 發布얏다. 그리하야 古典的인 漫々한 難讀 難習의 漢字를 代用하야 이제는 意氣의 伸長하는 利器를 作하고져 하며 平民的 新文壇을 建設하야 四萬萬을 促醒코져 한다.

藝壇大王 梅蘭芳, 白板天子 宣統帝

平民文壇 即 國語運動에 伴하야 一般 民衆 그것을 背景으로 演劇界에 改革이 長足의 進步를 致하나니 公舘 花園의 獨占的 趣興이 公開 藝壇의 促醒을 本位로 하야 或은 白話的 詞로써 或은 歌로써 舞臺의 回轉과 갓치 天時도 弦望 晦朔이 有함을 嘆美하는 一方에는 人事의 成敗 進退를 遺憾업시 演

奏하야 宇宙와 人生의 動的 氣分을 提示하나니 이것도 乃神 乃武의 絶對 不可侵이라는 淸朝를 顚覆하야 今日의 民國을 形成하야 보는 新人은 萬民 平等의 主義에 興奮하야 世界的 智識階級의 人士가 俳優로 進하야 藝壇을 速度로 改革하는 中이다. 各 都市의 劇場을 訪할 時는 興行의 脚本은 모다 充滿하던 嘆氣的 氣分으로브터 促醒的 氣分으로 化하야 自我 民衆의 個性 發表를 刺戟하야 그것의 힘을 鼓吸하기에 不絶히 注意하야 回轉 舞臺의 楔子로 或은 哀怨 或은 壯快 或은 淸雅 嘹亮한 一流 □人의 詩와 歌들을 펴서 一般 民衆의 視聽을 觸感케 하야 前日의 無主着한 歌詞들 打破케 하야 新文壇의 新人의 活動과 內外 互助로써 그 自覺의 文壇 그 促醒의 劇場을 普及 鞏固케 하는 中이다. 그 多數한 智識階級의 俳優 中에도 藝壇의 大王이라는 綽號를 占한 者는 梅蘭芳 其人이니 梅氏은 근본 江蘇省 泰州의 人이니 字는 畹華이오 咸豐 年間에 天才 俳優의 名이 天下에 振動하던 梅巧玲의 孫이니 先天的으로 遺傳的 家風에 承하야 朱霞芬을 師事하고 進하야 喜連成科라는 少年 俳優의 養成團에 加入하야 漸次로 그의 姿態를 舞臺上에 披露케 되얏스니 北京의 大劇場인 中和園과 北京 前門外 鮮魚口 天樂園에 出演할세 舞臺上에 現하는 그는 多情多恨한 寶玉, 楊薏도 되고 放蕩 專恣하는 陳後王도 되야 各々 그의 活體的 情曲 調和에 優勝占을 得하얏스나 天女散花와 그 萬古愁曲에 이르더는 前萬古에 뛰여나게 艶美愛凝, 曲轉이 모다 人으로 하야 醉케한다. 참으로 天生麗質이라고 밧게 할 수 업다. 그의 舞臺面에 現身하는 間은 宗敎家, 學者, 勞慟者할 것 업시 原마음을 빼앗긴다. 그 梅畹華가 한번 舞臺를 回轉실힐 새이에 『怜丁苦孤를 向誰說情麼아 哀找愁懷海天茫々哪』하면셔 그의 得意인지 假裝인지는 알 길이 업스나 아주 그 愁哀한 姿態는 참으로 萬古愁의 王人이 分明하다. 그리하야 그의 芳名 艶話는 四百州에 震動하며 或은 그의게 醉하야 梅毒이 들엇다고까지 떠들며 엇던 議員은 一種의 贊成

的 氣分을 도읍자는 일이 갓지마는 大總統 選擧 投票에 一票를 得하얏고 上海의 某公報의 主催로 人氣 投票를 行할새 孫文과 顧維鈞의 次占으로 新支那의 藝壇 建設에 一重役의 位에 立하얏다. 이 梅畹華와 갓치 曲轉 名唱으로는 楊小樓라는 俳優가 잇셔셔 藝壇의 雙璧이 되얏다.

草露가 午天을 當하니 無量 歡喜와 無窮 享樂이 霎時間에 玲瀧한 姿態를 消盡하야 悲哀의 餘喘을 保한다. 頤和園의 春風은 依然히 御柳의 嬝娜들 催促하건마는 西太后의 聖徽도 渺然하고 光緖帝의 瀛臺 悲音도 이제는 차질 곳이 업셔지고 白板天子――다시 말하면 領土도 업는 宣統帝가 宮城 一區에셔 無情한 歲月을 隱蟄 生活 中에 보내는 中 그러한 悲愁 生涯의 中에도 后妃을 迎하기에 歷代 秘藏의 寶物을 拍賣하야 그 費用에 充하얏다. 그러나 宣統帝 아니 溥儀도 사람이다. 눈물도 잇고 피도 잇고 더욱 感觸力이 남보다 銳利하다. 東閣에 修花史라드니 寂々無聊한 歲月을 書籍에 依하야 慰安한다. 一方으로 新支那의 新人들의 盛히 唱導하는 新思想은 남보다 聰明한 宣統帝의 感觸을 激動하얏다. 그는 胡適은 如何如한 人인가, 그의 妙音을 直接 親□하고 십흔 마암이 深切하얏다. 그러나 그의 環境을 버셔날 道理가 업다. 참으로 『莫生帝王家』이다. 그는 생각다 못하야 電話로 胡適先生의게 自己의 뜻을 告하얏다. 大驚惶悚한 胡先生은 宮中에 現하야 一流의 哲學과 思潮에 對하야 幾次나 講演한 배 잇섯다. 그리하야 그의 辮子는 一刀 斷去하고 自働車로 有名한 琉璃 訪問까지 생기얏스며 皇帝란 그것이 時代에 뒤진줄노 聲明까지 하얏다. 呀――四百州의 地圖를 어루만지는 淸의 溥儀여……

民衆을 背景으로 利權還收의 運動

民衆의 促醒에 沒頭한 新人 等은 一方으로 前淸 咸豐帝 以來의 恥慾과 悲

憤의 實現인 租借 領土에 對한 憤恨을 伸雪코져 民衆을 煽動하야 衛海威의 還收運動이라 或은 廣州灣의 回收運動이라 或은 片馬의 不可侵을 論하야 唯一의 手段인『뽀이콧트』를 唱하며 此를 實行코져 外交界의 花라 稱하는 顧維鈞, 施肈基 等을 表面에 立케 하야 漸次로 成功期에 至하며 甚함에 至하야는 帝國의 關東州 回收運動을 起하야 民衆을 背景으로 外交를 方策으로 하야 進하나 그들의 血管에 뛰노는 피와『이즘』은 넘우 濫橫을 생각지 안코 압만 向하야 뿌리고자 하는 感이 不無하야 挫折이 생기며 軍閥 方面의 壓迫으로 災禍를 招하는 事이 不無하다. 新人 等의 政治觀을 仄聞할진대 美洲에 잇는 黃仲涵으로 大總統의 位에 就게 하고 吳佩孚로 陸軍總長에 任하고 教育總長에 蔡元培와 海軍總長에 薩鎭氷과 外交總長에 施筆[03]基와 財政總長에 梁士詒의 前後 罪惡을 不問에 付하고 任用하면 新支那를 建設하리라 하니 或은 實現의 日이 有할가. 勿論 一部 新人 等의 理想論이지마는 口보다도 筆보다도 實行에 注意들 加하면 將來에 그 運動 結果는 能히 獅子의 酣眠을 促醒할 줄노 信하야 疑치 안이한다.

03 '筆'은 肈의 오식이다.

1924년

反新文學의 出版物이 流行하는 中國文壇의 奇現象[01]

梁白華

最近의 中國文學界를 한번 보건대 全體로 이를 말하면 어쩐 일인지 몃해 前에 일어낫든 新文學運動은 近日에 일으러서 소리가 업시 아조 괴괴하야저서 創作의 發表도 적고 外國作品의 飜譯도 줄고 이와 反對로 여러 가지의 『反新文學』의 出版物이 만히 坊間에 流行하는 모양이다. 그리고 그 남아지의 一部 新文學 運動者로 論하면 모다 『떼카댄쓰』들이다. 그런데 이것도 둘로 난홀 수가 잇다. 하나는 北京에 잇는 英國式의 耽美派니 美와 藝術과 쎅스피어가 그 標語로 中國의 쎅스피어는 梅蘭芳이라고 떼드는 무리들이요, 또 하나는 上海에 잇는 日本 留學生 出身의 『創造』社의 同人들이니 自稱 『떼카댄쓰』라 하지만은 그 『創造週報』에 發表된 郁達夫君의 『文學上의 階級爭鬪』라던지 郭沫若君의 『我等의 文學 新運動』을 보면 無産者文學의 色彩가 훨신 濃厚하다. 그리고 우수운 것은 北京 耽美派의 主張과 正反對의 地位에 서 잇서서 北京에서 춤배얏고 내벌인 『淺薄』한 主義도 上海만 가면 그 反對로 寶物이나 어든 듯이 생각하는 모양이다. 그러나 이것은 어느 便이 올타 할는지

---

01 『開闢』 제44호, 1924.2.

여기에는 論評할 必要가 업고 何如間 우에 말한 바와 가티 『反新文學』 即 復古的 傾向이 엄청난 氣勢로 全般에 나타나는 것은 한 奇怪한 現象이니 中國新文學運動의 前途에 한 큰 暗影을 던진 것이다.

대개 新舊 文學의 最大한 區別은 决코 그 形式上의 語體라던지 文言만에 잇는 것이 아니요, 그 文字 中에 包含한 思想에 잇는 것이다. 그리고 한 時代에는 그 時代에 特有한 思想精神이라는 것이 잇셔셔 사람으로 이를 어떠케 變更하거나 막어넬 수는 업는 것이니 이 意味로 보아 新文學이 發生하얏다는 것은 그 새 時代의 새 思想이 나타난 것인즉 이것을 누구나 어쩌지는 못할 것이다. 그러한데 『反新文學』의 出版物을 보면 彼等은 果然 무슨 意味를 그 內容에 가지고 잇는지 우리가 보건대 모다 時代錯誤的 無意味한 것 뿐으로 文學이란 作者 個人의 自己를 表現하는 것인 同時에 國民의 最高精神의 表現인 것을 모르는 모양이다.

또 思想 方面으로 보면 오날 中國에셔 流行하는 各種의 文學書類는 모도다 流氓的 口吻의 滑稽文學이 아니면 또는 舊調의 兒女英雄的 文章으로 足히 말할만한 思想은 하나도 볼 수 업다. 國內의 文學에 對하야서도 何等의 提倡이 업고 國外的 文學에 對하야서도 別로 紹介가 업서서 그저 漫談筆記가아니면 俗調濫套의 舊小說뿐으로 거의 向上的 建設的 文字라고는 어더볼 수 업다. 나의 본 바로는 이네들의 作者 中에는 우에도 말한 바와 가티 文學이란 무엇인가를 明瞭히 理解 못하고 또 自己의 『人生哲學』을 가지고 잇는 者가 甚히 적은 모양이다.

彼等은 여러 가지 描寫에 臨하야서도 宗教나 法廷이나 社會主義 等에나 모다 同一한 態度를 取하는 까닭에 그 意思는 朦朧하야 極端으로 反對도 아니하고 極端으로 贊成도 아니하며 自己로는 何等의 建議도 何等의 判斷도 업시 마치 文學으로써 消遺거리로 역이고 人生에 그토록 重要한 것이 아닌 줄로 알고 잇다. 彼等의 作品 內容이 빈탕으로 아모 것도 업습은 自然한 일이라 할 것이다.

다시 藝術의 方面으로 論하면 彼等은 前人未到의 文學 境地에 이르는 새 길을 開拓하랴는 氣力도 업서 그 描寫하야 내는 人物은 언제던지 똑갓고 背景도 갓고 發端과 結末도 또한 갓다. 이것은 말하면 文學으로써 文學을 짓는 것이요, 自己네에게 무슨 渴仰的 情感과 問題가 잇서서 文學을 지음이 아닌 까닭이다. 西歐文學의 硏究에 關한 것도 坊間에 流行하는 通俗의 作品이거나 또는 探偵小說의 類로 模倣과 蹈襲만 是事하야 이것을 다 읽고나면 다만 索然하야 아모 印象도 남지 안하서 마치 書中의 사람과 讀者와는 멀리 煙霞를 隔하고 잇는 듯한 感想이 난다. 이와 가티 사람을 感動식히는 힘이 稀薄하고 아모 趣味도 업는 거의 文學의 効用을 일은 것뿐이다.

우에 말한 것과 가티 反新文學의 作品이 이미 思想 藝術 두 方面으로 보아 立脚할 餘地라고는 조음도 업는데 어째서 彼等에게 擡頭할 機會를 주엇는가. 이는 必然코 新文學이 普通的으로 國人의 歡迎을 밧지 못하고 國人의 新思想에 對한 理解가 不足한 까닭인 듯하다.

원래 新文學運動이 일어난 것으로 말하면 中國의 文章體는 六朝 以來로 文學上에 一種의 口語的 傾向이잇섯다. 그러나 그것은 非意識的이기 때문에 그 發達이 極히 遲緩하얏섯스나 最近 數年 前에 이르러 조음 意識的으로 現代語를 쓰고 現代의 思想을 적으랴 하는 主張이 일어낫다. 그것이 『文學革命』의 新運動이 된 것이다. 흔히 사람들은 歐洲의 文藝復興으로써 이 運動과 比較한다. 이는 兩者의 動因과 效果가 모도 다 解放과 表現의 兩 事件에 잇는 까닭이다. 文藝復興의 近因은 古典文學의 輸入과 新大陸의 發見 等이얏다. 中國의 文學革命도 外國思想의 輸入이 近因이요, 그 結果는 文藝復興과 同樣으로 所謂 『人間의 發見』이얏다. 中國 古代의 文學에 對한 意見은 文

은 道를 말하기 爲하야 쓰는 것, 或은 政治를 爲하야 짓는 것이라 하얏고 게다가 이 範圍 안에 一定한 形式이 잇서서 各人의 自由活動을 容入할 수 업섯는데 現在는 첫재로 이 權威를 打破하고 文學의 目的은 自己의 表現에 잇슴을 깨닷고 國語의 驅馳上으로 밧는 束縛과 個人의 力量에 딸린 制限을 밧는 以外에는 조음도 다른 束縛을 밧지 안코 그리고 이 目的을 達하기 爲하야 白話文——即 國語, 現代語의 要求가 이러난 것은 누구나 다 아는 바이다. 그런데 한번 이 運動이 일어나면서 어느 나라나 過渡時代에는 免할 수 업는 現象, 即 似而非 新文學者들이 輩出하야 思想에 系統이 업고 藝術에 對하야 練習이 업고 事物에 對하야 觀察이 업고 한갓 隨波逐流하야 之東之西하는 서푼자리 文士들이 『呵, 麼, 呀, 的』 等만 느러노은 未熟한 白話文에 『! ? : —』 等의 新式 標號를 함부로 쓴 僞新文學의 作品이 雨後의 竹筍가치 쏫다저 낫다. 讀者 中에 내 말을 밋지 안커던 最近 中國의 所謂 創作이라는 것을 周樹人 兄弟 몃 사람의 作品을 除하고 갓다가 보아라. 그들 作品 中에 果然 몃 篇이나 참으로 自己의 哲學이 잇고 時流를 좃지 아니한 文學的 作品이 잇는지. 그네들이 常套的으로 『資本主義의 害惡』, 『婦女의 解放』, 『精神的』, 『사람을 사랑하라』, 『自己와 가티 隣人을 사랑하라』 하는 말은 그 作品과 相去가 얼마나 되는지, 究竟은 『反新文學』의 作品보다 더 낫지는 못한 것들이다. 이리하야 더욱이 『反新文學』의 氣勢를 놉힌 것이다.

그러나 오늘날 中國 文學界의 『反新文學』의 傾向은 新文學 進行 中의 一時的 現象이요, 眞正한 新文學家에게 한 興奮劑를 주는 것이라고 나는 생각한다. 웨 그러냐하면 時代는 流水와 가티 進進不己하고 民族 思想은 决코 頑石과 가티 그 사이에 停止하고 잇지는 못하는 것이니 時代의 이 進步는 아모리 이것을 막드래도 될 수 업는 것은 二十世紀의 사람을 다시 山野에 穴居케 하고 草根과 獸類를 生食케 할 수 업는 것과 가튼 것이다. 정말 오늘 中國青

年으로 하야금 依然히 君王尊奉과 一夫多妻의 制度에 隨喜케 한다는 것은 안될 말이요, 民族의 新思想은 하로도 이것을 抑止할 수 업다하면 딸아서 眞正한 文學者의 新文學도 오래지 아니하야 出現될 것이다. 何如間 二十世紀의 中國人의 文學은 發生된지가 얼마 안되야 그 効果도 甚히 幼稚하거니와 또 이 新文學에 非常히 遼遠한 前途와 長久한 過去를 가짐을 생각하여야 한다.

詩聖의 新名『竺震旦』[01]

生日 祝宴 席上, 梁啓超氏 贈名

기자

인도(印度)의 시인 『타쿌』씨는 방금 중국에 와서 강연 중인데 도처에서 환영하는 반면에 이르는 곳마다 반대하는 사람도 만히 잇서서 『타쿌』씨 개인으로도 만흔 불만을 품고 될 수 잇는대로 속히 중국에서 떠나려고 한다 하며 지난 오월 팔일은 씨의 생일임으로 북경에 잇는 문인(文人)과 극가(劇家)들이 신월사(新月社)라는 곳에 모히여서 생일잔채를 벌리고 호적(胡適)씨로붓터 인사의 말이 잇슨 뒤에 『타골』씨의 일훔을 중국말로 지을 의이향[02] 잇서 양계초(梁啓超)씨로붓터 명명하는 리유와 밋 중국글로 축진단(竺震旦)이라고 지엇슴을 발표하얏는데 성을 축자로 한 것은 인도(印度)의 본명이 텬축국(天竺國)인 까닭이라더라.

(상해)

---

01 『東亞日報』 1924.5.22, 2면.

02 '의향이'의 오식이다.

1925년

酒仙과 子美[01]

李殷相

人生을 橫으로 그 全面을 洞察하고 縱으로 그 價價를 批判하야써 創造의 새로운 一面을 建設케 하는 것이 藝術이다. 이것을 首肯하는 이는 또한 藝術의 首位 即 藝術의 本質的 精髓가 詩라는 것도 否認치 못하는 것이다.

이것이 藝術——詩——作家의 根本的 精神인 同時에 藝術——詩——를 鑑賞하는 이의 嚴肅한 態度이라 할 수 잇다.

空間을 난호아 國別이 잇고 時間을 난호아 代別이 잇슴에 따라 各其의 所有한 藝術——詩—도 또한 다른 것이다. 그것은 圍繞界의 世態를 따라 人間生活의 內容과 表面이 달나지고 또한 藝術 慾求의 質量이 相違되는 所以이다.

그럼으로 朝鮮에는 우리 國民의 要求하는 藝術的 特質이 잇고 英米에는 그들의 것이 달리 잇는 것이다. 互相間 交換 鑑賞의 必要는 잇슬지언정 그것을 내 것이라 내 것을 그것이라 이러케 同一 質量이라고 等視할 수는 업는 것이다.

그러나 이제도 말한 바와 갓치 今人이 古人의 藝術 作品을 研究하여야 하

---

01 『朝鮮文壇』 제10호, 1925. 7.

고 東人이 西人의 藝術 作品을 鑑賞할 必要는 分明히 잇는 것이다.

더 範圍를 주려 말하면 甲은 乙의 것을 乙은 丙의 것을 서로 鑑賞하고 研究하여야 한다는 말과 꼭 갓흔 意味의 것이다.

이것이 自我의 洞察, 批判, 創造, 即 自我의 擴充을 要求함에는 莫大한 必要를 가진 것이다.

이러한 意味에서 東西古今의 偉大한 藝術——詩——作家를 研究하는 것이요, 그것으로 말미암은 結果가 至極히 큰 것이다.

그럼으로 이에 本論의 必要를 또한 目的 意義를 더 煩劇하게 陳述치 안코라도 想量할 수 잇슬 줄 안다.

歷史 긴 支那文學을 鑑賞하랴고 唐虞文學, 三代文學을 始作하야 嘉慶 以後의 近世文學에 至하도록 一貫한 精神——文藝家 共通의 念望을 考究함이야 勿論 조흔 것이렷마는 그런 一般으로 支那文學의 全體를 研究하는 것은 各自의 特別한 研究에 一任하고 이에 그 支那文學 中에서도 唐代의 詩——그게 서로 兩 巨星이라는 李白과 杜甫를 論하야 直接으로 그들의 詩와 思想을 味倒하고 間接으로 支那文學 全體를 窺視하랴 하는 것이다.

더구나 이 李杜 두 詩人을 研究함에 互相 比較되는 點을 發見할 수 잇고 同時에 詩的 價値로서는 輕重을 分間할 수 업는 鴻麗한 筆致와 富健한 詩想이 可히 鑑賞者의 興趣를 强誘할만하다.

이로부터 「詩中王」이라고 萬人의 激稱을 밧은 白甫 兩氏의 끼처 두고 간 藝術의 꼿숭이를 하낫식 둘식 香내도 맛하 보고 빗갈도 玩賞하면서 그 안과 밧을 삷혀 보자.

蜀나라 錦州 땅 사람으로 漢나라 大將軍 李廣의 後裔인 李白은 그 字를 太白이라 하고 號하되 酒仙翁이라 또는 青蓮居士라 하엿다. 氏의 母親이 氏를 나흘 때에 夢中에 長庚星을 보앗다 함이 한 奇蹟이라 하는 것 보담 더 意味

갓가히 氏의 偉大한 詩人이 될 前兆이엇다고 하는 것이 조흘 듯하다.

十歲에 詩書를 通하고 百家의 作品에 接하엿다고 함이 그 英卓한 才緖를 反證하는 것이어니와 到處 上下에 稱頌한 事實을 擧하야 氏의 天才를 알 수 잇는 것이다. 二十 餘에 擧州됨을 不應하고 岷山에 隱遁하야 仙人生活을 持續한 때로부터 後에 四方을 巡遊하면서 孔巢父, 韓準 等과 함끠 放浪의 生活을 맛보다가 吳筠과 親하야 賀知章을 對面하고 그로부터 玄宗의 寵愛를 밧게 되엿다. 그러나 氏는 豪放하고 自恣하야 날로 陶醉的 生活로 趣向하게 되는 때문에 玄宗의 寵愛를 薄하게 하엿다. 後에도 僚佐의 官位를 엇엇다가 運命에 쫏기여 彭澤 땅에 逃避키도 하엿고 誅罪에 處하엿다가 赦함을 밧기도 하엿다. 氏의 一生은 放浪의 살이로 浩放無系의 陶醉 속에서 살다가 肅宗의 寶應元年(西紀 七六二年) 六十三歲로써 모든 世上을 니저버리고 永眠하고 말엇다.

詩人 李白의 一生이 浩放 流浪한 것과 同時에 氏의 詩想도 또한 그러하다. 李白의 詩를 健而華라 하야 傳하여 옴이 溢美한 말이 안이다.

烏夜啼

黃雲城邊烏欲棲, 歸飛啞啞枝上啼.
機中織錦秦川女, 碧紗如煙隔牕語.
停梭悵然憶遠人, 獨宿空房淚如雨.

저물어가는 城가에 깃 찻는 가마귀
까우까우 가지 우에 돌아와 우네.

틀에 올라 베 짜든 女子
煙氣갓흔 비단 窓 안에서 군소리 하다가
북을 노코 하욤업시 님을 그릴 때
홀로 자는 뷘房에 비오듯하는 눈물이여!

이 詩는 宋의 臨川 王義慶의 지은 樂曲의 일홈을 그대로 빌려서 閨婦의 情懷를 替人하야 吟歌한 것이다.

烏啼와 織女를 黃昏의 景 속에 나타내고 그 空閨의 설음과 님 向하는 애닯은 情을 두렷이 그린 것은 말할 수 업시 아름답다.

獨坐敬亭山

衆鳥高飛盡, 孤雲獨去閑.
相看兩不厭, 只有敬亭山.

새들은 놉히 놉히 날아가 버리고
외로운 구름은 한가히 떠나가되
실치 안타 서로 봄은
푸른 山이 네뿐이라.

敬亭山(一名 昭亭山)에 올나 自然의 風光을 한嘆調로 讚美하엿다. 敬亭山의 景色을 노래한 것이 안이요, 그 情操를 말한 點이기 때문에 讀者의 마음을 한가락 더 센 힘으로 잡아 흔드는 것이다.

이 短形式의 作法으로 더더욱 그의 詩情을 살피게 되는 것은 白의 詩能을 한 層 더 자랑하는 것이다.

이와 갓흔 短形式의 詩風——所謂 五言絶句에서 그의 作品을 만히 볼 수가 잇다.

秋浦歌

白髮三千丈, 緣愁似個長.
不知明鏡裡, 何處得秋霜.

덥숙한 힌 머리칼이 어인일고
이 마음에 싸힌 근심푸리인가
거울 속에 나타나는 알지 못할 사람아
서리갓흔 네 힌 머리 어데서 밧앗느냐.

이 詩는 白이 오래ㅅ동안 宣城 땅에 客이 되여 잇슬 때에 지은 노래로써 秋浦란 땅에 끼처둔 白의 秋浦歌 十七首 속에서 異鄕 年老한 것을 嘆息하야 써 人生의 無常을 노래하엿다고 할 수 잇는 第十五首의 一節을 譯한 것이다.

第一句, 第二句에서 밋헤 句節의 漠然한 感을 밧게 하다가 第三句, 第四句에서 도로혀 讀者의 情을 잇는대로 톡 집어 샘키는 듯한 그 詩의 힘은 얼마나 크다 할 수 잇다.

峨嵋山月歌

峨眉山月半輪秋, 影入平羌江水流.
夜發淸溪向三峽, 思君不見下渝州.

가을날 峨眉山에 뜬 조각달이
내리는 平羌물에 빠저 흐를 때
淸溪 땅 떠나 나와 밤길로 三峽
님을 미처 못뵙고 渝州로 가네.

이 詩에도 亦是 一貫한 悲調를 들을 수 잇다. 蕭颯한 그 景을 讀者로 하여곰 第一句에서부터 깨닷게 하야 末句는 餘韻의 波動으로 몹시도 오래ㅅ동안 讀者의 마음을 쓰리게 하는 힘 잇는 作이다.

送友人入蜀

見說蠶叢路, 崎嶇不易行.
山從人面起, 雲傍馬頭生.
芳樹籠秦棧, 春流遶蜀城.
升沈應己定, 不必問君平.

蠶叢 땅 가는 길이
몹시도 險하느니──

山은 얼골에 가려 압서고
구름은 말머리에 뭉키어 돌더라만
꼿다운 숩풀은 秦나라ㅅ적 대리에 짓헛고
봄 맛는 시내는 蜀城을 감돌아 흐르더라
아! 사람의 운수는 定한 대로 되거늘
구태여 君平을 차자 점 처 볼 것 무에뇨.

이 詩로써 그의 宿命論的 人生觀의 一端을 알 수 잇다. 卜者 君平을 밋어서 무엇하리, 제 各其 지고 가는 제 運命에 맷겨라 하는 升沈主義의 白임을 分明히 알 수 잇다. 自己의 定向 업는, 漂流 一生이 곳 이 思想의 華라고 볼 수 잇다.

더욱이 이 詩의 第三句, 第四句에서 그의 詩的 肺量의 廣大함을 볼 수 잇고 同時에 그의 詩想의 虛而雄을 엿볼 수 잇다.

蘇臺覽古

舊苑荒臺楊柳新, 菱歌清唱不勝春.
唯今惟有西江月, 曾照吳王宮裡人.

녯 동산 거친 집에 버들개지 새움 터고
마름 캐는 맑은 노래 애끈는 봄이 온데
이 날에 다맛 西쪽 江 달만
녯날 吳王의 어엽분 님을 빗최이든 그대로──

이 詩도 또한 叙情詩의 한 章이지만 그의 詩趣를 알기에 조흔 材料라 할 수 잇다.

宣城見杜鵑花

蜀國曾聞子規鳴, 宣城還見杜鵑花.
一吅一回腸一斷, 三春三月憶三巴.

지난 날 蜀國에서 杜鵑새 울음 듯고
宣城에 와 또 다시 杜鵑꼿 보단 말가
울 때마다 필 때마다 이 애도 끈치느니
三月달 이 새봄에 三巴 땅 그리워라.

이 詩의 原文 第三, 第四에서 그의 詩的 技巧를 볼 수 잇다. 一字를 셋으로 한 句를 맨들고, 三字를 셋으로 또 句 지은 것은 얼마나 그 技巧를 賞嘆하게 하는가. 또한 그 內容律이 至極히 濃厚한 密度로 짜내여진 것에서 그의 詩能을 더 알 수 잇고 詩의 音樂的 價値를 말하기에 큰 貢獻이 잇는 것이다.

이러한 여러 詩를 들어서 李白의 詩는 어떠한 것이라고 可히 말할 수 잇다.

杜甫의 「飮中八仙歌」 가운데──「李白一斗詩百篇, 長安市上酒家眠. 天子呼來不上船, 自稱臣是酒中仙.」 이러한 一節을 引用하야 그의 酒飮大家, 詩大家임을 알 수 잇고 또한 天子의 부르는 슈에도 應치 안이한 그 浩氣를 볼 수 잇다.

더욱이 氏의 「江上吟」이란 詩에 잇서서──「功名富貴若長在, 漢水亦應西

北流.」 이 詩句는 그의 漂泊하든 生活을 한 層 더 意味깁게 하는 것이다. 「漢水東流風北吹」라는 詩句로써 漢水가 東쪽으로 흐름을 알겟거늘 萬一 功名富貴가 長久한 것이라 하면 東流漢水도 西北으로 흘너오르리라 한 것이 얼마나 世榮이란 것을 侮視하고 諷刺한 것인지 모름즉이 白의 一生을 通한 陶醉的 唯美的 色彩와 그티업시 깨끗한 뜻을 볼 수 잇다.

李白을 酒生酒死의 浩人이라 하는 말을 適的하다고 하면 더 말할 것 업시 酒仙翁이란 自號가 그의 性格, 詩, 思想, 一生을 通하야 滋味잇는 綽名이라 할 것이다.

이로써 李白을 考察하엿다. 그의 詩 한 머리만으로도 그를 알 수 잇스리만큼 詩作 全體가 共通性을 띄고 잇는 것이다. 이에 이 李青蓮을 曰可曰否로 그 是非──人格의 高下를 말함이 안니요, 그의 詩만이 어떠하다고 하는 것을 大體로 紹介하엿다.

精神을 새로히 가다듬고 쉼을 한 번 길게 내쉰 뒤에 忠義의 詩人 杜子美를 李白과 比較하야 考察하려 한다.

少時로부터 倜儻不羈한 性格은 그의 一生과 또한 思想을 運轉한 압수레가 되엿다. 氏는 字를 子美라 하고 號를 少陵이라 불넛다. 襄陽 땅 사람으로 晉나라 征南將軍 杜預의 後裔로써 忠義로 그 뜻을 세운 悲莊한 詩人이다.

吳越에 巡遊하기를 나 어린 弱冠(二十歲)의 때로부터, 後에 齊趙에서 彷徨하고 十年이 지난 後에 長安에 住居케 되엿다. 天寶 十年에 三大 禮賦를 지어 그로써 玄宗이 알게 되고 氏의 四十五歲(天寶 十五年)에 安祿山이 反亂을 이러켜 님금은 蜀나라에서 蒙塵의 隱避生活을 하게 되고 京師가 陷沒되매 甫도 家族과 함끠 鄜州 땅에 避難하야 살게 되엿다. 至德 元載 六月에 賊에게 븟잡혀 苦荊을 當하여도 節操 잇는 忠義를 變치 안헛고 맛츰내 翌年 四月에 左拾遺라는 宮官을 엇게 되여 國政을 爲하야 誠意를 다하다가 肅宗의 誤解로

阿黨에 몰녀 죽을 境遇에 일즉 氏의 恩惠를 입은 宰相 張鎬의 德으로 赦함을 밧어 乾元 元年에 또 다시 左拾遺의 位에 被任되엿다. 翌年 七月에 職을 辭하고 蜀나라 成都에 집을 옴겨 浣花溪에 살면서 田夫와 野老로 벗지어 놀고 蕭洒嘯詠으로 閑暇한 生活을 持續하다가 寶應 元年 七月에 蜀亂이 닐어 梓州로 移居하고 後에 廣德 二年에 成都에 다시 와서 檢校工部의 位를 엇어 杜工部라 稱하엿스나 嚴武가 卒한 後에 生活의 困窮이 極하야 이 때로부터 諸州에 漂泊하다가 中風症에 걸니여 大曆 五年 氏의 五十九歲(西紀 七七〇)로 李太白이 죽은지 八年에 老杜詩聖이란 일홈을 밧은 대로 이 世上을 하직하엿다.

六十 平生――逆流를 거처 살기에 苦닯기야 하엿스리라만 忠義를 일치 안홈은 氏의 健壯한 思想의 情操를 보임이다.

貧交行

翻手作雲覆手雨, 紛々輕薄何須數.
君不見管鮑貧時交, 此道今人棄如土.

손을 뒤칠 때 구름이 되고 업칠 때 비가 되는 듯
아! 사람의 마음은 이리도 잘 變하나
가난한 벗 管仲 鮑叔, 어떠하드냐
이 世上은 이것을 흙 버리듯 하오라.

金으로써 만사 괼 수 잇는 人間 社會의 腐敗性을 嘆息한 詩이다. 貧交行――(行은 歌의 뜻)――이란 이 詩 한 首만으로도 넉々히 杜詩 全體의 思想의

高貴함을 알 수 잇다.

이 詩는 冷靜 浮薄한 人生을 慨嘆하야 千古의 箴言이 된 것이다. 氏가 進士의 試驗에 落第된 後에 京師에서 流寓하는 동안에 舊友의 薄情을 닙어 傷世慨俗한 玉作이다.

果然일다. 이것이 人心이다. 世上이 이러하고야 亡道로 向하는 것이 안이냐. 애닯다 사람들아, 管仲과 鮑叔의 貧時 交가 어떠하드냐. 사랑이 업는 곳에 피가 업다. 피 업는 곳에 生命이 업다. 生命 업는 곳에 人生은 무엇이 人生이란 말고. 가엽다! 가엽서라. 사람아, 杜甫의 貧交行을 낡어보면 얼마나 高貴한 詩임을 알 것이다. 讀者의 맘을 淨化시켜주는 洗禮詩인 것을 分明히 알 수 잇다.

또 그의 忠義와 職을 밧들어 誠을 다한 노래를 보면

春宿左省

花隱掖垣暮, 啾々棲鳥過.
星臨萬戶動, 月傍九霄多.
不寢聽金鑰, 因風想玉珂.
明朝有封事, 數問夜如何.

宮殿 담 밋 심은 꼿헤 해가 저물어
집 찻는 새들이 지적일 때에
별들은 온 마을에 반작이고
달은 떠 하늘 놉히 밝기도 하오라.

宮門 여는 소리를 들으려고 잠 자지 안코
바람만 불어도 玉珂를 생각함은
새는 날 아츰에 님금께 드릴 封事가 잇슴이니
아! 뭇노라! 이 밤이 하마나 새여 가는지!

이 詩는 杜甫가 左拾遺의 官位에 잇슬 때에 門下省에 宿直하든 날 밤에 지은 詩이다.

그 職에 誠을 다하고 나라ㅅ집을 爲하야 忠을 다하는 忠義의 詩이다. 甫의 詩想은 한결갓흔, 忠義에서만 소사나는 것이다. 그의 말에도 文章으로, 著名하게 됨이 自己의 本義가 안이요, 웨 忠義로써는 著名하게 되지 안느냐 하는 意味로 嘆息한 詩가 잇다.

旅夜書懷

細草微風岸, 危檣獨夜舟.
星隨平野濶, 月湧大江流.
名豈文章著, 官因老病休.
飄々何所似, 天地一沙鷗.

언덕에 난 어린 풀에 실바람 불고
돗 단 배 외로히 떠흐를 때에
넓은 들에 반짝이는 별조차 만하지고
달은 물결처 흐르는 물에 빠젓다——소섯다……

어찌타 글로써만 이 일홈 놉하진고
病들어 나라 일을 쉬기는 한다마는!
아! 떠단니는 이 몸은
모래 밧헤 나는 해오라비 갓흐니········

이 詩는 晩年 老病으로 諸州에 漂泊하여 밤이면 鄕愁에 잠겨 旅懷가 그의 胸曲에 타올나 자못 苦惱의 渦卷 속에서 살아가 듯하든 그 時節에 舟中에 늙은 몸을 付托하고 巡遊하면서 지은 詩이다.

第一句로부터 第四句까지에 氏의 自然景을 그려내인 妙趣가 나타나고 第五句, 第六句에서 그의 忠義를 爲하고십흐나 老病을 어이하랴 하는 타고 남은 嘆息을 들어 그의 思想이 如何하다는 것을 알 수가 잇다. 끗흐로 第七句, 第八句에는 漂浪生活을 極히 微妙하게도 描寫하엿다.

그의 詩想, 詩風, 詩才를 한거번에 發見할 수 잇는 作이다.

登高

風急天高猿嘯哀, 渚清沙白鳥飛迴.
無邊落木蕭々下, 不盡長江滾々來.
萬里悲秋常作客, 百年多病獨登臺.
艱難苦恨繁霜鬢, 潦倒新亭濁酒杯.

하늘 놉고 바람 찬데 잔내비 슯히 울고
맑은 시내 힌 모래 우에 새들이 나는데

끗 업는 곳에 나무닙은 떠러지고
흐르는 긴 江물은 그대로 흐르누나
萬里 밧게 슯흔 가을 손 되여 맛고
더구나 平生에 病 만흔 몸이 호을노 臺에 올나
생각하니 근심이 귀밋을 히게 하야
술잔을 찟트리고 마는 늙은 몸 되엿소라.

이 詩는 어너 가을에 高臺에 올나 滿前 風光을 내려보고 自己의 感懷를 叙寫한 것이다.

얼마나 아름다운 詩냐. 더구나 末句의 詩情은 讀者로 하여곰 그를 默想하게 하는 큰 魅力이 잇다. 例事로운 듯하여도 술잔을 그만 찟트리고 만다는 老衰의 嘆은 讀者와 한가지 우는 詩句이다.

老熟한 晩作이라 더욱이 病을 嘆하고 老를 慨하야써 一去不復來의 青春强壯 그 時節을 追憶하는 哀想이 그의 霜髩을 더욱 더 서리빗 나게 하는 것 갓다.

絶句

江碧鳥逾白, 山青花欲然.
今春看又過, 何日是歸年.

강물이 푸르니 물새 더욱 히여지고
山이 푸르니 꼿은 더욱 붉어진다

이 봄을 또 이대로 보내면
어너 날에나 故鄕땅 돌아가게 될고.

杜甫의 作 中에 絶句題가 大端히 만타. 말하면 失題라 無題라 함과 同意로 取하는 것도 無關할 듯하다.

이 詩는 客中 旅懷를 말한 것이지만, 第一句, 第二句에서 自然描寫의 精巧를 볼 수 잇고, 그러한 背景에서 第三句, 第四句의 心想을 홀로 獨白한 것은 참말 價値 잇는 作이라 안이 할 수 업다. 詩的 脈搏이 整然 히 生生하게 돌아잇고 內動律의 幽閑하면서도 깁흔 哀調에 흐득기며 넘어지는 狂想 氣分을 석거서 더욱이 아름답다.

春望

國破山河在, 城春草本深.
感時花濺淚, 恨別鳥驚心.
烽火連三月, 家書抵萬金.
白頭搔更短, 渾欲不勝簪.

나라는 亡햇서도 山과 물은 그대로 잇고
봄 들은 城에는 풀들만 짓허
꼿을 보아도 눈물을 짓고
새가 날어도 마음이 놀래여라.
烽燧 불 켜는지가 석달이 넘어

집소식 들을 길이 너무 어렵고
힌 머리는 긁어서 더 짧어지니
비녀는 다시 못꼿겟소라.

이 詩는 至德 二年에 國亡祭破의 慘憺한 處地를 當하야 三春을 맛는 설은 情懷가 그의 忠義와 老衰를 또 한번 뒤저어 노흔 것이다.

末行 二句는 그의 技巧를 잘도 엿볼 수 잇고 그의 國家를 向한 忠情을 또 한번 살필 수 잇다.

絶句(其二)

兩箇黃鸝鳴翠柳, 一行白鷺上靑天.
窓含西嶺千秋雪, 門泊東吳萬里船.

꾀꼬리 한 쌍 버들에 안자 울고
白鷺 한 떼 하늘 우로 오르누나
窓 밧게는 西嶺에 싸힌 눈이 보이고
門깐에는 東吳로 가는 배가 대엿다.

一二三四句 各各 對句가 되여 그의 無題稿 한 首를 일운 것이다. 第一句를 이르켜 第二句의 對를 쓴 것은 참도 妙한 趣味가 잇다. 三四句의 것도 亦是 아름답다.

이 여러 詩를 綜合하야 보면 大體로 杜甫의 詩는 雄而實이요, 嚴正有則의

健全하고 忠義로 아름다운 詩라고 할 수 잇다.

玉華宮

溪回松風長, 蒼鼠竄古瓦.
不知何王殿, 遺構絶壁下.
陰房鬼火靑, 壞道哀湍瀉.
萬籟眞笙竽, 私色正瀟灑.
美人爲黃土, 況乃紛黛假.
當時侍金輿, 故物獨石馬.
憂來藉草坐, 浩歌淚盈把.
冉々征途閑[02], 誰是長年者.

시내를 돌아가면 솔바람 길게 불고
늙은 쥐는 기와 밋헤 다라나 숨는다
뭇느니――어너 님금의 宮殿이더냐
絶壁 밋헤 문허진 이 헌 집터가――
컴컴한 房에는 푸른 귀신불
문허진 길에는 목 메인 물소리
바람은 불어 笙竽 소리 갓고
가을은 이 가을은 쓸々한 가을――

---

02 '閑'은 '間'의 오식이다.

어엽분 宮女들도 흙으로 갓거든
꿈이든 紛黛야 더 말할 것 업소라.
녯날에 金수레 모시든 것이라고
돌로 만든 이 말밧게 더 업는 것을──
풀잔디에 안저 근심을 푸랴고
노래 놉히 불너도 눈물만 한 줌
꿈갓흔 歲月이 하도 빠르니
어너 뉘 이 世上에 오래 산 者뇨──

荒廢한 唐太宗의 離宮을 지나칠 때, 그 慷慨를 表現한 것이다. 第二句에서부터 廢墟라는 늣김을 준다. 第三句의 間投曲을 너허 四五六七句에서는 그 廢墟를 讀者의 눈압헤 展開하여 놋코 그다음『故物獨石馬』로써 廢墟頌의 調子를 變하야 그 內容의 律拍이 劇化되여 다음 四句를 이루어 고요히 幕을 내리는 듯하면서 讀者로 하여곰 그 餘像을 그리고 안젓게 한다.

傑作이란 일홈을 안이 듯고는 안될 詩聖의 作이다. 여기서도 氏의 富健한 情想과 懷古의 悲哀를 맛볼 수 잇는 것 外에 그의 性格, 詩, 思想, 一生을 同時에 解剖해 볼 수 잇는 作이다.

이에 亦, 自然히 李白과의 差異를 차질 수 잇는 境界가 確然하다. 李杜의 共通点도, 應當 잇스렷마는 差異點은 明然히 나타난다. 甫가 일즉──「春日憶李白」──이란 詩를 지어 벗을 思慕하엿지마는, 그 벗으로써의 交情은 그대로 볼 것뿐이요, 第三者가 보는 詩想과 生涯의 差異點은 또 달니 發見할 수 잇는 것이다.

우리는 이에 截然히 李杜를 分間하야 健而華, 浩放無系를 李白의 批判으로 함에 對하야 杜甫를 雄而實, 嚴正有則이라 하겟다. 다시 말하면 李白을 浪

漫主義的이라 하면, 杜甫는 古典主義的이라 하겟고, 李白을 唯美主義的이라 하면 杜甫는 自然主義的이라고 하겟다.

더 말하면 藝術至上主義者 李白에 對하야 人生至上主義者 杜甫라고 하겟다. 卽 陶醉的인 李白이요, 太陽的인 杜甫이라 하겟다.

그들의 燦爛한 星光을 向하야, 支那 一統 뿐만이 안이라 天下가 稱頌할 것은 筆者가 言及치 안트래도 事實이 그러한 것이어늘 무에라 또 重言하랴.

詩聖 李杜는 반드시 그 時代 그 國家에 人間 批判, 人間 洞察의 力의 把持者이엇고 또 未來를 通하야도 그 빗처 炳然할 것이라 斷言한다.

—二五. 四. 末 記

1926년

中國劇 發達 小史[01]

李允宰

(上)[02]

東洋에서 文明이 가장 오래요 더욱이 우리와도 예로부터 思想上 融通이 썩 만이 되엿다는 中國의 文明 곳 中國學이란 것을 研究함이 어느 한편으로는 우리의 文化的 史實을 아는 點에서 한 補助物이 될 것이라 한다. 우리나라 學者란 幾 千歲 百年 來로 오로지 漢學에 熱中하여 漢土의 文物이라면 덥허 놋코 그대로 攝取하여 거긔에 莫大한 中毒까지 밧아오면서도 그 나라의 社會思潮라고는 익히 아는 者가 極히 드물엇다. 이는 漢學者 그들이 다만 글 그대로만 읽엇슬 뿐이요, 研究란 것이 조금도 없엇기 때문이다. 過去는 勿論 未來에도 한결 갓치 늘 精神的 方面으로나 物質的 方面으로나 그들하고 서로 接觸되는 일이 업지 못할 것이니 決코 中國學이란 것을 凡忽에 붓치고 말 수도 업슬 것이다.

一國의 思想, 文學, 風俗, 人情을 表徵케 되는 것이 演劇일 것이다. 그럼으로 그 나라의 社會와 民族에 對하여 研究하려 함에는 반듯이 劇 그것을 내어 노

---

01 『朝鮮文壇』 제15~17호, 1926.4~6.

02 호별 연재분 표기이다.

을 수도 업슬 것이다. 中國劇이라 하면 新劇과 舊劇이 잇다. 新劇이란 것은 아직 幼穉한 程度에 잇서 말할 價値도 업지마는 가장 發達된 것은 舊劇이다. 이것이 모도 史劇과 歌劇으로 된 것이기 때문에 中國劇을 文學的으로 藝術的으로 말하기보다도 차라리 歷史的 事實이라 할 수 잇다. 그럼으로 東洋學을 研究하는 者로는 中國劇을 한번 研究하는 것이 한 適好한 材料가 될가 한다.

이제 中國劇이 어떠한 形式으로 變還되여 왓는지 史的으로 考察하여 본바로 그 沿革 源流를 簡單히 叙述하여 그 發達된 徑路를 대강이라도 알게 하는 것이 必要할 줄 안다. 이에 對하야 上古로부터 現代까지에 이르는 사이에 中國劇 發達의 時期를 아래와 갓치 난흘 수 잇다.

一. 中國劇의 發生時代, 漢 以前의 世.

二. 中國劇의 漸盛時代, 六朝——唐宋 間.

三. 中國劇의 極盛時代, 元金——明清 間.

四. 新劇의 勃興時代, 民國 以後의 世.

첫재로 中國劇 發生부터 말하려 함에 對하야 어느 때부터 劇이 생기기 시작하엿는지는 자세히 상고할 수 업다. 그러나 中國이 발서 四千年 前부터 古詩歌가 생기엇스며 그 後로 차차 詩歌가 꽤 發達케 되엿슴은 確的히 아는 事實이다. 지금까지도 中國劇이 통이 歌劇으로 된 것도 실상은 이 까닭인 것이다. 그런즉 歌曲이 생기자 劇도 이에 딸아서 생기엿슴을 알 수 잇다. 史記 列傳 滑稽篇 가운대 優孟, 優旃이라 쓴 것을 보리니 優字를 흔히 姓으로 보기 쉬우나 실상 姓이 아니요 俳優라는 意味며 孟이라 旃이라는 것은 이름으로 된 것이다. 그들의 履歷을 대강 말하건대 孟은 楚國을 섬기어 莊王을 感悟케 하며 孫叔敖의 子를 救하엿다는 珍異한 이야기꺼리를 남기엇스매 지금까지도 『優孟衣冠』이라면 劇을 말하는 者가 흔히 쓰는 文字로 되엿고 旃은 秦國을 섬기어 別로 들어난 事實이라고는 업스나 當時에 名聲이 錚錚한 俳優인 것은 알 수 잇는事實이다. 孟이고 旃이고 다 有名한 俳優로 응당 自己의 作品인 脚本도 만이 섯깻지만은 記錄이 업슴으로 해서 어떠한 演劇을 하엿는지는 알수 업스나 異常스런 衣冠을 꾸미고 여러 가지 歌曲을 부르며 滑稽風流로 演戲를 지엇슴을 알 것이다. 優孟이 衣冠을 着하고 主를 諫하엿다는 것으로써 現代戲劇의 濫觴[03]이라 말하는 者도 잇다. 孟과 旃이 함께 春秋時代의 사람인즉 그 때부터 발서 演劇이 盛行하엿다 함은 조금도 容疑할 바가 아니다.

梁人 任昉의 撰한 책으로 述異記란대 보면 冀州에는 蚩尤劇이란 것이 잇서 四五人이 서로 맛대여 頭上에 牛頭을 부티고 량편이 함께 怒吼하여 다톤다는 것이 잇다. 漢代에도 角觝劇이란 것이 잇는데 이를 곳 蚩尤劇의 遺制라 볼 수 잇다. 三國時代에 吳將 周瑜가 音律에 精通하엿는데 그 때에 曲有誤周郎顧라는 말이 잇섯슴으로 해서 「周郎顧曲」이라면 演劇에 絶好한 代名詞처럼 알아온다. 周郎 돌아본다는 것이 別意가 업는 듯하되 何如間 周瑜가 音律에 精通하엿슬 때는 歌曲도 잘하엿슬 것은 勿論이요, 딸아서 演劇에도 얼마만한 素養이 잇섯슴을 聯想할 것이다.

中國劇이 漸漸 體裁를 가초게 되는 때는 六朝時代라 北齊의 世에 이르러는 무슨 劇을 하든지 반듯이 舞臺와 背景을 쓰게 되엿다 한다. 그러나 이러한 것은 오히려 眞正한 劇 發達史의 한 過程을 作하엿슴에 不過할 것이라 한다.

唐의 玄宗 때에 이르러 朝廷에서 坐部伎의 弟子 三百人을 뽑아서 梨園에 모아두고 歌曲을 가르치어 皇帝로서 이를 梨園弟子라 命名하엿스며 또 宮女 數百人을 宜春北院에 두어 이도 梨園弟子라 일칼엇다. 斯道의 奬勵를 이대도록 하엿슴으로 아주 舊日의 面目을 고치게 되여 有名한 傳奇라 하는 것이 나서 中國劇의 한 新紀元을 劃하기에 이르럿다. 唐書 禮樂志에 「明皇旣知

---

03 '觸'은 '觴'의 오식이다.

音律, 又酷愛法曲………聲有誤者, 帝必覺而正之」 云云하엿스니 玄宗이 이미 曲律을 解하여 親히 伶人을 指導하는 일까지 잇섯던 것을 보아도 그 때에 劇界가 얼마만큼 發達되엿슴을 살피어 볼 수 잇다. 白樂天의 詩에 「梨園弟子白髮新」이란 것도 梨園 子弟의 特意의 情狀을 描寫함에 妙를 得하엿다 할 것이다. 詩聖 杜甫의 絶句 「岐王宅裏尋常見, 崔九堂前幾度聞. 正是江南好風景, 落花時節又逢君.」으로써 有名한 李龜年이야말로 梨園 弟子의 第一人임을 알 것이다. 教坊은 唐 以後로 歷代가 다 仍用하더니 清의 世宗(雍正) 때에 이르러 廢止되고 말앗스며 이가 變하야 和聲署란 것이 設置하게 되엿는데 이것이 곳 오늘날 女優의 濫觴이다. 唐代의 傳奇를 이여 宋代의 「戲曲諢詞」도 잇섯스나 이를 奬勵할 者가 업슴으로 해서 斯道가 날로 衰勢에 赴하게 될 뿐아니라 宋代에는 羣儒들이 다토아 가며 性理 硏究에만 沒頭하기 때문에 閑文字 갓튼 것을 弄하기에 겨를이 업섯다.

(中)

이러틋 一時 衰運에 들어잇던 中國劇이 金元時代에 이르러 漸漸 復興을 形하게 되엇다. 이 時代에는 院本 雜劇이란 모든 宮調가 잇섯다. 院本이란 것은 行院의 本이란 말인데 金元人이 倡伎 두는 대를 行院이라 하기따왜 그 演唱하는 本을 일칼어 院本이라 한다. 元來 雜劇의 名稱인즉 宋代로부터 [04]롯한 것으로 그 時 春秋 佳節의 三大宴에는 반듯이 各 雜劇을 進하엿다는 것을 宋史 樂志와 東京夢華錄이란 冊에 昭詳히 記錄됨을 볼 것이다. 그러고 또 當時

04 '비'자가 탈락되어 있다.

民間 宴會 갓흔 대서도 이것으로써 賓客을 娛樂케 하는 대 흔히 써왓다.

金代에는 絃索調란 것이 잇섯는데 이것은 한 사람으로서 琵琶를 타며 歌唱을 하는 것이요, 이에 딸아서 連廂이란 것도 잇섯는데 이것은 金人이 遼의 大樂을 摹倣하여 지은 것이라 한다. 이로써 비롯오 演劇의 形을 備하엿다 할 것이다. 이러한 劇에는 舞臺가 잇스며 樂器로는 琵琶, 笙, 笛 갓흔 것을 쓰며 男役者를 末이라 하고 女役者를 旦兒라 하며 歌曲도 잇고 台詞도 잇섯다. 아마 이것이 男女 合演을 한 갓인게지? 이에 부치어 말할 것은 男役者가 女形으로 演하기가 唐代를 가장 먼 첨이라 할 것이다. 要컨대 도대체 中國劇의 組織이 아주 完成되기는 金代부터라 할 것이다. 그래서 元代에 이르러 가장 發達을 보게 된 것이다.

金元 時代에 流行되는 時曲은 둘로 난호아 北曲과 南曲이라 한다. 이 北曲과 南曲의 來源이 어떠냐 하면 金과 元이 다 塞外에서 들어와 中原 땅을 차지하여 中國에 主人이 된 後 政治는 勿論 一般 風俗, 習慣까지도 다 그들의 즐기는 바를 崇尚케 되엇다. 그럼으로 그들은 본래 嘈雜 凄緊한 胡樂을 즐기던 터임으로 中國 固有의 詞 갓흔 것이 의례히 그들의 귀에 서툴엇젓다. 그러기 때문에 胡人들 듯기에 조흘 新曲을 지엇스니 이것이 곳 北曲이요, 이것만으로는 또한 南方사람에게 실혀하는 바가 됨으로 달리 또 新體를 變하여 지은 것이 곳 南曲이다. 이 두 가지의 新曲이 當代에 盛히 流行하엿다. 이제 暫間 北曲과 南曲의 서로 다른 點을 比較하여 보리라.

北曲

北曲의 特色은 勁切 雄麗하다.

北은 字數가 만고 調는 促促한데 眼을 볼 수 잇다.[05]

北은 辭情이 만고 聲情이 적다.

北의 力은 絃으로.

北은 和唱하기에 適宜하다.

南曲

南曲의 特色은 淸峭 柔遠하다.

南은 字數가 적고 調는 緩緩한데 筋을 볼 수 잇다.[06]

南은 辭情이 적고 聲情이 만다.

南의 力은 板으로.

南은 獨奏하기에 適宜하다.

(王元美, 魏叔子 兩氏의 說에 據함)

王實甫의 西廂記는 北曲의 開山이요, 高則誠의 琵琶記는 南曲의 鼻祖라 할 것이다. 王氏고 高氏고 다 갓치 元代(高氏는 元末 사람으로 明初에 죽엇는데 이를 明代의 作家로 치는 사람도 잇지마는)의 사람이다. 그러고 元人의 만든 作曲으로 그 數가 千餘에 不下하여 이 밧게 지금 傳하지 못하여 알지 못하는 것도

05 明 魏良輔의 『曲律』에 의하면 '北曲字多爾調促, 促處見筋'으로서 여기서는 '眼을 볼 수 잇다'가 아니라 '筋을 볼 수 잇다'여야 한다.

06 明 魏良輔의 『曲律』에 의하면 '南曲字少爾調緩, 緩處見眼'으로서 여기서는 '筋을 볼 수 잇다'가 아니라 '眼을 볼 수 잇다'여야 한다. 즉 여기서는 북곡과 남곡 두 부분의 설명이 뒤바뀌었다.

五百 餘種에 미치엇스니 이만 보아도 當代에 藝術이 얼마나 發達되엿슴을 알 것이다. 雜劇의 種類도 甚히 만앗스니 그 볼만한 것은 대개 『元曲百種』(明代의 藏晋叔이 編한 것)에 실이어 잇섯다. 曲界 中에 巨擘이 되엇다. 그러나 이 百種 以外에도 오히려 幾多의 名作이 잇섯겟지마는 이루다 搜羅하려고 들면 여간 困難이 안닐 것이다. 얼마 前에 日本 京都大學에서 刻版한 元曲 十 餘種이 잇섯는데 이것은 그 百種 中에서 볼 수 업는 아주 貴한 것이라 한다. 金人의 作으로는 董解元의 西廂을 除한 外에는 別로 볼만한 것이 업다. 그리고 現時 中國劇의 脚本은 元曲으로 된 것이 不少하여 그와 서로 끈으례야 끈을 수 업는 密接한 關係가 잇다. 元代의 俗文學 發達에 對하여는 여러 學者들의 觀察하는 點이 各히 다르나 日本에 有名한 學者로 笹川氏의 말에 依하면 아래와 갓치 몃 가지 理由가 잇다. (一) 朔北의 野人이 硬文學엔 맛들이지 못한 까닭, (二) 元人은 근본 樂을 즐기는 癖이 잇는 까닭, (三) 思想의 一轉化로인 까닭, (四) 當世에 幾多의 不遇者들이 그 不平을 此間에 삭히어 버리는 까닭 等에 因함이라 한다. 이를 가장 適當한 觀察이라 한다. 明代에 와서도 또한 多少의 傳奇, 雜劇의 作品을 出함이 잇섯지마는 曲으로서는 南北調를 混沌하엿슴으로 해서 통두리채 왼통 古調를 일어버리고 맛첫다. 그 後 脫明에 이르러는 各히 地域을 쫄아 腔을 난호게 되엇스니 江西地方에서는 弋陽腔이란 것이 나서 兩京, 湖南, 福建 等地에 流行되고 會稽에서는 餘姚腔이란 것이 나서 常, 潤, 池, 太, 楊, 徐 等 各地에 流行되엇스며 海鹽腔은 嘉, 湖, 溫, 台 等地에 流行되고 吳에는 崑腔이 낫다. 이를 보면 明代에는 새 作品이 그리 만히 난 것이 아니요, 다만 曲의 變遷이 잇섯슴을 알 것이다.

(繼續)

(下)

中國劇 發達의 二大 紀元으로 하여 元과 淸으로 칠 것이다. 元代에서 그 種目이 만흔 것만큼 淸代에는 그 體裁가 더욱 完全히 갓초앗다 할 것이다. 淸代에 戱曲上 大傑作을 出한 것도 만핫다. 이를 다 들어 말할 수 업스나 何如間 이에 特筆할 것은 歌劇的 現 中國劇은 온전히 이 時代에서 大成이라 할 것이다. 이는 當時 碩學 提撕라는 劇家의 힘이라 할 것이나 其實은 當時의 政府, 더욱이 皇室에서 온전히 奬勵하엿슴에 잇다 할 것이다. 英明한 君主로 乾隆帝 갓흔 이는 宮中에다가 四大徽班이라는 劇社를 設置하고 斯道의 改善을 圖하엿스니 의례히 發達 進步를 極하엿슬 것이다.

淸朝 時代에 생긴 有名한 劇曲으로 二簧, 西皮의 調가 잇다. 二簧, 西皮 이 兩種을 合稱함여 皮簧이라도 하나니 荊楚記에는 이를 湖北省 黃陂, 黃崗에서 생긴 一種의 曲이라 하엿다. 이에 對하여는 자세히 말할 겨를이 업스나 대개로 二簧의 一種만 해도 얼마 變遷으로 되엇다 한다. 이것이 근본 湖廣調(湖廣은 湖南, 湖北 兩省을 이름)이던 것이으로서 徽腔(徽는 安徽省을 이름)하고 合하여 北京에 流行되더니 차차 變하여 京調가 되고 또 衛調가 되엇다. 이는 대개 地方俗語로 因하여 이러케 變化된 것으로 안다. 京調는 卽 北曲이니 西皮와 二簧으로 되어 淸朝에서 오늘날까지 이르는 동안 劇界에서 가장 큰 勢力을 占하여 잇다. 秦腔(秦은 陜西를 이름)은 湖廣腔(襄陽腔), 徽腔(樅陽腔)과 함께 弦索(元人 院本의 後에 曼綽, 弦索이란 二種의 戱曲이 잇슴)으로부터 나온 것으로 地方을 딸아 이러케 난호아진 것이다. 秦腔은 陜西의 調인데 唐宋元明 以來로 音은 依然히 가탓다 한다——竹木을 使用하여 樂을 節한 故로 俗에 梆子라 이른다——어떤 이는 秦腔을 옛적에 直隸에서 생긴 것이라 하는데 옛적 荊軻가 燕太子 丹을 爲하여 秦始皇帝를 刺殺하려고 西으로 向할 제 易水에 이르러

祖道의 席上에서 筑을 和하며 노래하던 「風蕭蕭兮易水寒, 壯士一去兮不復還」이라는 古詩야말로 지금의 秦腔이 아니던가 하는 者도 잇지만 어찌 足히 取信할 바이랴. 崑腔은 淸朝에서 잘 流行되는 것으로 各地의 曲은 엇떤 것이고 다 崑腔에서 난호아진 것이라 해도 可하다. 崑腔은 弋陽, 海鹽 等 故調를 變하여 된 것이며 綽板 定眼의 調를 使用한다.

辛亥革命 以後 社會 一般 制度가 크게 變遷하엿나니 時代의 趨勢에 좃차 俳優된 者의 人格 尊重을 注重케 되엇는데 像姑와 가튼 賤業의 廢止가 特例일 것이요, 前淸 時代에는 婦女의 觀劇까지도 嚴禁햇거늘 國體 一變과 함께 女優를 作出하기에 이르럿슴은 懸殊한 事實이다. 그리하야 新劇의 勃興은 더욱 이 時代에 特記할만한 것의 하나이다. 新劇에 至하여는 그 勃興이 아직 日淺하매 幾 千年의 오랜 歷史를 둔 舊劇에 比하야 서로 言論할 수 업게 된다.

마지막으로 現代 中國劇으로 各 劇場에서 가장 만히 興行되는 劇의 幾種을 아래에 적어서 讀者의 한 參考에 供코저 하노라.

劇名	別稱	劇歌	人物	時代	地方
桑園會	秋胡戲妻, 馬蹄金, 辭楚歸魯	西皮	秋胡, 靑衣, 柯氏	周	山東兗州府
文昭關	一夜白鬚	二簧, 西皮	伍員, 東皐公, 黃甫訥, 米南适	春秋	安徽廬州附近
魚腸劍	子胥救吳, 吹簫乞食	二簧	伍子胥, 專諸, 牛二, 闔閭	春秋	江蘇蘇州府
浣紗記	子胥投吳, 蘆中人	西皮	伍員, 漁師, 浣濯女	春秋	江蘇蘇州府
八義圖	搜孤救孤, 程嬰捨子	二簧	程嬰, 公孫杵臼, 屠岸賈	春秋	山西太原府
黃金台	田單救主, 搜府盤關, 樂毅伐齊	二簧	田單, 齊太子, 伊立, 田夫人	戰國	山東靑州府
孟母三遷			孟子, 孟母其他	戰國	山東兗州府

博浪椎			張良, 滄海力士 其他	秦	河南開封府
宇宙峯	金殿裝瘋	西皮, 二簧	二世胡亥, 趙高, 趙娘	秦	陝西西安府
盜宗卷	興漢圖, 樊宗卷		張蒼, 陳平, 田子春, 張秀玉	西漢	陝西西安府
昭君出塞			王昭君, 胡人 其他	西漢	蒙古
上天台		二簧	光武帝, 姚明, 郭后, 姚剛	東漢	河南河南府
戰蒲關	吃人肉, 殺妻犒軍	二簧	王覇, 徐艶貞, 劉忠	東漢	河南河南府
轅門射戟	奪小沛		呂布, 劉備, 紀靈, 關羽, 張飛	東漢	河南河南府
逍遙津	搜詔逼宮	二簧, 西皮	獻帝, 曹操, 伏后, 曹妃, 穆順	東漢	河南河南府
捉放曹	陳宮計, 中牟縣	西皮, 二簧	陳宮, 曹操, 呂伯奢	東漢	河南中牟府
白門樓		西皮	呂布, 貂蟬, 陳宮, 張遼, 曹操, 劉備 其他	東漢	河南河南府
打皷罵曺	群臣宴	西皮	彌衡, 曹操, 張遼, 孔融	三國	河南河南府
取成都	石伏岩		劉璋, 劉玉, 王累, 劉備, 諸葛亮	三國	四川成都府
戰北原	斬鄭文	西皮	諸葛孔明, 鄭文, 假秦娘	三國	甘肅鞏昌府
群英會	蔣幹中計, 諸葛借箭	西皮	周瑜, 諸葛亮, 曹操, 蔣幹, 魯肅	三國	江蘇江寧府
定軍山	老將得勝, 取東川	西皮	黃忠, 諸葛亮, 劉備, 嚴顔	三國	四川?
華容道		西皮	關羽, 曹操	三國	湖北武昌府
紫桑口	孔明吊喪	二簧, 西皮	諸葛亮, 魯肅, 趙雲, 周循, 龐統, 張飛	三國	江西九江
祭長江		二簧	孫尙香, 宮女	三國	江蘇江寧府

天水關	初出祁山, 取三郡	二簧, 西皮	劉禪, 諸葛亮, 姜維, 趙雲, 馬遵	三國	四川天水縣
七星燈	孔明求壽	二簧	諸葛亮, 司馬懿, 姜維, 魏延	三國	甘肅鞏昌府
七擒孟獲			諸葛亮, 孟獲	三國	雲南瀘江
空城計	扶琴退兵	西皮	諸葛亮, 司馬懿, 趙雲, 司馬師, 司馬昭	三國	四川成都府
桑園寄子	黑水國	二簧	鄧伯道, 鄧伯儉의 遺妻	晉	河南陝州府
賣馬	當鐧賣馬, 天堂州	西皮	秦瓊, 王老好, 單通, 王伯黨, 謝雲登	隋	山東歷城縣
紅霓關	伯黨招親, 替天報仇	西皮	辛文禮, 東方氏, 丫環, 王伯黨	隋	未詳
紅拂記			李靖, 李世民, 紅拂, 蓋蘇文	隋	江蘇揚州府
取帥印			唐太宗, 秦瓊, 秦懷玉, 程咬金, 尉遲恭, 徐勣	唐	陝西西安府
獨木關	薛禮歎月	西皮, 二簧	薛禮, 張士貴, 安殿寶, 何宗憲, 張志龍	唐	直隸?
貴妃醉酒	百花亭	二簧	楊貴妃, 高裵 兩力士, 宮女	唐	陝西西安府
徐策跑城	薛剛反朝		薛蛟, 紀鸞英, 薛剛, 徐策, 薛魁	唐	陝西西安府
法場換子		二簧	徐策, 徐夫人, 張泰	唐	陝西西安府
雙獅圖	擧昇觀畵, 薛咬頒兵		徐策, 薛咬, 學僕		陝西西安府
探寒窑	母女會	西皮	王陳氏, 薛平貴	唐	陝西西安府
彩樓配		西皮	王寶川, 薛平貴	唐	陝西西安府
五家坡	平貴回窑, 跑坡	西皮	薛平貴, 王寶川	唐	甘肅?
趕三關		西皮	薛平貴, 代戰公主, 莫老將, 馬達, 江海	唐	甘肅?

落花園	杏花和番, 二度梅	二簧, 西皮	陳杏元, 鄒令孃, 鄒夫人	唐	山西鴈門關
淸官冊	陞官圖, 提寇陰審	二簧	寇準, 八賢王 趙德芳, 潘洪 其他	宋	河南開封府
瓊林宴	打棍出箱, 黑驢告狀	二簧	范仲淹, 文登雲	宋	河南開封府
探陰山		二簧	包拯, 油流鬼, 柳金蟬	宋	河南開封府
斷太后	趙州橋, 天齊廟	二簧	李后, 包拯 其他	宋	河南開封府
打龍袍		西皮	仁宗, 包拯, 李后, 王延齡, 陳琳	宋	河南開封府
烏龍院	坐樓殺惜	二簧, 西皮	宋江, 閻婆惜, 張文遠	宋	鄆城縣
打魚殺家	慶頂珠, 討魚稅	二簧	阮小五, 李俊, 倪榮, 桂英, 丁員外, 郭先生	宋	梁山泊
翠屛山	殺嫂投梁	梆子, 西皮	楊雄, 潘巧雲, 海闍黎, 石秀	宋	直隸薊州
三娘教子		西皮	王春娥, 薛保, 薛倚	宋	江蘇鎭江
奇寃報	烏盆計, 定遠縣	二簧	張別古, 劉世昌의 死魂, 趙大, 包公	宋	湖北南陽
借宋靈		西皮, 二簧	岳飛, 宋砒狀, 金人 等	宋	直隸順天府
獨占花魁		二簧	王瑤琴, 春仲, 妓女 王九媽	南宋	浙江杭州府
紅鸞禧		西皮	莫稽, 玉奴, 金松	南宋	浙江杭州府
轅門斬子	白虎堂	西皮	楊延昭, 楊宗保, 穆桂英, 佘太君, 孟良	南宋	山東穆柯寨
四郎探母	四盤山	西皮	楊四郎, 鐵鏡公主, 佘太君, 楊六郎	南宋	蒙古
李陵碑	蘇武廟, 兩狼山	二簧	楊繼業, 楊七郎, 楊六郎, 楊宗保, 耶律休	南宋	山西大同府

洪羊洞	孟良盜骨, 三星歸位	二簧, 西皮	楊繼業의 死魂, 楊六郎, 楊宗保, 八王, 孟良	南宋	山西大同府
硃砂痣	行善得子	二簧	韓員外, 江多姣, 吳惠泉, 丑旦	南宋	四川成都府
斬黃袍	斬鄭恩	二簧	趙匡胤, 鄭恩, 苗順, 韓素梅, 韓龍, 其他	五代	河南開封府
忠孝全	斬秦洪, 金鰲島	二簧, 西皮	秦系龍, 秦洪, 王振	明	山東
梅龍鎮	遊龍戲鳳, 下河南	二簧	武宗帝, 李鳳姐	明	山西大同府
大保國	忠心保國, 李氏纂位	二簧, 西皮	李艷妃, 李良, 徐延昭, 楊波	明	江蘇江寧府
三疑計	拾繡鞋	二簧	李月英, 唐寅, 唐子其, 王先生, 翠花	明	江蘇江寧府
南天門	曹福登仙, 廣華山	西皮	曹玉蓮, 曹福 其他	明	山西大同府
牧羊卷	蓆棚會妻, 雙槐樹	西皮, 二簧	朱春登, 朱春科, 春登의 母, 趙錦棠	淸	山東
四進士		二簧, 西皮	毛彭, 楊素貞, 楊春, 宋士杰, 宋의 妻 其他	淸	河南上澤縣
女起解	蘇三起解, 玉堂春	秦腔	蘇三……玉堂春 其他	淸	山西太原府
小放牛	杏花村		村女, 牧童	淸	直隸北京
新安驛	女强盜		殺人 酒幕의 娘, 其母 李氏, 羅雁, 趙美容	淸	江蘇新安縣
小上坟	祿敬榮歸		劉祿村, 蕭素貞 其他	淸	山東卽墨縣

(完)

純 中國劇 三國演義 連環計(全四卷)[01]

저자 미상

六月 七日부터 優美舘에 上映

우리 조선에서 삼국지는 일반이 홍미잇게 보는 소설이다. 그러나 이것을 연극으로 보는 것은 조선 구극의 화룡도 가튼 일종의 가극에 지나지 못하엿더니 금번에 이것이 활동사진으로 영사되야 륙월 칠일부터 우미관에서 상영하게 되엿다. 영화의 내용은 야심만만하던 동태(董卓)에게 초선(貂蟬)을 보내여 미인계를 쓰든 것을 여실하게 그려낸 것이다.

(사진은 연환계의 한 장면)

01 『朝鮮日報』 1926.6.5, 3면.

1927년

李白 詩의 英譯 其他[01]

無涯

나는 現在 英文學 그 中에도 特히 英詩를 專攻하는 者이나 어째 그런지 英詩보다는 漢詩를 읽는 것이 더 趣味가 잇다.

이에는 勿論 여러 가지 理由가 잇겟다. 爲先 첫재로는 내가 英詩를 鑑賞하는 힘과 漢詩를 鑑賞하는 힘과를 比較해보건댄 亦是 後者가 낫다고 할 수 잇슴으로 後者에 對하야 親分이 만흘 것이 事實이다.

그 다음 한 가지 理由는 내가 元來 東洋사람으로 東洋情調를 가젓슴으로 英佛 詩人의 詩境보다는 漢人의 詩境을 더 만히 同感하는 것이다. 실상 英國文章의 詩를 보면 爲先 Keats, Rossetti 等의 詩作을 보드래도 그 感覺的인 纖巧한 描寫갓흔 데는 感服할만한 것이 만흐되 神韻 縹渺하고 談泊 浩蕩한 點에 닐으러는 李白, 杜甫 或은 淘[02]淵明 갓흔 이들에 比할 바――안이다. 勿論 一長一短이오, 各히 그 特色을 가진 것이겟지만은 어떠튼 내게는 漢詩人의 作品이 더 만흔 好感을 주는 것이 事實이다. 더구나 年條로 보드래도 李白

01 『現代評論』 제1권 제4호, 1927.5.

02 '陶'의 잘못이다.

杜甫 時代가 西曆 七六〇年 前에 屬하니 그 안이 놀나운 일인가. 八世紀면 英佛 等地에는 아즉 原始歌謠밧게 업든 時節이다.

요새 洋詩가 詩界의 重鎭이 되야서 나브터라도 言必稱 쉑스피어, 키―츠, 뻬를랜―느 云々하며 英詩를 專門硏究까지 하고 안저 잇지만은 아모래도 詩를 말하는 境遇에는 漢詩를 첫 손가락에 꼽지 안을 수 업다. 우리는 英詩를 배호는 同時에 漢詩를 되다시 읽어볼 必要가 잇다.

漢詩를 말하니 말이지 나 亦 漢詩에 對하여는 그리 無識한 편이 안임즉하다. 歷代 諸家의 詩集도 大綱은 읽엇거니와 韻律法이라든가 對仗法, 措辭法 갓흔 것의 여간한 鑑賞眼쯤은 가젓다. 딴은 내깐에는 되나 안되나 漢詩의 創作까지라도 시험한다. 그러나 한 가지 늘 不滿을 늣기는 것은 漢詩를 原音대로 읽지 못하는 것이다.

漢詩뿐 안이라 어느 나라 詩이든지 詩는 반듯이 原詩를 읽어야 비롯오 맛이 나고 鑑賞한 보람이 잇다. 譯詩나 大意나 알아가지고서는 그 詩를 알앗노라고 할 수가 업다. 요새 흔히 外國 詩人의 作을 大意만 어더들어 가지고 그 詩人의 人生觀이 어떠니 自然觀이 어떠니 하는 者流가 만흔 모양이지만은 그는 結局 수박거죽 할기에 지나지 못하는 것이다. 詩는 말의 音律上 効果로 되는 藝術인즉 意味만으로는 詩를 알앗다고 할 수 업다. 根本的으로 그 詩를 原音으로 읽어서 韻律의 微妙한 맛을 보지 못하면 안 될 것이다.

一例를 들자면 우리가 테를랜―느의 “Chansond’Autume”(가을노래)를 名作이라 하야 嘆賞不已하는 것은 決코 內容上 意味가 조와서 그러타 함이 안이다. 勿論 內容의 뜻도 조키는 하지만은 그 보담은 그 韻律的 効果가 非常한 것에서 起因됨이 만타. 이제 그 두 節의 原音을 다음과 갓치 郞吟하여보면 讀者는 내 말에 首肯함이 잇슬 것이다.

Les sanglots longs	레 쌍글로 릉
Des violons	데 비올릉
De I'autumne[03]	드 로톰
Blessent mon coeur	쁠레쓰 몽 커—트
D'une langueur	듄느 랑거—트
Monotone,	모노톤—느

Tout souffocant[04]	투 슈포캉
Et bleme, quand	에 쁠렘므, 캉
Sonne l'heure,	손ㄴ레—르
Je me souviens	쥬 므 수—비엉
Des jours anciens	대 쥬—르 안씨엉
It[05] je pleure.	에 쥬 플러—트

이 詩의 名作되는 所以는 그 音調가 內容과 相伴하야 至極히 荒凉한 氣分을 낫하내이기 때문이다. 이를 萬一 번역한다면 原作의 感銘은 太半이나 減殺된다.

가을날	The wailing note
비올롱의	That long doth float

03 'automne'의 잘못이다.

04 'suffocant'의 잘못이다.

05 'Et'의 잘못이다.

긴──울음이
單調한 설음으로
내 가슴을
압흐게 하네.

From Autumn's bow,
Doth wound my heart
With no quick smart,
But dull and sloiw.

숨막히고
얼골 변함은
종소리 들을 때
나는 옛일을
다시금 생각코
눈물지노라.

In breathless pain,
I hear again
The hour sing deep.
I call once more
The days of yove
And then I weep.

여긔서 우리는 譯詩가 어려운 것을 알기에 足하다. 다음에 引用하는 英詩 몃 節도 그 韻律이 妙를 어든 것인데, 筆者의 재간으로는 번역할 수 거위 업는 것이다.

For the moon never beams, wiahout[06] bringing me dreams of
the beautiful Lee;
And the stars never rise, but I feel the bright eyes
Of the beautiful Anabel Lee;
And so all the night—tide I lie down by the side
Of my darling—my darling!—my life and my bride,

---

06 'without'의 잘못이다.

In the[07] sepulchre there by the sea,
In her tomb by the sounding sea.

—Poe, "Anabel Lee"—

Tears, idle tears, I know nof[08] what they mean,
Tears from the depth of some divine despair
Rise in the heart, and gather to the eyes,
In looking on tte happy auturnn[09]-fields
And thinking of the day[10] that are no move[11].

—Tennyson, "The Princess"

그런데 예서 내게 問題 되는 것은 漢詩에 關해서이다. 勿論 漢詩도 原詩를 읽음에 限한다. 假令 말하자면 다음에 引例하는 詩를 原詩대로 읽는 것과 譯詩를 通하야 읽는 것과 얼마나한 差異를 發見하는지 알 수 업다.

黃河遠上白雲間, 一片孤城萬仭山.
羌笛何須怨楊柳, 春風不度玉門關.

---

07 'her'의 잘못이다.

08 'not'의 잘못이다.

09 'Autumn'의 오식이다.

10 영어 원문은 'days'이다.

11 'more'의 잘못이다.

황하는 구름 새에 아득도 한대
한 조각 외로운 성 산 우에 섯네.
되피리는 버둘 원망 무삼하리오.
봄바람이 옥문관을 넘은 적 업네.

—王之煥,「出塞」

寂々花時閉院門, 美人相並立瓊軒.
含情欲說心中事, 鸚鵡前頭不敢言.

꼿 핀 봄에 쓸々히 문을 닷치고
미인이 쌍々히 란간에 섯네.
설흔 사정 하소연 하고 십흐나
앵무새 들을세라 말을 못하네.

—朱慶餘,「宮中詞」

原詩대로만 보는 것도 이 만침 効果가 더하거든 하물며 原詩를 原音으로 읽음이랴. 나는 실상 漢詩를 鑑賞하되 漢音 그대로들 잘 몰으기 때문에 完全히 漢詩의 妙處를 다 할 수가 업다. 鑑賞의 境遇뿐에만 그런 것이 안이라 創作의 境遇에도 原音을 알앗스면 音調에 對한 安心을 가질 터인데 대강 어림만 잡아서 짓코 잇스니 섭々하기 끗이 업다.

다음에 漢詩를 原音으로 表하야 몃 節을 引用코저 한다. 이들의 詩篇은 勿論 名作임으로써 朝鮮音으로 읽드래도 相當한 効果를 내이나 原音으로 朗吟할 제는 十二分의 快感을 준다. (每行을 읽음에 要하는 時間은 大略 五秒 內外로 할 것.)

長安一片月 Chang an i pien yueh
萬戶擣衣聲 Wan hu tao i sheng
秋風吹不盡 Chieu feng chai pu chin
總是玉關情 Tsung shieh yu Kwan ching
何日平胡虜 Ho jih ping hu lu
良人罷遠征 Liang len pa yuan cheng

—李白, 「子夜吳歌」

春江潮水連海平 Chun chiang chao shui lien hai ping
海上明月共潮生 Hai shang ming yueh kung chao seng
灩々隨波千萬里 Yen yen sui pu chien wan ei
何處春江無月明 Ho chu chun chiang wu yueh ming
江流宛轉照[12]芳甸 Chiang liu wan chuan jao fang dien
月照花林皆似霰 Yueh chao hua lien chih shien

—張若虛, 「春江花月夜」

原音으로 읽으면 이처럼 瀏亮하다. 詩는 그저 原詩 原音대로 읽어야 할 것이다.

近來에 西洋 사람들 中에도 漢詩熱이 무던히 만흔 모양이다. 東京의 書肆만 하드래도 英譯 漢詩集이 쉬웁게 눈에 띄인다.

만흔 漢詩 英譯書 中에서 特히 近來에 有名한 것은 英米 詩人들 例하면

12 중국어 원문은 '照'가 아니라 '繞'이다.

Allen Upward, Ezra Pound, Hellen Waddell 갓흔 이들의 것이다. 내가 가지고 잇는 二十世紀 英詩集 "New Poetry"(edited by H. Mouroe Macmilan Co. 1923) 中에도 Pound가 譯한 李白의 詩 두 篇이 실녀 잇다. 漢詩는 近來 그 英譯과 相竢하야 英詩壇에 적지 안은 影響을 낏치는 모양이다.

Pound 英譯한 李白(Li Po)의 詩 中 하나는 「長干行」이란 五言古詩를 번역한 것인데 純然한 直譯이오, 自由詩譯이다. 日本人의 註釋을 보고 번역하엿기 때문에 國有名詞는 흔히 日本音으로 되엿다. 그 全篇을 드는 것도 多少間 興味가 잇럼즉하다.

The River—Merchant's Wife: A letter.

From the chinese of Li Po

While my hair was still cut straight across my fovehead[13],
I played about the front gate, pulling flowers.[14]
You walked abhut[15] my seat, playing with blue plums,
And we went on living in the village of Cho—kan:
Two small people, without dislike or suspicion.

妾髮初覆額, 折花門前劇.

---

13 'forehead'의 오식이다.

14 아래 'You came by on bamboo stilts, playing horse,' 1행이 탈락되어 있다.

15 'about'의 잘못이다.

郎騎竹馬來, 遶床弄靑梅.

同居長干里, 兩小無嫌猜.

(長干을 Cho—kan 이라 한 것은 日音을 取한 것인즉 맛당히 Chiang—Kan이라 할 것.)

At fourteen I married My Lord you.
I never laughed, being bashful.
Lowering my head, I looked at the wall.
Called to, a thousand tines[16], I never lookea back

十四爲君婦, 羞顔未甞開.

低頭向暗壁, 千喚不一回.

(讀者는 얼마나 直譯인지를 알 것이다.)

At fifteen, I stopped scowling;
I desired my dust to be mingled with yours
Forever and forever, and forever.
Why should I climb the look—out?

十五始展眉, 願同塵與灰.

常存抱柱信, 豈上望夫臺.

(同塵을 mingle dust 라 하고 望夫臺를 look.out이라 한 것은 若干 서투른 點

16 'time'의 오식이다.

이 잇다. 抱柱에 關한 尾生故事는 譯에 省略되엿다.)

At sixteen you departed.
You went into far Ku—to—Yen, by the river of swirling endies,[17]
And you have been[18] five months.
The monkeys make sorrowful noise overhead.
You dragged your feet when you went ont,
By the gate now, the moss is grown, the different mosses,
Too deep to clear them away!
The leaves fall farly[19] this antumn, in wine[20].

六月[21]君遠行, 瞿塘灔澦堆.
五月不可觸, 猿聲天上哀.
門前送行跡, 一々生綠苔.
苔深不可掃, 落葉秋風早.

(Ku to—yen이라이야 瞿塘灔을 連讀한 것은 잘못. 瞿塘은 Kan—Tang.)

---

17 'eddies'의 잘못이다.

18 뒤에 'gone'이 탈락되어 있다.

19 'early'의 잘못이다.

20 'wind'의 잘못이다.

21 '六月'은 '十六'의 잘못이다.

The paired butterflies are already yellow with August
Over the grass in the west garden
They hurt me. I gron[22] older.
If you are coming down through the narrows of the river Kiang,
Please let me Know beforehand,
And I will come ont[23] to meet you
As far as Cho—fu—sha.

八月蝴蝶黃, 雙飛西園草.
感此傷妾心, 坐愁紅顔老.
早晩下三己, 領[24]將書報家.
相迎不道遠, 直至長風沙.
(Cho—fu—sha는 Chiang—feng—sha라 할 것.)

以上의 英譯詩를 原詩와 對讀하여 보건댄 感銘이 全然히 相異하다 하지 안을 수 업다. 元體로 이 譯詩가 凡庸하야서 그러한지 몰으되 何如間 譯詩란 것은 그처럼 原作을 彷彿키 어려운 것이다. 萬一 李白이 更生하야 英語를 배흔다면 Pound에게 對하야 一大 抗議를 提出함즉하다. 하물며 若夫 우리 따위의 凡手로 洋詩를 譯하면 原作者 洋人이 보고 噴飯을 할는지도 몰은다.

---

22 ‘grow’의 잘못이다.

23 ‘out’의 잘못이다.

24 ‘預’의 오식이다.

(李白의 詩는 日人의 英譯이 잇는 것을 보앗스나 亦是 前者와 大同小異한 것이엿다.)

요새 漢詩를 읽어보고 지어본 끗헤 번역도 하기 爲하야 日譯 英譯을 차저 보앗스나 亦是 譯詩인 以上 다──별 수는 업는 모양이다. 詩는 結局 原詩를 原音대로 읽어 鑑賞하는 外에 他途가 업는 듯하다.

我觀 中國文學[01]

李殷相

(一)[02]

一

本是로이 中國文學에 對하여 專門的인 研究도 안일 뿐더러 거기에 들어선 깁흔 素養도 가지지 못한 나로써 이 題下에서 言說을 試驗한다 함은 斯道識者로부터 우슴밧게 더 밧을 것이 아무 것도 업슬 일이나 近日 偶然한 機會에 專攻 안인 『文選』을 닑게 되여 그 딸아 爾來로 가지고 잇던 中國文學에 對한 蚌觀點 二三을 새삼스러히 생각하게 된 바 든든치 못함에도 不拘하고 이 一論을 草하려는 것이다.

우리로써 西歐文學에 親分, 理解, 認識을 가지기 보담은 中國文學에 이것들을 가지기가 몃 倍 더 쉬운 일이다.

從來로 彼土와의 文物 交替가 密接하엿던 것이라던지 現時 또한 彼土의 文字를 그대로 우리 것처럼 使用하는 일이라던지가 다 그 證左가 되는 것이다.

---

01 『東亞日報』 1927.6.2.~6.6, 3면.

02 매회 연재분 표기로서, 5회에 걸쳐 연재되었다.

그럼으로 그것의 專門 硏究家는 비록 少數에 不過한다 할지나 거기에 常識을 가진 이는 만흔 것이요, 皮相的 近似的으로 中國文學을 云謂할 者 또한 적다하지 못할 것이다.

이만큼 彼土의 文學이 우리에게 親分을 가지고 잇다는 말이요, 東洋文學이라는 點에 잇서서 더욱 서로 理解와 認識을 가지지 안을 수 업는 것이다.

人口로 國土로 乃至 文藝로 思想으로 東洋이라 함에 누구나 얼는 中國을 想起함은 彼土의 東洋的 優勢를 證左하는 事實이어니와 그러타고 하여 自國의 精神, 自國의 文藝, 自國의 歷史, 自國의 思想 제 것은 덥허노코 니저 버리고 그것만을 崇拜한다 함은 許諾치 못할 일이다.

從來에 잇서 우리가 中國을 對한 것은 하나도 批判的, 硏究的 態度가 안이엿든 것이나 그것을 우리는 새삼스러히 말할 것은 업고 다만 이제로부터 外國文學, 思想, 民族을 硏究하는 意味에서 中國의 文學이나 思想 乃至 그 民族을 硏究할 것뿐이라 생각한다.

累 百代의 中國 陶醉에 對한 反動的 傾向으로 西歐를 吟味하려는 것은 目前에 보고 잇는 現象이어니와 毋論 自國의 文學, 思想, 民族을 硏究함으로 基調를 삼어야 할 우리일지라도 外國의 文學이나 思想을 硏究하는 그 學的態度는 또한 꾸짓지 못할 일이라 볼 수 밧게 업다.

그럼으로 우리로써 英文學이나 露文學울 硏究하는 이도 잇서야 할 것이요, 또한 中國의 文學을 眞實되히 批判的, 學的으로 硏究하는 이도 잇서야 할 것이다.

그러한 中에서도 또한 한 現象을 볼전댄 西歐에서나 東洋에서나 特히 文學 硏究家로써는 中國의 文學을 硏究하는 傾向이 熾烈하여젓고 또한 우리에게서도 인제야 참으로 批判的, 學的으로 中國의 文學을 硏究하려는 機運과 傾向이 보이는 것도 갓다.

그러나 西歐文學에 趣味를 가젓던 이로써 急히 中國의 文學에 接할 때에는 『不可解』나 『驚異』를 늣길 뿐일 것은 빤한 일이다. 그것은 中國의 文學이 西歐의 文學에 對하여 懸殊한 色味를 띄고 잇서 本質的으로 그 情操와 特色을 달리하고 잇는 까닭이라 할 것이다.

(二)

그린데 이러한 中國의 文學을 참으로 硏究코저 할진댄 몬저 『中國』이란 것은 엇더한 나라냐 또한 엇더한 國民性을 가젓스며 그 文化는 엇더한 系統, 엇더한 色彩를 띄고 잇느냐는 等 그 中國 一般을 考究치 안이치 못할 것이다.

그러나 本論에 草하려는 것은 거기에까지 深及한 수 업고 다만 나로써 본 中國의 文學은 大體에 잇서 엇더한 것이라는 것만을 말하고저 함이다.

地理的으로 보아 文學 그대로 『渺茫』이라 할만한 大平原國인 中國임은 또한 그 文學의 深遠함을 보이는 것이요, 萬壽山의 離宮이나 北京 樓門 뿐이 안이라 一般으로 萬里의 長城과 北京의 城壁을 通하야 數만흔 建築으로 보아 또한 그 文學의 雄大함을 可히 짐작할 수 잇슴은 槪하여 文學이 그 風土 地理나 民性에 相關됨이 크기 때문이다.

이 民性이라 함에 잇서서는 中國의 大民族 속에 十數種의 人種이 잇다하거니와 主要로 漢人種을 指示한 말이니 그 까닭은 漢人種이 苗, 蒙古, 回回, 滿洲 等 種보다 그 數量으로나 그 勢力의 優越로 보아 또한 大體로 中國 歷代上, 文化上 모든 點에 잇서서 主權이라 할 만하기 때문이다.

이 漢人種을 中心으로 하여 觀察한 中國의 國民性은 學者 共히 『尙古的, 功利的, 實際的』 이 三點에 共鳴하는 바이거니와 事實上 中國의 文學도 또한 이 三點에 부듸치는 것이다.

文學上의 尙古的 精神이라 함은 可히 世界的이라 할만큼 特殊한 바요, 思想上의 功利的, 實際的이라 함은 文學에 잇서 道德的 實踐的인 것으로 되여 잇는 그것이니 大體로 中國의 文學은 그 民性에 反應된 點이 極히 만타 하겟다.

毋論 文學이라 하는 것만큼은 國民性 以外에도 그 個性이나 地方色에 影響됨이 잇는 것이니 말하면 『南船北馬』라 하거니와 南方的 地勢, 川澤湖沼, 温和한 氣候에 因由된 文弱的 色調라던지 地方的 地勢, 山岳險峻, 寒冷한 氣候에 所應된 武强的 風味라던지가 各各 特趣를 지어 잇는 等이다.

그러나 中國에 잇서서는 西歐와 가치 그러케 個性의 懸殊 地方色의 特異가 甚하지 아니한 것은 그 民性의 尙古的인 固陋한 根性이 잇기 때문이라고도 할 것이다.

그 中에서도 다시 主從을 갈으자면 『風土, 地理, 民性, 地方色』을 主要素라 하겟고 『個性』은 殆히 無視되여 從屬的 地位에 잇다고 할 것이다.

二

이러한 中國의 文學을 槪念的으로 그 如何한 者임을 알고저 할진댄 그 內容과 形式을 考察함에 잇슬 것이요, 그는 곳 思想的, 社會的인 方面과 趣味的, 技巧인 方面으로 分하여 忖度해 봄이 맛당하리라 생각한다.

思想上으로 中國의 文學을 考察한다면 常識 잇는 이의 누구나 말할 수 잇는 儒敎思想을 指摘할 것이다. 累 千載의 文學史를 通하여 온 이 儒敎의 思想은 實로 그 數多한 文學者를 支配하엿고 또한 全民族的으로 感化를 준 것이다. 이것을 主力이라 할진댄 그 傍系라 할 만한 것은 佛敎思想과 老莊哲學思想이라 할 것이다.

(三)

이 儒敎思想의 主力된 그 動因으로 말하면 毋論 그들의 幼少時로부터 四書五經을 배호는 것이나 그들의 民性의 功利的, 實際的인 點으로부터 歷代帝王의 儒敎奬勵에까지 그 모도를 말할 수 밧게 업슬 것이다.

비겨 말하건대 이 中國文學上에 뿌리박은 儒敎思想은 西歐文學에 나타난 基督敎思想과 갓다 할 것이니 基督敎思想으로 말미암어 西歐의 文學이 그 內容을 深遠히 하엿고 또한 淸淨味를 띈 것과 갓치 中國의 文學은 그 儒敎思想에 긔대여 그 內容을 進暢식힌 것이다.

그러나 西歐文學을 보아 그 基督思想을 붓잡고 잇슨 것으로 말미암어 도로혀 그 文學 自體가 拘束된 弊를 니르키는 것과 갓치 中國의 文學도 儒敎思想으로 말미암어 그 弊를 입은 點이 적지 안흔 것이요, 따라 西歐에서 니러난 希臘精神의 潮流와 갓치 中國에서도 文學上에 잇서서 儒敎思想에 對하여 一種 異端的 思想이라 할 佛敎와 老莊哲學思想이 新刺戟을 及하여 一個의 對立的 流勢를 占領한 것이다.

歷史的으로 이것을 考察하건대 先秦時代로부터 漢代에 니르기까지는 모도가 儒敎思想의 支配를 밧엇다 하겟고 文朝文學으로부터는 梵經의 飜譯이라던지 老莊思想의 勃興이 잇서 特히 唐代에 와서는 알기 쉽게 李白 갓흔 詩人은 老莊哲學의 共鳴者이엇고 白樂天 갓흔 詩人은 佛敎를 信仰한 것으로 보던지 一般的으로 文學上에 禪味的 情致를 띄고 새로운 詩想을 發掘한 努力의 踪跡을 보아도 佛老精神의 支配이엇던 것을 알 수 잇고 그 結果 宋代에 니르러는 中國의 本流哲學과 佛敎와의 握手를 보게 됨에 딸아 거기에 理趣를 主要로 한 詩文이 잇섯스니 그는 一種 人生文學의 部類라 云謂할만한 것이다.

이리하여 大槪로 中國文學의 思想的 背景을 짐작할 수 잇는 것이다.

그리고 社會的 地位에서 中國文學을 檢討하건댄 압헤서도 말하엿거니와 道德的 乃至 政治的 色彩가 强하다 할 것이니 中國의 文學者 乃至 詩人이 그 어느 뉘를 莫論하고 거의 그 全部가 政治家이거나 官吏이거나 儒者이엿던 것이요, 詩人, 文人이라고만 하여 一生을 보낸 이는 極히 적다할만한 것을 보아도 알 수 잇는 것이요, 그 結果로 自然히 그들의 文學은 政治文學, 道德文學이라 할만한 것이 만흔 것이다. 이것은 果然 中國文學의 世界的 特異라고 하겟거니와 先秦時代의 諸家로써는 政治論을 口說치 안은 이 업고 漢代에 잇서서도 特히 『賈誼』, 『晁錯』 等의 손으로 政治文學을 내엿고 우리가 흔히 말하는 唐宋八大家라는 그들도 政治大家요, 또한 그들의 文集은 政治上의 論文으로 主部를 만든 것이다.

또한 政治家로 文學을 言說치 안은 이 업스니 그는 또한 政治家인지, 思想家인지, 文學家인지 그 어느 部門의 人物이라 할지 疑心할 만큼 政治와 文學의 混一을 보인 者이다. 『治國平天下』의 道를 말한 孔子 乃至 그의 門流 孟子, 韓非子, 墨子, 旬子할 것 업시 모도가 그 著作에 政治的 言說로 主部를 삼은 것이다.

(四)

따라서 社會改造 云云의 主張도 西歐에 잇서서는 現代의 文學的 事實로 하여 나타낫거니와 中國에 잇서서는 政治論的 紛紜과 同時에 오래 前 녯날에 벌서부터 잇섯던 것을 알수 잇다. 毋論 이것을 文學的 優越性이라 할 根據 理論은 업는 것이요, 다만 그만큼 中國의 文學이 現實性을 띄인 것이라는 것을 말할 뿐이다.

그 外에 또한 道德的 方面으로 보건대 道德을 說敎하기 爲하야 생긴 文學이 안인가 하고 疑心까지 나는 것이다.

어느 곳, 어느 때를 莫論하고 道德이 重하냐 文學이 重하냐 하는 論難은 잇는 것이어니와 中國의 民性이 功利的이라 하엿던 그 만콤 孔子 以來로 道德을 더 重視하고 或은 文學을 道德에 犧牲까지 식힌 것은 中國文學 硏究에 가장 重要視되는 點이라 할 것이다.

우리가 일즉 論語 속에서 『子曰 弟子入則孝, 出則弟, 謹而信, 汎愛衆, 而親仁, 行有餘力, 則以學文.』이라는 孔子의 一種 文藝觀이라 할만한 것을 읽엇거니와 果然 中國의 文學은 道德 然後에의 文學이라 할 것이니 道德主位的 文學이라 안이 할 수 업다.

孔子 뿐이 아니라 그 以後로 一般 中國의 文學者로써는 文學이 世敎에 無益이면 無意義라는 信念을 가진 것을 보면 中國에 잇서서 文學과 道德과의 關係를 可히 짐작하고도 남음이 잇슬 것이다.

이 모든 道德中心의 中國文學은 압헤 말한 儒敎思想을 背景으로 한 그 밋헤서는 벗기 어려운 一 運命이라고 볼 수 밧게 업다.

이것을 우리가 어떠케 보겟느냐는 것에 對하야는 자못 問題일다. 病的인 思想, 固定的, 停滯的인 精神 아래에서 文學 그 自體의 自由롭고 活潑함을 보지 못함을 꾸지질 것인가, 或은 그 實際的, 敎訓的인 것을 기릴 것인가. 要컨대 一利一害, 一長一短의 일이어니와 批評을 멈출진댄 그 內容이 政治的, 社會的, 道德的, 敎訓的임에 中國文學은 그 特殊한 色彩를 띄고 잇는 것만은 分明한 事實이라 할 것이다.

三

다시 붓을 밧구어 이 中國의 文學을 또 다른 一面으로 보건댄 自然 禮讚의 傾向이 가장 强한 것이다. 그 神仙味 特히 詩歌上으로 보아 酒趣 갓흔 것을 合하여 그 趣味를 槪別컨댄 自然禮讚, 神仙味, 酒趣 이것이니 이는 東洋人의 共通性이라 할 것이라 본다.

西歐의 自然頌과도 判異한 東洋의 自然禮讚이라던지 西歐의 神話的 詩歌와도 다른 東洋의 神仙謳歌라던지 西歐의 『데카당』과도 相異한 東洋의 酒趣는 홀로 中國이 가장 만히 차지햇다 하겟고 우리나라의 特殊한 時調를 보아도 殘存한 千首 歌詞가 이 三部에 應하는 것이 만흠은 中國과 共通된다 할 것이다.

우리가 손쉽게 어더 볼 수 잇는 『唐詩選』이나 『三體詩』 갓흔 것을 뒤치면 곳 알 수 잇는 일이거니와 中國詩歌의 自然美, 神仙, 閑雅, 幽寂, 酒……等의 謳歌는 자못 極甚하다 하겟고 이 幽寂 淡雅를 사랑하는 詩人 中에서도 그 白眉라 할만한 陶淵明 갓흔 사람은 누구로써 可히 거기에 비길 수도 업슬만한 것이다.

李白과 杜子美의 詩存을 펴매 그 곳곳마다의 酒頌, 酒趣는 또한 中國文學의 代表라고도 할만하거니와 이 모던 것은 아울러 中國文學의 特殊한 趣味인 同時에 東洋性 文學의 共通點이라 보아도 그 뿐일 것이다.

그리고 그 다음 中國文學의 形式 乃至 技巧에 잇서서 數言코저 하거니와 西歐文學으로써 그 技巧에 優越한 者 만타 하나 可히 이 點에 잇서서는 참으로 一步도 讓하지 안흘만한 特殊한 長點이 잇는 것이니 누구인지가 『中國은 文章의 나라요 修辭의 나라이라』고 評한 말이 適切하다고 보지 안흘 수 업다.

爲先 그 文字만을 본다 할지라도 한 個의 事物에 잇서서 箇箇 一字의 格이니 그 數를 어떠타 말할 길도 업는 것이요. 例하여 우리가 『文選』을 쥐고 그

속에 郭景純의 『江賦』 갓흔 것을 보면 그 얼마만한 文字의 多用임을 짐작할 수 잇고 또한 그것이 描寫上에 어데까지의 深切을 붓잡엇는가를 알 수도 잇슬 것이다.

> 『(上略) 巴東之峽, 夏后疏鑿, 絕岸萬丈, 壁立赮駮, 虎牙嵥豎, 以屹崒, 荊門闕竦而磐礴, 圓淵九迴, 以懸騰, 湓流雷呴, 而電激, 駭浪暴灑, 驚波飛薄, 迅澓增浇, 湧湍疊躍, 砅岩鼓作, 漰渤㶁瀹, 㵿漠濞灂溃濩㳽漷, 潏湟淴泱, 瀸潤瀾淪, 漩澴滎瀯, 渨溫濆瀑, 溭淢濜㴏龍鱗結絡, 碧沙㶇灖而往來, 巨石硉矹以前却, 潛演之所汩淈, 奔溜之所磢錯, 厓隒爲之泐嵃, 碕嶺爲之嵒崿, 幽澗積岨, 礐硞礐確(下略)』
>
> (六臣註, 文選 卷第十二, 賦에서)

(五)

여기에서 우리는 郭景純이란 그 作者의 能力보다 오히려 그 豊富한 文字의 德을 볼 수 잇는 것이다. 李善 外 五臣의 이것에 對한 註를 보면 巴州의 東에 잇는 三峽의 風致를 그린 이 江賦는 水石 相激하여 니러나는 奇觀, 물의 소리, 빗, 모양, 흐름 等을 中國 一流의 文字로 表現해 노흔 것이다.

이제 文字는 그만두고라도 文學硏究上에 重要한 文體에 對하여 考察한다 하면──

賦, 詩, 騷, 七, 詔, 冊, 令敎, 文, 表, 上書, 啓, 彈事, 錢, 奏記, 書, 檄, 對問, 設論, 辭, 序, 頌, 贊, 符命, 史論, 史述贊, 論, 連珠, 箴, 銘, 誄, 哀, 碑文墓誌, 行狀,

弔文, 祭文 等은 可히 놀랄만한 것이라 안니 할 수 업다.(이것도 文選에 나타난 것만에 據한 것이다.)

또한 有名한 『心雕龍[03]』 갓흔 것은 原道로부터 序志에 니르기까지 全十卷을 通하여 文章의 體裁, 修辭의 原理를 들어 그 卷頭에 記錄된 바와 갓치 果然 藝苑之秘寶라 할 만콤 文章的 進展을 期한 것이니 이는 中國文學 中의 修辭學이라 닐칼을 것이다.

이와 갓치 그 技巧上으로 보아 獨自의 妙味를 가진 것이니 大體로 말하자면 淡雅 壯大와 縹渺 浩泊한 것을 尙하고 餘韻 餘情을 取하는 것이라 할 것이니 이는 西歐의 文學이 可히 딸으지 못할 點이라 안이 할 수 업다.

假使 『莊子』를 펴고 試驗해 볼진대 그 첫머리인 『逍遙遊篇』을 보자.

> 『北溟有魚, 其名爲鯤. 鯤之大, 不知其幾千里也. 化而爲鳥, 其名爲鵬. 々之背不知其幾千里也, 怒而飛, 其翼若垂天之雲……』
>
> (北溟에 고기가 잇서 그 일홈을 鯤이라 하니 그 고기의 큼이 몃 千里인지 모르겟고 化하여 새가 되매 그 일홈을 鵬이라 하니 그 새의 등이 몃 千里인지 모르나 성내여 날매 그 날애는 구름과 갓더라……)

이것 하나로도 그 技巧의 壯大함을 볼 수 잇고 또 뒤저 『齋物篇』을 보면 (末尾에)

> 『昔者莊周夢爲胡蝶, 栩々然胡蝶也. 自喩適志與. 不知周也. 俄

---

03 '文心雕龍'의 오기이다.

然覺, 則蘧々然周也. 不知周之夢爲胡蝶與, 胡蝶之夢爲周與. 周與胡蝶則必有分矣. 此之謂物化.』

(녯 날 莊周가 꿈에 나비가 되여 훨훨 나는 나뷔 되여 스스로 즐거워 周인 줄을 몰랏다가 문득 깨여보니 어이쿠 그 周이여네. 아지 못케라, 周가 꿈에 나뷔엿던지, 나뷔가 꿈에 周이엿던지. 周와 나비는 분간이 잇스려만 이를 닐러 物化하는 걸세.)

이것 하나로도 그 技巧의 淡雅 淸郁한 情趣를 볼 수 잇는 것이다.

이 밧게 細微周到, 簡勁, 精不刻한 描寫에까지 니르러 例를 들자면 一二로 足히 할 바 못되거니와 柳宗元의 叔景文 갓흔 것은 中國文學의 餘韻 餘情의 趣를 엿 볼 수 잇는 好個의 適例라 할 것이다.

그러나 種種 이러한 것으로 말미암어 도로혀 그 內容에 弊端을 니르키는 것이 잇슴은 큰 惡點이라 안이할 수 업다.

어떠한 文學이던지 才와 技巧와 形式에 기울어지면 그 內容의 힘이 저 傷되는 것이며 홀로 이 弊端이 中國文學에만 잇다고는 못할지언정 何如間 中國의 文學이 그 技巧方面에 上乘인 것 만콤 흔히 그 內容을 傷하는 惡點이 잇는 것은 分明하다.

이리하여 大概로 輪郭的임에 不外하나마 中國文學에서는 思想政治, 道德 情趣 이러한 內容的 方面과 技巧, 文體, 描寫 이러한 形式的 方面을 蛙觀한 대로 贅陳하엿다. 西歐文學에 儼然히 對立한 東洋文學 그 中에서도 또한 特殊한 한 地位를 가지고 잇는 中國文學은 홀로 獨自의 步調를 取하고 잇는 것이니 長點이 잇스며 그도 中國의 獨點이요, 短所가 잇스매 그도 또한 中國의 特色이다. 一言으로 擱筆컨댄 中國文學은 中國的 基礎, 中國的 傳統 말하면

中國的 精神이 充溢한 文學이라 할 것이다. 이 點이 中國文學의 價値 乃至 生命인 것이며 이 點으로야만 그 獨特한 存在의 意義가 잇는 것일찌니 朝鮮의 文學이 朝鮮의 氣魂, 朝鮮의 傳統, 朝鮮의 精神 우에서만 하는 것과 꼭 갓흔 것이라 할 것이다.

(了)

——一九二七年 五月 於 東京

元曲 漢宮秋[01](발췌)

元 馬致遠 作, 擔雪學人 譯

解題[02]

元曲이라는 것은 明曲이라는 것에 對한 일홈이니 明曲을 南曲(或은 南詞)이라 하면 元曲은 北曲(或은 北詞)이라 할 것이오, 또 明曲을 傳奇라 할 時는 元曲은 雜劇이라 함이 올타. 元이니 明이니 하는 것은 支那의 朝代 Dynasty의 名稱이오, 北이니 南이니 함은 地方의 區別이며, 曲이라 함은 劇曲 Drama을 意味함이나 支那의 劇은 그 일홈을 曲이라 함과 갓치 歌曲을 中心으로 하는 一種의 Opera이다. 또 雜劇이니 傳奇니 하는 것은 作品의 來歷과 體裁를 따라서 區別함이오, 支那 小說의 一種에도 傳奇라는 名稱이 잇스니 이와 混同하지 말어야 한다.

그러면 普通 元曲이라 함은 그 中에 어느 것을 指定함이며 그 體裁는 果然 엇더한가? 나는 元人이 지은 雜劇에 限하야서만 元曲이라는 일홈을 붓치려 한다. 그런 故로 傳奇 中에 設或 元人이 지은 것이 잇다 하더라도──元人

---

01 『現代評論』 1927년 6월, 7월, 9월호.

02 매호 연재분 표제로서, 3회에 걸쳐 연재되다가 미완으로 그치나, 여기서는 앞 2회의 해제 부분만을 발췌 수록하였다.

이 지은 傳奇는 한아도 업다고 斷言한다. 支豊宜라는 사람의 曲目表에는 元人 傳奇라 하고서 董西廂과 西廂記와 伏虎綠의 세 가지를 列擧하엿스나 董西廂은 元曲의 前身이라고도 할만한 搊彈詞라는 것이오, 西廂記는 例外일망정 確實한 雜劇이오, 伏虎綠라는 것은 보지는 못하엿스나 曲目 表注에 『相傳爲元人作, 附于此』라고 한 것을 보면 그 體裁가 비록 傳奇와 갓다 할지라도 元人의 作品이라고 確信할 수 업다.──이것은 元曲이라고 하지 안코, 또 元曲選(明 藏晋叔이 編輯한 雜劇의 叢書, 一名 元人百種曲) 中에 잇는 明人의 作品이라든지, 或은 그 外에라도 明人이나 清人이 지은 雜劇은 그 體裁와 詞調가 元曲과 一致하지만 이것도 北曲이라고는 할망정 元曲이라고는 할 수 업다. 그리고 보면 雜劇의 體裁와 詞調로 된 元人의 作品에 限하여서만 眞正한 元曲이라고 할 수 잇다.

雜劇의 體裁(形式)라는 것은 一本이 四析(幕)에 난위고──或 楔子(序幕)가 初頭에나 折과 折 사이에 잇기도 하나 이것은 折數에는 들지 아니한다.──또 一折은 반듯이 一宮調로 되고 同一한 韻을 다는 것이 正則이다. 傳奇는 이와 反對로 齣數에 定限이 업고 一齣 中에도 多數의 宮調를 쓸 수 잇다. 曲에는 白(說話), 科(動作), 唱(歌曲)이 잇스되 雜劇에 잇서서는 正色(主役俳優, 男女 勿論)만이 唱을 하고 다른 雜色(主役 以外 諸 俳優)들은 科와 白뿐인데, 傳奇는 이와 달나서 各色들이 各其 다 唱을 하고 或은 輪唱이나 合唱도 하게 된 것이니, 우리나라 春香歌(演奏하는)는 傳奇의 一種으로 볼 수 잇다. 우리나라에서 前日부터 愛讀하야 오던 西廂記는 元曲임은 勿論이나 一種의 例外이니 後日을 期하야 更論하려 한다.

南北曲을 勿論하고 曲에는 宮調가 中心이니 宮調라는 것을 說明할야면 東洋音樂의 原理를 簡單히라도 말하여야 하겟다. 東洋音樂은 五音(宮, 商, 角, 徵, 羽)과 十二律呂(黃鍾, 大呂, 太簇, 夾鍾, 姑洗, 仲呂, 蕤賓, 林鍾, 夷則, 南呂, 無射, 應鍾)로

成立되엿스니 五音이라는 것은 宮과 徵의 各々 變音(半音나 진聲)을 合하야서 西洋音樂에 音階 Do Re Mi Fa So La Si와 一般이오, 十二 律呂는 西洋 有鍵樂器에 黑鍵과 白鍵을 合한 十二音과 一致하나니 此를 圖表로 記하면 左와 如한 關係이다.

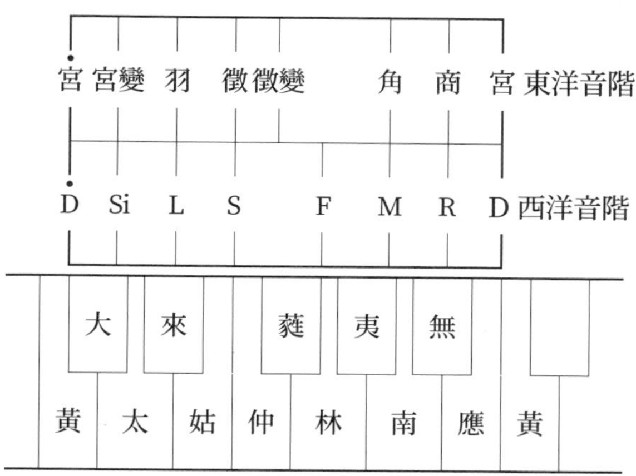

또 西洋 五線樂譜에 C主調이니 G主調이니 하는 것이 잇는 것과 갓치 支那 古來 音樂에도 仙呂宮이니 大石調니 하는 것이 잇스니 이것은 十二 律呂 中에 엇던 音으로 宮聲을 삼는다는 것을 表示함이다. 西洋音樂에 C主調나 G主調라는 것은 다만 엇던 音을 Do로 한다는 것만 表示함이나 支那樂에 仙呂宮이니 大石調니 하는 것은 그 以外에 旋法——長旋法(宮調), 短旋法(羽調), 雅旋法(商調) 等——의 區別을 同時에 表示하는 것이다. 여긔서 混同되기 쉬운 것은 宮調라는 名詞이다. 曲에 中心은 宮調라고 한 것은 某宮 某調라는 宮과 調를 合하야 불음이오, 長旋法 即 宮調라고 한 宮調는 旋律의 名稱이니 글字는 갓흐나 意味는 辦異함에 注意하여야 한다.

旋法 / 爲宮律呂	宮調	商調	羽調
黃鐘	○正宮	○大石調	般涉調
夾鐘	○中呂宮	○雙調	中宮調
仲呂	道宮	小石調	正平調
林鐘	○南呂宮	歇指調	高平調
夷則	○仙呂宮	○商調	仙呂調
無射	○黃鐘宮	○越調	羽調

이 表는 宋 張叔夏의 詞源에 依함이니 卽 宋時代의 俗樂 調名이라, 詞에는 六宮 十二調가 다 쓰이지만은 曲에는 쓰지 안는 것이 만타. ○表 잇는 것은 九成曲論에 列擧한 九宮調이니 曲에는 이것만이 쓰이는 것인 줄을 알 것이다.

宮調와 갓치 曲에 必要한 것은 牌名이다. 曲 中에 唱은 確實히 詞에서 變遷된 것이니 詞에는 詞調라는 것이 잇고 詞調를 다시 溯源하면 最初에는 詩題와 同一한 것이다. 詩가 變하야 長短句가 될 때에 同一한 句法과 音調로 다른 뜻의 歌詞를 지으면서 題目은 內容과 判異한 最初의 題目을 붓침이니 詩題는 內容을 表示함이오, 詞調는 形式을 表示하는 것이다. 曲의 牌名도 詞의 詞調와 갓치 歌詞의 內容에는 조곰도 關係가 업고 다만 句數라든지 字數라든지 或은 音襯, 平仄, 脚韻 等 卽 文學의 形式的 方面만을 表示함에 不過하다. 갓흔 牌名 中에 字數의 異同이 잇슴은 襯字(音節數 外의 字이니 唱할 時에는 每字의 時間을 短縮하야 全章의 拍子에는 關係가 無한 것)를 쓰는 까닭이다. 이 現象은 詞에서도 불 수가 잇나니 朝鮮소리에도 七五調로 된 歌曲 中에 七字句가 或 八字 或 六字句로 變한 例는 決코 稀貴하지 안타. 이 法則을 알엇든지 몰낫든지 萬紅友氏가 詞律이라는 冊을 編纂할 때에 同一한 詞調 中에 一字 或은 二字의 加減이 잇다고 이것을 又一體라는 同名別體로 分類한 것은 杜撰의

極이라 할 수 잇다.

曲의 牌名은 一定한 所屬 宮調가 잇스니 換言하자면 各 宮調에는 一定한 所屬 牌名이 잇서서 그 中에서 엇던 것을 選擇할 수는 잇스되 그 宮調에 所屬이 안인 牌名을 借用하지는 못하는 것이 原則이다. 各 宮調에 所屬 牌名表는 쉽게 보자면 元曲選 第一冊 始頭 天臺 陶九成 曲論에 詳細하다.

假令 漢宮秋 第二折을 들어서 그의 實例를 보건대, 左와 如하다.

天臺 陶九成 曲論	漢宮秋 第二折
南呂宮 三十九章	南呂
一枝花	第一唱
梁州第七	第二唱
罵玉郎	
感皇恩	
採茶歌	
牧羊關	第四唱
賀新郎	第五唱
哭皇天	第七唱
烏夜啼	第八唱
四塊玉	
神仗兒	
鬪蝦蟆	第六唱
楚天秋	
鵪鶉兒	
蝦蟆序	

醉鄉春	
紅芍藥	
菩薩梁州	
攤破採茶歌	
三煞	第九唱
二煞	第十唱
么煞	
轉調貨郎兒	
乾荷葉	
側磚兒	
竹枝歌	
金字經	
一機錦	
梧桐樹	
水仙子	
王嬌枝	
黃鐘尾	第十一唱
神仗兒煞	
隔尾隨煞	
隔尾黃鐘煞	
隨尾	
隔尾	第三唱
收尾	
煞尾	

이와 갓지 南呂宮 三十九章 牌名 中에서 任意로 選擇은 하되 다른 宮調에 所屬된 牌名을 쓰지는 못한다.

또 曲에는 末, 旦, 淨, 丑 等의 脚色이라는 것이 잇스니 이것은 各其 맛는 所任을 따라서 俳優를 分類하는 名稱이니 이에 對하야는 여러 가지 異說이 만으나 末은 男, 旦은 女, 淨, 丑은 男女 共通되는 色이오, 支那劇은 登場 俳優의 扮裝만 보면 어느 色을 맛흔 俳優인지 容易히 알 수 잇다. 上以은 元曲이 成立되는 形式的 方面의 大略이니 이만한 豫備 知識은 가지고서 元曲을 읽어야만 비로소 頭緖를 차즐 수 잇는 것이다.

漢宮秋는 자세히 말하자면 破幽夢孤雁漢宮秋雜劇이라 하나니 이것을 普通 正名이라 하고, 沈黑江明妃靑塚[03]이라는 題目이 따로 잇다. 이 題目과 正名만 보더라도 內容이 무슨 이야기인지는 짐작할 뜻하다. 이것은 勿論 다시 말할 必要도 업지만은 有名한 王昭君의 故事를 脚色한 것인대 元代 四大 作劇家의 一인 馬致遠의 作이오, 元曲選 開卷 第一에 잇는 것이다. 王昭君의 歷史的 事實은 前漢書 元帝紀에

> 竟寧元年春正月, 匈奴虖韓邪單于來朝, ——[04]改元爲竟寧, 賜單于待詔掖庭王檣, 爲閼氏.

라고 잇슬 뿐이다. 註에 應劭曰, 郡國獻女, 未御見, 須命於掖庭, 故曰待詔, 王檣王氏女, 名檣, 字昭君이라 하고 또 蘇林曰, 閼氏音焉支, 如漢皇后也라 하엿스니 이 記事를 보면 漢元帝에게 一次도 見身할 機會를 엇지 못한 宮女 王

---

03 '沈黑江明妃靑塚恨'으로서, '恨'자가 탈락되어 있다.

04 중략 표기이다.

檣이가 匈奴王의 皇后가 되여갓다는 것만은 認定할 수 잇다. 이것을 小說化 한 것은 劉歆의 西京雜記이다.

> 元帝後宮旣多, 不得常見, 乃使畵工圖其形, 案圖召幸, 宮人皆賂畵工, 多者十萬, 少者亦不減五萬, 昭君自恃容貌, 獨不肯與, 工人乃醜圖之, 遂不得見, 後匈奴入朝, 求美人爲閼氏, 帝按圖以昭君行, 乃去, 召見貌, 爲後宮第一, 善應對, 擧止閒雅, 帝悔之, 而名籍已定, 方重信於外國, 故不復更人, 乃窮按其事, 畵工有杜陵毛延壽, 爲人形, 醜好老少, 必得其眞, 安陵陳敞, 新豊劉白, 龔寬, 並工爲牛馬飛鳥衆藝, 人形好醜不逮延壽, 下杜陽望樊靑, 尤善布色, 同日棄市, 籍其家資, 皆巨萬, 京師畵工, 於是差稀.

라하엿고, 또 古今樂錄에는

> 明君歌舞者, 晋太康中, 季倫所作也, 王明君本名昭君, 以觸文帝諱, 故晋人謂之明君, 匈奴盛請婚於漢, 元帝以後宮良家子明君配焉.

이라 하엿고, 또 樂府解題에는

> 王嬙, 字昭君, 琴操載昭君. 齊國王穰女, 端正閒麗, 未嘗窺門戶, 穰以其有異於人, 求之者皆不與, [05]十七獻之元帝, 元帝以地遠不

05 '年'자가 탈락되어 있다.

之幸, 以備後宮, 積五六年, 帝每遊後宮, 常怨不出, 後單于遣使朝貢, 帝宴之, 盡召後宮, 召君盛裝而至, 帝問, 欲以一女賜單于, 能者往, 昭君乃越席請行, 時單于使在傍, 驚恨不及, 昭君至匈奴, 單于大悅, 以爲漢與我厚, 縱酒作樂,——[06]昭君恨帝始不見遇, 乃作怨思之歌, 單于死, 子世達立, 昭君謂之曰, 爲胡者妻母, 爲秦者更娶, 世達曰, 欲作胡禮, 昭君乃呑藥而死.

라 하엿다. 漢書 匈奴傳에는

復株彔小單于(呼韓邪前妻之子)復娶王昭君, 生二女, 長女云爲須卜居次, 小女爲當于居次.

라는 記事 뿐이니, 注에 李奇曰, 居次者, 女之號, 若漢言公主也, 文穎曰, 須卜氏, 匈奴貴族也, 當于亦匈奴大族也라 하엿다.

三種에 傳說이 다 달으니 니느 것을 밋겟다고는 할 수 업스나 匈奴에게로 간 것만 하여도 큰 悲劇이오, 多情多感한 文人才子들의 咏嘆할 材料이엿슬 것은 勿論이다. 더군다나 飮藥自殺이란다든지 投江自決이란다든지 或은 死後에 胡地無花草라고까지 하는 곳에 青塚이 生기엿다는 等 詩的 傳說이 豊富한 王昭君의 一生이 支那文學上에 多大한 影響을 밋치게 한 것은 도리여 當然하다 할 수 잇다.

(時日이 急迫하야 解題도 中途에 끈게 됨은 讀者 諸氏께 대단 未安하오나 不得己한 事情이

---

06 중략 표기이다.

오니 諒察하시압, 次回에는 王昭君을 材料로 한 文字的 作品에 紹介와 漢宮秋의 作者 馬致遠에 對한 考證으로 解題를 끗내고 本文의 拙譯을 連載하겟나이다.)

(五月 二十八日)

解題 (續)

王昭君의 悲劇的 事實과 詩的 傳說을 材料로 한 文學的 作品은 그 數를 헤아리기 어려울 만치 만히 잇다. 그 中에서도 王昭君을 塞北으로 보낼 때에 馬上에서 琵琶로 離別曲을 지엇다는 傳說이 잇슴으로 因하야 우리나라의 春香歌나 沈淸歌와 갓치 歌曲의 名詞가 되엿스니 昭君 或은 明君이라는 일홈이 붓는 樂府만하더라도 王明君, 王昭君, 明君詞, 昭君歎, 昭君怨, 明妃怨 等의 여러 가지가 잇다.

古今樂錄에

> 初, 武帝, 以江都王連[07]女細君, 爲公主, 嫁烏孫王昆莫, 令琵琶, 馬上作樂, 以慰其道路之思, 送明君, 亦然也. 其造新之曲, 多怨哀之聲, 晋宋以來, 明君止以絃隸, 少許爲上舞而已, 梁天監中, 斯宣達爲樂府令, 與諸樂工, 以淸商兩相間絃, 爲明君, 上舞, 傳之至今.

07 '連'은 '建'의 잘못이다.

이라 하엿스니 그 音樂과 關係된 來歷을 알 수 잇다. 또 謝希逸琴論에는

平調 明君 三十六拍

胡笳 明君 二十六拍

淸調 明君 十三拍

間絃 明君 九拍

蜀調 明君 十二拍

吳調 明君 十四拍

杜瓊 明君 二十一拍

等을 들어 凡有 七曲이라 하엿고 또 琴集에는

胡笳明君四弄, 有上舞, 下舞, 上間絃, 下間絃, 明君三百餘弄, 其善者四焉. 又胡笳明君別五弄, 辭漢, 跨鞍, 望鄕, 奔雲, 入林是也.

라 하엿스니 이것을 보와도 王昭君이 音樂과 多大한 關係가 잇슴을 알 것이다.

現存한 歌詞 中에 第一 原始的인 듯한 것은 王明君과 昭君怨이니 前者는 五言인대 宋 郭茂倩이 編輯한 樂府詩集에는 相和歌辭에 屬하엿스며 作者名은 업고 다만 「晋樂所奏」라고 註하엿다. 그러나 이것은 確實히 晋 石崇의 作이니 文選과 玉臺新詠에도 잇는 것이오, 後者는 四言인대 樂府詩集에 明白히 作者는 王嬙이라 써 잇고 琴曲歌辭에 編入되엿다.

王明君

石崇

我本漢家子, 將適單于庭.
辭訣未及終, 前驅已抗旌.
僕御涕流離, 轅馬悲且鳴.
哀鬱傷五內, 泣淚沾朱纓.
行行日已遠, 遂造匈奴城.
延我於穹廬, 加我閼氏名.
殊類非所安, 雖貴非所榮.
父子見陵辱, 對之慙且驚.
殺身良不易, 默默以苟生.
苟生亦何聊, 積思常憤盈.
願假飛鴻翼, 乘之以遐征.
飛鴻不我顧, 佇立以屏營.
昔爲匣中玉, 今爲糞上英.
朝華不足嘉, 甘與秋草幷.
傳與後世人, 遠嫁難爲情.

昭君怨

王嬙

秋木萋萋, 其葉萎黃. 有鳥處山, 集于苞桑.

養育毛羽, 形容生光. 旣得升雲, 上遊曲房.
離宮絶曠, 身體摧藏. 志念抑沈, 不得頡頏.
雖得委食, 心有徊徨. 我獨伊何, 改往變常.
翩翩之鷰, 遠集西羌. 高山峩峩, 河水泱泱.
父兮母兮, 道里悠長. 嗚呼哀哉, 憂心惻傷.

이 外에도 六朝 以後 詩人들이 樂府歌辭로 지은 것이 만히 잇스니 只今 그의 二三을 들면 左와 如하다.

王昭君

鮑照

旣事轉蓬遠, 心隨雁路絶.
霜鞞旦夕驚, 邊笳中夜咽.

同前

庾信

猗蘭恩寵歇, 昭陽幸御稀.
朝辭漢闕去, 夕見胡塵飛.
寄信秦樓下, 因書秋雁歸.

同前

崔國輔

漢使南還盡, 胡中妾獨存.
紫臺綿望絶, 秋草不堪論.

一回望月一回悲, 望月月移人不移.
何時得見漢朝使, 爲妾傳書斬畵師.

同前

盧照隣

合殿恩中絶, 交河使漸稀.
肝膓辭玉輦, 形影向金微.
漢宮草應綠, 胡庭沙正飛.
願逐三秋雁, 年年一度歸.

同前

沈佺期

非君惜鸞殿, 非妾妬蛾眉.
薄命由驕虜, 無情是畵師.
嫁來胡地惡, 不並漢宮時.

心苦無聊賴, 何堪上馬辭.

同前

梁獻

圖畫失天眞, 容華坐誤人.
君恩不可再, 妾命在和親.
淚點關山月, 衣鎖邊塞塵.
一聞陽鳥至, 思絶漢宮春.

同前

董思恭

琵琶馬上彈, 行路曲中難.
漢月正南遠, 燕山直北寒.
髻鬟風拂亂, 眉黛雪沾殘.
斟酌紅顔畫, 何勞鏡裏看.

同前

東方虬

漢道初全盛, 朝庭足武臣.

何須薄命妾, 辛苦遠和親.
胡地無花草, 春來不似春.
自然衣帶緩, 非是爲腰身.

同前

郭元振

自嫁單于國, 長銜漢掖悲.
容顔日憔悴, 有甚畵圖時.
聞有南河信, 傳聞殺畵師.
始知君恩重, 更遣畵蛾眉.

同前

劉長慶

自矜妖艶色, 不顧丹青人.
那知粉繢能相負, 却使容華翻誤身.
上馬辭君嫁驕虜, 玉顔對人啼不語.
北風雁急浮清秋, 萬里獨見黃河流.
纖腰不復漢宮寵, 雙蛾長向胡天愁.
琵琶絃中苦調多, 蕭蕭羌笛聲相和.
可憐一曲傳樂府, 能使千秋傷綺羅.

同前

李白

漢家秦地月, 流影照明妃.
一上玉關道, 天涯去不歸.
漢月還從東海出, 明妃西嫁無來日.
燕支長寒雪作花, 蛾眉憔悴沒胡沙.
生乏黃金枉圖畫, 死留青塚使人嗟.

同前

僧皎然

自倚嬋娟望主恩, 誰知美惡忽相翻.
黃金不買漢宮貌, 青塚空埋胡地魂.

同前

白居易

滿面胡沙滿鬢風, 眉銷殘黛臉銷紅.
愁苦辛勤顦顇盡, 如今却似畫圖中.
漢使却迴憑寄語, 黃金何日贖蛾眉.
君王若問妾顔色, 莫道不如宮裏時.

明君詞

王偃

北望單于日半斜, 明君馬上泣胡沙.
一雙淚滴黃河水, 應得東流入漢家.

昭君歎

沈氏

早信丹青巧, 重貨洛陽師.
千金買蟬鬢, 百萬寫蛾眉.
今朝猶漢地, 明旦入胡關.
情寄南雲反, 思逐北風還.

昭君怨

張祜

萬里邊城遠, 千里行路難.
擧頭唯見月, 何處是長安.
漢庭無大議, 戎虜幾先和.
莫羨傾國色, 昭君恨最多.

現存한 樂府歌辭만 쓰재도 限이 업겟지만 너무 支離할 뜻하니 樂府는 이

만하고 다음에는 杜甫의 詠懷古跡詩 一首와 史夢蘭 全史宮詞 中에 一首를 紹介하고 詩에 對해서는 고만 割愛하겟다.

詠懷古跡

杜甫

群山萬壑赴荊門, 生長明妃尙有村.
一去紫臺連朔漠, 獨留靑塚向黃昏.
畵圖省識春風面, 環珮空歸月夜魂.
千載琵琶作胡語, 分明怨恨曲中論.

全史宮詞

史夢蘭

粉黛三千遍六宮, 丹靑取次入圖中.
承恩不盡關容貌, 且把黃金賂畵師.

最近에 이 事實을 傳奇小說로 지은 것이 잇스니 民國 四年에 上海 槐蔭山房에서 石印으로 出版한 傳幼圃이 「新編昭君和番靑塚留芳蹟」이 그것이다. 全部 四卷 三十回나 되는 一大 長編小說이니 作者의 用意處는 그 序文의 一節만 보면 알 수 잇다.

開幕便以夢起, 已揭出是書之幻, 是不得以正史繩之矣. 惟其處處以靑塚二字發揮, 事事以忠孝兩全立論, 雖事或必無, 而理則固有. 夫夢裡訂姻, 事奇也. 詩畫音律, 才奇也. 壓倒南北六宮色奇也. 婉轉報讐, 不動聲色, 智奇也. 萬里和番, 毅然就道, 勇奇也. 專心漢室, 不爲寵奪, 志奇也. 調和兩國, 投水全貞, 節奇也. 至於塞外草黃, 而其塚草獨靑, 以見其精英之氣, 雖死猶不忘漢, 則更神而奇矣. 直是一生所秉, 無一不奇, 如昭君者, 眞可謂女中之奇特, 不得不作奇書, 而爲之傳奇矣.

라 하엿스니 이것만 보와도 內容은 想像할 수 잇고 또 第一回 始頭詩에 「人爲昭君怨, 我爲昭君慶. 明帝舊宮人, 誰猶識名姓」고 하엿스니 이것은 作者의 主見이 以上에 紹介한 樂府나 詩의 作者와 달은 點이오, 確實히 傅氏가 一隻眼을 具하엿다고 할 수 잇다. 이 外에도 或 王昭君을 材料 삼은 小說이 잇는지도 몰으나 나의 본 바는 이 一種에 지나지 못한다.

曲에는 關漢卿의 「漢元帝哭昭君」 一本과 張時起의 「昭君出塞」 一本이 잇섯다고 일홈을 傳하나 至今은 佚亡되야 볼 수 업고 다만 只今 紹介하려 하는 「漢宮秋雜劇」이 잇슬 뿐이다. 漢宮秋는 單行本은 勿論 업지만은 元曲選 開卷第一에 잇고 東京國民文庫刋行會에서 編輯할 國譯漢文大成文學部 第十卷에 宮原民平氏의 日語 譯이 잇스닛가 누구든지 容易히 볼 수 잇다. 또 英人 존, 따뷘氏의 一部分의 英語 譯이 잇다 하나 보지 못하엿다.

作者 馬致遠의 傳記는 도모지 상고할 길이 업고 다만 號가 東籬인 쥴만 알 수 잇다. 그러나 詞曲에 對한 非常한 天才이엇섯든 듯하고 數多한 元曲作家 中에서 特히 關漢卿, 白仁甫, 鄭廷玉의 三人과 갓치 關馬白鄭이라는 成語가 生길만치 有名하다. 그의 作品은 日前에 北京 頤和園 昆明池에 投身 自

殺한 故 王國維氏의 曲錄에 依하면 以下 十四種이 잇다. 그 中에 ○表는 元曲選 中에 現存한 것이니 七種이나 된다.

○漢宮秋

○薦福碑

○岳陽樓

○黃梁夢

○青杉淚

○陳摶高臥

○三度任風子

踏雪尋梅

誤入挑源

酒德頌

齋後鍾

歲寒亭

戚夫人

金山寺

(以上十三種見元曲選及太和正音譜, 見北詞廣正譜. 按. 廣正譜에 잇는 金山寺는 雜劇이 안이오, 套數이니 王氏의 誤인 듯. 本文後出.)

右十四種, 元馬致遠撰, 致遠號東籬, 里居未詳, 江淅行省屬官.

(曲錄卷上)

明 寧獻王이 編輯한 「太和正音譜」에 元曲 作家의 等級을 매인 古今群英樂

府格勢라는 一條가 잇스니 元 一百七十七人 中에 馬致遠을 第一首位에 쓰고

> 馬東籬之詞, 如朝陽鳴鳳. 其詞典雅淸麗, 可與靈光景福, 而相頡頑, 有振鬣長鳴, 萬馬皆瘖之意, 又若神鳳, 飛鳴于九霄, 豈可與凡鳥共語哉, 宜列群英之上.

이라고 極口의 稱讚을 앗기지 안이한 것만 보와도 그의 天才的 詞客임을 推想할 수 잇다. 또 元 楊朝英이 編輯한 「太平樂府」와 「陽春白雪」 中에 散見하는 小令(曲의)과 套數가 不少하니 이것도 叅考삼어 二三을 紹介하겟다. 이 두 冊은 元刻本이 現傳하는대 太平樂府는 四部叢刋에 影印이 잇고 陽春白雪은 光緖 年間에 小檀欒室 徐乃昌의 覆元重刋本이 잇셔서 두 가지가 다 容易히 볼 수 잇다. 또 梁廷枏 曲話 卷二에 漢宮秋에 對한 評 一條와 李調元 雨村曲話 卷上에 馬致遠의 詞에 對한 評 九條가 잇스니 이 두 冊은 모다 曲苑이나 讀曲叢刋에 잇슴으로 보기 어렵지 안타.

馬致遠作 小令套數

雙調湘妃怨(俗名水仙子和盧踈齋西湖四段錄一)

採蓮湖上畵船兒, 垂釣灘頭白鷺絲[08]. 雨中樓閣煙中寺. 笑王維, 作畵師. 蓬萊倒影參差. 薰風來至, 荷香淨時. 淸潔煞避暑的西施.

(陽春白雪前集 卷二)

---

08 '鷺絲'는 '鷺鷥'의 잘못이다.

雙調撥不斷(太平樂府四首陽春白雪十段各錄一首)

路傍碑, 不知誰. 春苔綠滿無人祭. 畢卓生時酒一杯, 曹公身後墳三尺. 不如醉了還醉.

(陽春白雪前集 卷三)

布衣中, 問英雄. 圖王覇業成何用. 禾黍高低六代宮, 楸梧遠近千官塚. 一場惡夢.

(太平樂府 卷二)

雙調慶東原(嘆世六首中錄一)

拔山力, 擧鼎威. 暗嗚叱咤千人廢. 陰陵道北, 烏江岸西. 休了, 衣錦東歸. 不如醉還醒, 醒還醉.

(同上)

雙調清江引(野興六首中錄一)

山禽曉來窓外啼, 喚起山翁睡. 恰道不如歸, 又叫行不得. 則不如尋箇穩便處, 閑坐地.

(同上)

雙調壽陽曲(俗名梅花風三十一段錄一)

一陣風, 一陣雨. 滿城中, 落花飛絮. 紗窓外, 驀然聞杜宇. 一聲々, 喚回春去.

(陽春白雪前集 卷三)

正宮蟻宮曲(即折桂令嘆世二首錄一)

東籬半世跎蹉. 竹裏遊亭, 小宇婆娑. 有箇池塘, 醒時漁笛, 醉后漁歌. 嚴子陵, 他應笑我. 孟光臺, 我待學他. 笑我如何. 到大江湖, 也避風波.

(太平樂府 卷一)

正宮金字經(三首錄一)

夜來西風裏, 九天鵬鶚飛. 困煞中原一布衣. 非[09], 故人知未知. 登樓意, 恨無天上梯.

(陽春白雪后集 卷一)

越調小桃紅(四段錄[10])

畵堂春暖綉幃重, 寶篆香微動. 此外虛名要何用. 醉鄉中, 東風喚醒梨花夢. 主人愛客, 尋常迎送. 鸚鵡在金籠.

(陽春白雪前集 卷五)

南呂四塊玉(恬退四首錄二)

綠鬢衰, 朱顏改. 羞把塵容畵麟臺. 故園風景依然在. 三頃田, 五畝宅, 歸去來.

酒旋沽, 魚新買. 滿眼雲山畵圖開. 淸風明月還詩債. 本是箇懶散人, 又無甚經濟才. 歸去來.

(太平樂府 卷五)

---

09 '悲'의 오식이다.

10 '一'자가 탈락되어 있다.

以上小令七十四首中錄十一首.

弄花香滿衣

【仙呂賞花時】麗日遲々簾影篩, 燕子來時花正開. 閑綉閣, 冷粧臺. 兜鞋信步, 後園裏, 遣閨懷.【么】萬紫千紅妖弄色, [11]難禁風力擺.[12] 見鞦韆掛起芳草上層堦.

【賺煞】猛觀絶, 宜簪帶. 行不顧, 香泥綠苔. 曉露未晞移綉襪, 愛尋香, 頻把身挨. 喜盈腮. 折得向懷揣, 就手內. 遊蜂鬪爭採. 不離人左側, 風流可愛. 貼春衫, 又引得箇粉蝶兒來.

(太平樂府 卷六)

金山山

【商調集賢賓】金山寺, 可觀東大海, 遊容鎭常齋. 恰恨他來看翫, 殿閣齊開. 誰知是金斗那蘇卿, 嫁得箇江洪茶員外. 便仙[13]洛伽山觀自在, 行行裏道娘狠毒害. 眼流江上水, 裙拂徑中苔.【么】玉容上帶着些寂寞色, 隨喜罷無可安排. 俗子先登旅岸, 佳人向立僧街. 向椒紅壁上題詩, 去伽藍廟裏述懷. 更俄延又恐怕他左猜, 那村漢多時孤待. 酷吟得詩句穩, 忙寫得字兒歪.

【隨調煞】出山門長老行啼哭着拜. 僧歸藜杖懶, 風送畵船開. 留後

---

11 '嬌態' 2자가 탈락되어 있다.

12 뒤에 '時亂點塵埃.'가 탈락되어 있다.

13 '仙'은 '似'의 잘못이다.

語, 盼多才. 也做了長江販茶客. 若到豫章城相見, 抵多少月明千里故人來.

(北詞 廣正譜 卷七)

이것이 所謂 套數라는 것이니 詞와 曲의 中間 文學이라 할 수 잇다. 套數라는 것은 曲의 白과 科가 업는 것이라고도 볼 수 잇고 또 小令과 套數의 區別은 여러 가지 說이 잇지만은 尾聲의 有無를 가지고 區別의 標準을 삼는 것이 大概 定說이라고 할 수 잇다.(賺煞이니 隨調煞은 尾聲의 一種) 太樂樂府 中에 現存한 馬致遠의 套數는 이것 外에 越調集賢賓 一篇, 大石調青杏子 一篇, 南呂一枝花 一篇, 般涉調要孩兒 一篇, 同哨遍 一篇이 잇스나 套數는 小令과 달나서 文辭가 만은 故로 이루다 記錄할 수 업고 設或 記錄할 수가 잇다 하더라도 보시는 이도 支離할 뜻하야 이것만으로 解題는 끗흘 막고 고만 本文으로 드러가기로 한다.

어느 나라 말을 勿論하고 詩歌의 飜譯은 無意味한 것이오, 徒勞 無功이라 함은 거의 定說이다. 論者에 依하야서는 全혀 不可能의 事라고까지도 한다. 왜 그러냐하면 詩歌는 다른 一般 科學과 달나서 事實을 表示함이 안이오, 그의 內容보다도 音節의 微妙한 變化와 字數나 句數 等의 形式을 重要한 要素로 삼는 것이니 卽 Rhythm과 Form을 無視하면 詩라고 말할 수 업다. 그런 故로 言語와 習慣이 달으고 兼하야 感情의 表現이 갓지 안은 他國의 詩歌를 飜譯한다는 것은 다만 그 內容을 紹介함에 不過하다. 그럼으로 나는 이 漢宮秋를 忠實히 紹介하기 爲하야 本文과 對譯을 하려 한다. 그리하면 譯文의 不充分한 點은 本文을 參看하야 互相 補充할 수 잇고 本文만 보고 能히 解譯하실 分에게는 材料를 提供하는 셈으로 또 그 나마도 譯文이 업스면 모으실 分

에게는 本文을 보시는 데 多少 參考라도 되겟다는 뜻으로 제 힘껏은 率直하게 對譯을 하기로 하니 讀者 諸氏가 微衷에 잇는 곳을 諒解하여 주신다면 이에 지날 所望이 업겟다.[14]

附記: 이것이 序幕, 所謂 楔子라는 것인대 이것을 읽은 讀者는 우스운 事實을 發見하엿슬 것이다. 登場 俳優가 모다 詩를 읇흐면서 올나오고 또 詩를 읇흐면서 退場하는 것과 登場 最初에 나는 누구로라고 觀客이나 聽衆에게 自己 紹介하는 것과 舞臺上 用語가 一致하지 안이한 點에 疑惑이 잇섯슬 것이다. 詩를 읇는 것은 支那小說의 最初에 詩를 쓰는 것과 一般이니 支那小說은 그 일홈을 처음에는 演義라고 하야 이야기군이 聽衆을 모와 놋코서 이야기를 해들니든 原稿니 처음에 古人의 詩를 紹介하고 나서 그 詩의 內容으로 因하야 이야기를 끄집어 내는 것이 例이다. 이것을 더 古代에까지 미루워 生覺하면 左傳이나 孟子 等에 보이는 詩 傳句를 引用하야 自己의 所說을 證明하는 것과 달을 것 업다. 自己 紹介하는 것은 俳優의 資格으로서가 안이라 맛치 活動 寫眞 辯士가 寫眞 說明 하는 것과 갓치 劇의 支配者나 辯士의 代身으로 觀客으로 하여금 劇의 內容을 理解를 쉽게 하기 爲하야 말하는 것이니 그런 故로 반듯이 觀覽席을 내려다보고 演說하는 쩨로 짓거린다. 唱도 亦是 이와 갓다. 用語가 不一致한 것은 一個 俳優(前에 우리나라에서 광대에게 對하던 것과 一般이니 支那의 俳優는 極히 賤하게 녀기는 것)의 資格으로 觀客(大概는 高貴한 사람이 만타. 王公貴族 等)에게 對한 말이닛가 極恭敬하는 言語를 쓸 것이오, 舞臺上 俳優끼기는 扮裝한 資格대로 用語하는 것이라, 그와 갓치 不一致하다.

---

14 이하 제2회 후반부와 제3회의 원곡 「한궁추」 원문과 그 번역은 생략한다. 아래 '부기'는 제2회 말미의 내용이다.

俳優가 演劇 卽 藝術을 中心으로 하지 안코 觀客의 歡心이나 理解를 엇으랴고 舞臺上에서 觀客을 向하야 說話하는 것은 劇 自體로 보와서는 極히 幼稚하다 하겟스나 이것이 亦是 支那劇의 一種 特色이라고도 볼 수 잇다.

더욱이 우수운 것은 例컨대 正末이 自己 紹介를 하면서 나는 漢元帝로라고 하는 것 갓튼 事實의 牟盾이다. 元帝라는 것은 여러분도 아시든 바와 갓치 죽은 後에 지은 謚號이니 살아 잇는 漢元帝가 엇지 自己 죽은 後에 꼭 元帝라는 謚號 줄 쭐로 미리 알고 漢元帝라고 自稱알 수가 잇슬가. 아모리 後世 사람이 맨든 것이라 할지라도 近日의 戲劇에는 이려한 牟盾은 업슬 것이다. 看官 諸位여, 最近 發達된 藝術眼으로 이것을 보지 마시고 적어도 元朝 우리나라로 치면 高麗 中年에 이러한 娛樂 機關이 잇섯섯다는 것과 그 言辭나 文句의 巧妙한 點을 取하시압.

(六月 二十日)

蘇東坡의 詞的 一面[01]

擔雪學人

『壬戌之秋 七月旣望에 蘇子――與客으로 遊於 赤壁之下할 새 淸風이 徐來하고 水波는 不興이라』하는 글 읽는 소리나 或은 글 외우는 소리를 들으면 누구던지 그 글이 赤壁賦라는 것인 줄을 곳 直覺할 것이오, 兼하야 이 글은 宋나라 文章(名筆과 對稱하야 文豪라는 뜻) 蘇東坡의 지은 것이라고 連想할 것이다. 다시 말하자면 이 처럼 蘇東坡는 文章에 有名하다. 그의 父親인 蘇老泉洵과 그의 아오 蘇子由 轍과 함께 蘇子瞻 軾이라는 일홈은 三蘇라고 倂稱하야 三國적 孫權의 三父子를 武家의 三孫이라고 하면 宋나라 蘇軾의 三父子는 文家의 三蘇라고도 할만한 好一對이며 兼하야 이에 關한 여러 가지 逸話나 傳說도 생기엿다. 그의 古文은 三蘇文集, 東坡全集 等에 모와 잇고 唐宋八大家文, 宋文鑑, 古文眞寶, 文章軌範 等의 選集은 勿論이오, 經史百家雜鈔나 古文辭纂 等에도 蘇文을 넛치 안이한 것은 업다. 이와 갓치 그는 文章에 너무도 有名한 까닭에 그에게 詞의 一面이 잇슴을 아는 사람이 적은 듯하다.

宋朝 一代의 文學은 宋詞 元曲이라고 倂稱할 만치 詞가 極盛한 時代이오, 詞가 그 代表文學이라고 할 수 잇다. 그러면 一代의 文豪로서 그 時代에 極流

01 『朝鮮之光』 제73호, 1927.11.

行, 極燦爛한 代表文學이오, 新興文學인 詞를 東坡인들 짓지 안이하엿슬 理가 업다. 事實은 짓지 안은 것이 안이라 보는 사람들이 注意하지 안이한 까닭이다. 나 보기에는 그 原因이 두 가지가 잇다. 하나는 그의 文章이 너무나 有名한 까닭이오, 둘째는 支那에 固有한 文學에 對한 階級的 觀念이다. 只今와서는 詞曲이니 小說이니 하는 것의 價値를 認定도 하고 硏究나 鑑賞도 하지만은 自來로 支那人의 文學에 對한 主見이나 觀念으로 말하면 治國平天下하는 經學(哲學과 政治學을 統括한 所謂 經書의 學問)이나 修身齊家하는 道學(道德에 關한 學問)만이 學者의 힘 쓸 學問이오, 詞曲이나 小說 等의 文藝는 一種의 閑文字이오, 卑賤한 것이며 墮落한 것으로 認定하여 왓다. 그런 故로 文集이나 全集을 編纂할 때에 詞나 曲의 作品이 잇더라도 編入하지 안이하고 諱之秘之하야 失傳한 것도 만타. 或 傳함이 잇더라도 다른 方面에서 即 俗文學이라는 俗稱 下에 詩文과는 分離하야 單獨히 傳하여 온 것이다. 四庫全書의 例를 보더라도 小說은 子部 諸子百家 小說家 類에 넛코 詞曲은 集部(詩文 等 文藝作品) 別集類나 總集類에는 넛치 안코 따로이 附錄처럼 詞曲類라는 것을 添附하야 맛치 넘바지 아들이나 달음 업는 待遇를 하엿다.(近代에 와서는 詞 或은 曲을 文集 末에 添附한 것도 잇다.)

이 現象은 徹底한 功利主義인 支那의 民族性과 學問上으로 보면 오히려 當然한 結果라고 할 수 잇다. 다시 말하면 무엇이든지 오랜 것, 묵은 것, 옛날 껏이라면 조와하는 尙古思想이니 支那 文學史의 變遷上으로 보면 이와 갓흔 現象은 屢次 反覆되여 왓다. 例를 들어 말하면 經書 中에 업지 못할 詩傳의 國風이라는 것은 그 當時에는 民間에서 流行하던 童謠나 俗歌에 지나지 안코 漢樂府에 雅樂이라는 것은 先秦의 俗歌이다. 唐代에 流行한 絶句는 坊間이나 妓家 酒樓 等에 唱和하던 것이니 宋의 詞나 달을 것이 업고 事實上 詞는 絶句와 樂府에서 變遷된 것이듸 絶句는 文集에 編入하면서 詞는 除外하는 것은 다만 雅(古)俗(新)의 區別에 지나지 못한다. 高麗史 樂志에 잇는 雅樂의 歌詞를 보면 宋人의 詞를 一字一句도 곳치지 안이하고 그대로 記錄한 것이 無數하니 宋代에서 賤히 여기던 詞도 묵고 오래되면 雅라는 稱號를 엇을 수 잇다는 事實을 證明하기에 充分하다. 英國 沙翁의 劇의 價値를 他國人이 먼저 안 것이라던지 日本 近松의 劇을 外國人이 먼저 紹介한 後얘서야 비로소 日本文學에 업지 못할 것으로 認定한 事實 等도 支那의 이 現象을 傍證할 만하다.

宋詞가 當時에 잇서서 그 價値를 認定하엿던 안이하엿던 俗이나 新이라고 하야 賤하게 여기고 文集예야 너엇던 안이 너엇던 只今 안저서 支那 文學史를 通觀하면 엇지 되엇던지 詞가 그 時代의 代表文學이오, 生命 잇는 文學이라고 할 밧게 업다. 唐詩人 中에서 李(太白)杜(子美)王(摩詰)孟(浩然)을 屈指함과 갓치 宋詞에 잇서서도 周(美成)柳(耆卿)秦(少游)辛(稼軒) 等의 名詞客이 잇고 참으로 宋詞를 理解 鑑賞할야면 그들의 作品을 第一로 紹介하여야 하겟스나 爲先 宋詞의 價値와 當時에 流行되던 狀態를 充分히 諒解하게 하기 爲하야 詞人 안인 詞人, 文章家로만 有名한 東坡의 詞를 먼저 紹介하고 다음에 必要가 잇스면 다시 眞正한 詞人인 詞人의 詞를 紹介하려 한다. 東坡詞를 먼저 紹介하려 하는 理由는 이外에도 또 한 가지 잇다. 唐宋 文章家 中에 東坡 以上 가는 愈나 柳宗元 等이 업는 바는 안이지만은 赤壁賦는 東坡가 안이면 짓지 못할 것이오, 따라서 東坡의 文章이 唐宋 文章 中에서 特點과 色彩 잇는 것과 갓치 그의 詞도 宋詞 中에서 一 特色이오, 東坡가 안이면 짓지 못할 作品이 잇고 詞의 正道는 안일망정 東坡로 因하야 詞의 風潮가 一變하고 一種의 別派를 成立하엿다고 할만한 地位에 잇는 까닭이다.

東坡의 傳記는 宋史 卷三百三十八에 잇스니 그것을 보면 仔細히 알 것이나 只今 그 大略을 抄錄하면 北宋 仁宗 景祐三年 丙子(視曆[02] 一〇三六) 十二月 十九日 卯時에 이 世上에 出生하엿다.(吳榮光 歷代名人 年譜 卷五) 至和二年 乙未(一〇五五) 나히 二十歲에 進士及第하고 嘉祐 五年 庚子(一〇六〇)에 河南府 福昌縣 主簿가 되고 翌年 辛丑에 制策科에 第三等이 되니 宋나라 생긴 後로 制策으로 三等에 入格된 사람은 吳育과 東坡뿐이엇다. 그해 十二月에 鳳翔府 判官으로 赴任하엿다. 그 後에 杭州, 密州, 徐州, 湖州, 黃州, 汝州, 筠州에 歷官하다가 元祐 元年 丙寅 五十一歲에 翰林學士를 하고 그 後에 다시 楊州, 定州, 崖州, 儋州로 단이다가 宋徽宗 靖國 元年 辛巳(一一〇一) 七月 二十八日에 이 世上을 떠낫스니 □가 六十六歲이라 한다. 名은 軾이오, 字는 子瞻이오, 東坡居士는 그가 四十七歲 時에 有名한 赤壁賦를 지은 後부터 쓰는 號이다.

東坡의 詞는 먼저 말한 바와 갓치 文集에는 넛치 안이하엿스나 疆村叢書와 宋六十名家詞라는 詞만 모은 叢集 中에 各々 한 卷式 東坡詞라는 것이 잇스니 보기 容易하고 그 外에도 詞林記事, 詞選, 詞綜, 詞譜, 詞話, 詞律 等에 散見한 것이 만이 잇다. 只今 六十名家本 東坡詞에 잇는 數만 보더라도 七十二調 二百五十九首나 된다. 그의 詞를 紹介하기 前에 그의 詞에 對한 諸家의 評을 紹介하는 것이 第一 빨을 듯하다.

○晁旡咎 云, 居士詞를 人이 謂호대 多不諧音律이라 하나 然이나 模[03]放傑出하야 自是, 曲子內에 縛不住者——니라.

○陳旡己 云, 子瞻은 付詩爲詞하니 如教坊, 雷大使之舞——라 雖極天下之工이나 要非本色이니라.

02 '西曆'의 잘못이다.

03 '橫'의 잘못이다.

○張叔夏 云, 東坡詞의 淸麗舒徐處는 高出人表하야 周(美成)秦(少游) 諸人의 所不能到니라.

○許蒿廬 云, 子瞻이 自評 其文 云, 如萬斛泉源이 不擇地하고 皆 可出이라 하니 唯 詞도 亦然이니라.

○陸務觀 云, 世言, 東坡는 不能歌——라, 故로 所作樂府가 辭多不協이라 하나 晁以道謂, 紹聖初에 與東坡로 別于汴上할 새 東坡가 酒酣하야 自歌古陽關이라 하니 則公이 非不能歌——라 但豪放하야 不喜裁剪하야 以就聲律耳로다. 試取東坡詞하야 歌之하더니 曲終에 覺天風海雨의 逼人이니라.

○胡元任 云, 東坡詞는 皆 絶去筆墨하고 畦徑間에 直造古人의 不到處하나니 眞可使人으로 一唱而三歎이로다.

이 數條의 評을 보면 東坡居士의 詞가 엇더한 地位에 잇고 또 엇더한 氣風이 잇슴을 大綱은 짐작할 수 잇슬 뜻하다. 다시 이것을 近日에 發達된 文學史眼으로 總括하야 批評한 胡雲翼의 說을 紹介하고 本文으로 드러가겟다.

蘇軾, 在文學方面的造詣是多方面的. 他的散文照耀古今, 與韓昌黎媲美. 他的詩, 雖不必能趕上盛唐, 然在有宋一代, 總算蔚然大家, 後無來者. 至於詞, 這似乎是東坡的末技了. 東坡並不以詞名, 後人研究東坡文學的, 也只研究他的詩文, 旣經認爲末技的詞, 並沒有人去怎樣注意, 然而老實說吧, 東坡在詩歌上的成就, 還遠不如他的詞的成就大些. 他的詩, 在詩史上不算最好的作家. 而他的詞, 則佔在詞史的特殊位置. 與其我們說東坡是詩人, 不如說是詞人.

(大意)蘇軾의 文學 方面에 對한 造詣는 多方面이니 그의 散文으로 말하고 보면 古今에 빗나며 韓昌黎(退之)와 比等하고 그의 詩로 말하더라도 비록 盛唐(特히 李杜를 가르침)에 밋치겟다고는 할 수 업스나 宋朝 一代에 잇서서는 何如間 훌늉한 大家이니 뒤에 밋칠 者가 업고 그의 詞에 이르러서는 그의 末技에 지나지 못하는 것 갓지 되엿다. 果然 東坡는 决코 詞로 有名한 것이 안이니 後人의 東坡의 文學을 硏究하는 이들도 다만 그의 詩文만을 硏究하고 已往부터 末技라고 認定해 온 詞는 如何의 注意도 하는 사람이 업다. 그러나 忠實하게 말하자면 東坡가 詩歌에 對한 成功은 되리여 그가 詞에 對하야 成功한 것에 밋치지 못함이 만타. 그의 詩는 詩史上으로 보면 그대지 最好의 作家라고 칠 수는 到底히 업다. 그러나 그의 詞는 詞史上에 特殊한 地位를 占領하엿다. 날더러 말하라면 東坡를 詩人이라고 하는 것 보다는 차라리 詞人이라고 하는 것이 올타.

點絳唇(庚午重九再用前韻 按元祐五年五十五歲時)

不用悲秋, 今年身健還高宴. 江村海甸, 總作空花觀. ○ 尙想横汾, 蘭菊紛相半, 樓船遠. 白雲飛亂, 空有年年雁.

樓敬思云. 蘇公의 點絳唇重九詞에 不用悲秋二句는 翻老杜詩, 老去悲秋强自寬, 明年此會誰知健句也요, 換頭는 使漢武横汾事로 兼用 李嶠詩호대 亦能變化──라, 其妙가 在尙想二字와 空有二字하니 是는 變實爲虛──라.

이것을 보면 詞라는 것은 詩에서 變遷된 것이오, 또 前人의 詩句를 變通하야 쓰는 法이 잇는 줄도 알 것이다. 換頭라는 것은 詞는 大概 前後 兩段으로 난위는 것이 만으니 後段 卽 ○表 以下를 指示함이다.

浣溪沙

> 道字嬌娥苦未成. 未應春閣夢多情. 朝來何事綠鬟傾. ○ 綵索身輕長趁燕, 紅窗睡重不聞鶯. 困人天氣近清明.

> 詞筌에 云, 子瞻은 有銅喉鐵板之譏나 然하나 浣溪沙詞에 綵索身輕長趁燕, 紅窗睡重不聞鶯이라 하니 如此 風調를 令十七八女郎으로 歌之하면 豈在曉風殘月之下──리오.

이것을 보면 東坡의 詞도 모두가 豪放不羈한 것 뿐이 아니라 그 中에는 詞의 本色이라고도 할만한 艶麗한 것도 잇는 줄을 알 것이다. 曉風殘月이라는 것은 宋詞人 中에서도 第一이라고 屈指하는 柳永(字耆卿, 官屯田員外郎)의 雨霖鈴이라는 詞의 一句이니 宋詞 中에서 第一 有名한 句라고도 할만한 것이오, 王漁洋이 「殘月曉風仙掌路에 何人爲吊柳屯田고」 한 것도 이 詞句를 指示함이다. 叅考 삼어서 그 詞의 全部를 紹介하겟다. 兼하야 이것은 東坡와 깁흔 關係 잇는 滋味 잇는 逸話도 남엇다.

> 吹劍錄에 云, 東坡가 在玉堂日에 有幕士善歌──라 因問호대 我詞의 何如가. 柳七로 對오, 曰, 柳郎中詞는 只合十七八女郎이 執紅牙板하고 歌楊柳外曉風月이오, 學士 詞는 須關西大漢이 銅琵琶와 鐵綽板으로 唱大江東去──니이다. 坡──爲之絶

倒하다.

大江東去는 東坡의 有名한 念奴嬌 赤壁懷古詞의 첫 句이니 이것이야말노 東坡詞의 本色이오, 그의 赤壁賦와 갓치 東坡가 안이면 짓지 못할 것이다.

雨霖鈴

柳永

寒蟬凄切, 對長亭晚, 暮雨初歇. 都門悵[04]飲無緒, 方留戀處, 蘭舟催發. 執手相看淚眼, 竟無語凝咽. 念去去, 千里煙波, 暮靄沈沈楚天闊. ○ 多情自古傷離別, 更那堪, 冷落淸秋節, 今宵酒醒何處, 楊柳岸, 曉風殘月. 此去經年, 應是良辰好景虛設. 便總有, 千種風情, 更與何人說.

念奴嬌(時赤壁懷)

大江東去, 浪淘盡, 千古風流人物. 故壘西邊, 人道是, 三國周郞赤壁. 亂石穿空, 驚濤拍岸, 卷起千堆雪. 江山如畫, 一時多少豪傑. ○ 遙想公瑾當年, 小嬌初嫁了, 雄姿英發. 羽扇綸巾, 談笑間, 强虜灰飛湮滅. 故國神遊, 多情應笑我, 早生華髮. 人生如夢, 一樽還酹江月.

---

04 '悵'은 '帳'의 잘못이다.

이 두 詞에 對하야 徐釚는 그의 編輯한 詞苑叢談에다가 두 詞를 比較하야 品藻를 批評한 것이 잇다.

> 蘇東坡의 大江東去는 有銅將軍, 鐵綽板之譏하고 柳七의 曉風殘月은 謂, 可令十七八女郎으로 按紅檀板歌之라 하니 此는 表絢의 語也──라. 後人이 遂奉爲美談이나 然이나 僕은 謂, 東坡詞는 自有橫槊氣槩하니 固是英雄의 本色이오, 柳의 纖艷處는 亦麗以淫耳타. 況, 楊柳外句는 務本 魏承班의 漁歌子에 窗外曉鶯殘月에서 只改二字하고 增一字한 뿐이니 焉得獨擅千古──리오.

이것을 보더라도 徐釚의 評은 何如間에 獨擅千古한 것은 可히 推想하겟다. 魏承班은 唐末 五代十國 적 蜀나라 太尉이니 詞의 名手이오, 그의 詞는 花間集에 잇다. 柳永의 獨擅千古하엿다고 有名한 曉風殘月句의 藍本이라고 하는 漁歌子를 紹介하는 것도 不必要한 일은 안일 뜻하다.

漁歌子

魏承班

> 柳如眉, 雲似髮. 鮫綃霧縠籠香雪. 夢魂驚, 鍾漏歇. 窗外曉鶯殘月. ○ 幾多情, 無處說. 落花飛絮淸明節. 少年郎, 容易別. 一去音書斷絶.

東坡가 徐州守로 잇슬 때에 밤에 燕子樓에서 놀다가 꿈에 盼盼이를 보고 꿈이 깬 뒤에 永遇樂 詞를 지엇다 한다. 盼盼은 白樂天의 燕子樓詩序에 依하면 徐州 故尙書의 愛妓이니 歌舞를 잘하고 姿態가 非常하엿던 것 갓다. 尙書가 作故한 後에는 舊情을 生覺하야 改嫁하지 안이하고 彭城舊第 中에 잇는 燕子樓에 居處하기를 十年이나 하엿다 한다.

永遇樂(一云 徐州夢)

> 明月如霜, 好風如水, 清景無限. 曲港跳魚, 圓荷瀉露, 寂寞無人見. 紞如五鼓, 錚然一葉, 黯黯夢雲驚斷. 夜茫茫, 重尋無處, 覺來小園行遍, ○ 天涯倦容, 山中歸路, 望斷故園心眼. 燕子樓空, 佳人何在, 空鎖樓中燕, 古今如夢, 何曾夢覺, 但有舊歡新怨, 異時對南樓夜景, 爲徐浩嘆.

그 後에 秦少游가 東坡를 차저 갓더니 東坡의 말이 「오래 동안 보지를 못하엿더니 글을 만이 지은 것 갓해그려. 一城 中이 모다 그대의 山抹微雲이라는 句를 盛唱하지 안나」 라고 하닛가 秦少游는 無心히 遜謝하엿다. 한참 잇다가 東坡가 갑작이 말하기를 「나는 그 동안에 자네가 柳七을 배홀 줄은 몰낫네.」 秦의 對答이 「제 아모리 아는 것은 업지만은 그 지경까지는 가지 안엇슬 줄 밋습니다. 先生의 말슴이 너무나 過하지 안이하심닛가.」 坡云, 「銷魂當此際라는 것은 分明히 柳詞의 句法이 안인가.」 秦이 慚服하엿다 한다. 山抹微雲은 秦觀의 滿庭芳 詞이오, 이에 對해서도 有名한 逸話가 만이 잇스니 이것도 紹介하여 보겟다.

滿庭芳

秦觀

共飮離尊. 多少蓬萊舊事, 空回首, 煙靄紛紛. 斜陽外, 寒鴉數點. 流水遶孤村. ◯ 銷魂. 當此際, 香囊暗解, 羅帶輕分. 謾贏得, 秦樓薄倖[05]名存. 此去何時見也, 襟袖上, 空染啼痕. 傷情處, 高城望斷. 燈火己黃昏.

이에 關한 우수운 이야기는 少游의 사위가 남에게 무안을 當하고나서 「나는 곳 山抹微雲의 女婿이라」고 크게 소리를 질넛다는 말이 잇다. 또 西湖에 엇던 守令이 少游의 滿庭芳 詞를 읇다가 모른 결에 韻字 한아를 틀니게 「畵角聲斷斜陽」이라 하닛가 겻헤 잇던 琴操라는 妓生이 말하기를 「畵角聲斷譙門이지 斜陽이 안이라」고 가라처 준즉 守令의 말이 「그러면 네가 韻字를 곳처서 지을 수 잇겟는야」 한즉 妓生이 곳 陽字韻을 달어서 改作하엿다 한다. 그 後에 이 말을 東坡가 듯고 大段히 稱讚하엿다 하니 原作과 얼마나 差異가 잇나 이것도 紹介하여 보려 한다.

滿庭芳

妓 琴操

山抹微雲, 天連衰草, 畵角聲斷斜陽. 暫停征轡, 聊共飮離觴. 多少蓬萊舊侶, 頻回首, 煙靄茫茫. 孤村裏, 寒鴉萬點, 流水遶低墻. ◯

05 '倖'은 '倖'의 오식이다.

魂傷. 當此際, 輕分羅帶, 暗解香囊. 謾贏得, 秦樓薄倖名狂. 此去何時見也, 襟袖上, 空有餘香. 傷心處, 高城望斷, 燈火已昏黃.

右 中 點 찍은 字는 곳친 字요, 圈點 찍은 것은 先後를 밧기기만 한 것이니 換韻의 微妙한 것을 可히 알 것이며 贏得靑樓薄倖名이라는 句는 晩唐 杜牧之의 有名 絶句이다.

落魄江南載酒行,
楚腰纖細掌中輕.
十年一覺楊州夢,
贏得靑樓薄倖名.

또 東坡가 秦少游다려 뭇기를 그 外에 무슨 詞를 지엿는야 한즉 小樓連苑橫空, 下窺繡轂雕鞍驟를 들어 말하엿다. 東坡가 그것을 듯고 하는 말이 十三個 字가 只說得一個人이 騎馬하고 樓前過라 하엿다. 秦이 다시 뭇되 先生의 近作은 무엇이 잇슴닛가 하니 東坡가 燕子樓의 夢事를 이야기하고 自己가 지은 永遇樂 詞 中에서 第一 잘되엿다고 生覺한 句, 燕子樓空, 佳人何在, 空鎖樓中燕의 三句를 들어서 말한즉 晁無咎가 겻헤 잇다가 하는 말이 三句가 說盡張建封燕子樓一段事라 하엿다 하니 이 亦是 詞壇에 한 滋味 잇는이야기가 되엿다. 小樓連苑橫空이라는 것은 秦少游의 水龍吟 詞이다.

水龍吟(寄營妓婁婺婉, 婉字東玉)

小樓連苑橫空, 下窺繡轂雕鞍驟. 疎簾半捲, 單衣初試, 淸明時候.

破暖輕風, 弄晴微雨, 欲無還有. 賣花聲, 過盡垂楊院, 落紅成陣飛鴛甃. ○ 玉佩丁東別後, 悵佳期參差難又. 名韁利鎖, 天還知道, 和天也瘦. 花下重門, 桝[06]邊深巷, 不堪回首. 念多情, 但有當時皓月, 照人依舊.

東坡가 黃州 잇슬 때에 卜算子 詞를 지은 것이 잇스니 大江東去와는 意趣가 判異하다.

卜算子(悼溫超超)

缺月挂疎桐, 漏斷人初靜. 時見幽人獨徃來, 縹渺孤鴻影. ○ 驚起却回頭, 有恨無人省. 揀盡寒枝不肯棲. 寂寞沙洲冷.

女紅餘志에 云, 惠州溫氏女超超가 年及笄호대 不肯嫁人이러니 聞, 東坡가 至하고 喜曰, 我壻也──라하고 日徘徊 窓外하야 聽, 公의 吟咏이라가 覺則亟去하니 東坡가 知之하고 乃曰吾將呼王郎하야 與子然姍하리라 하더니 及東坡가 渡海歸에 超超가 已卒하야 葬於沙際어늘 公이 因作 卜算子하니 有, 揀盡寒枝不肯棲之句라.

하엿다. 黃山谷은 말하기를 語意가 高妙하야 喫烟火食하는 사람의 말 갓

06 '柳'의 잘못이다.

지 안이하고 胸中에 數萬卷書가 들지 안이하엿스면 누가 能히 이와 갓치 筆下에 一點塵俗氣가 업슬 수 잇겟는야고 極口의 稱讚을 하엿다.

蝶戀花

花褪殘紅青杏小. 燕子飛時, 綠水人家繞. 枝上柳綿吹又少. 天涯何處無芳草. ◯ 墻裏鞦韆墻外道. 墻外行人, 墻裏佳人笑. 笑漸不聞聲漸杳. 多情却被無情惱.

林下詞談에 曰, 子瞻이 在惠州하야 與朝雲으로 閑坐러니 時에 青女가 初至하고 落木이 蕭蕭하야 悽然有悲秋之意어늘 命朝雲하야 把大白하고 唱花褪殘紅하라 하엿더니 朝雲이 歌喉가 將轉에 淚滿衣襟이라, 子瞻이 詰其故하니 答曰, 奴의 所不能歌는 是, 枝上柳綿吹又少. 天涯何處無芳草也——니이다 하거늘 子瞻이 翻然大笑曰, 是는 吾의 政悲秋——러니 而汝가 又傷春矣로다 하고 遂罷하다. 朝雲이 不久에 抱疾而亡하니 子瞻이 終身토록 不復聽此詞하니라.

하엿다. 王阮亭은 말하기를 枝上柳綿는 屯田의 緣情綺靡로서라도 이에서는 더 지나지 못할 것이니 누구라서 東坡가 大江東去라는 詞만 지을 줄 안다고 하겟는야 하엿다.

賀新凉

乳燕飛華屋. 悄無人, 槐陰轉午, 晩凉新浴. 手弄生綃白團扇, 扇手一時似玉, 漸困倚孤眠淸熟. 簾外誰來推繡戶, 枉敎人, 夢斷瑤臺曲. 又却是, 風敲竹. ◯ 石榴半吐紅巾蹙. 待浮花浪蕊都盡, 伴君幽獨. 穠艶一枝細看取, 芳意千重似束. 又恐被, 西風驚綠. 若待得, 君來向此, 花前對酒不忍觸. 共粉淚, 兩簌簌.

古今詞話에 曰, 蘇瞻이 守錢塘할 새 有官妓 秀蘭하니 天性이 黠慧하야 善於應對라. 一日에 湖中에 有宴會하야 群妓가 畢集호대 唯 秀蘭이 不至어늘 督之한지 良久에 方來라 問其故한대 對以, 沐浴하고 倦睡하옵더니 忽聞叩戶하옵고 甚急起而問之하온대 乃樂營將의 促督也──러이다 한거는 子瞻은 已恕之호대 坐中一倅가 怒其晩至하야 詰之不已러라. 時에 榴花가 盛開어늘 秀蘭이 折一技하야 藉手告倅하니 倅가 愈怒──라. 子瞻이 因作賀新凉하야 令歌以送酒하니 倅怒가 頓止하엿다 하고,
苕溪漁隱은 曰, 東坡의 此詞는 冠絶古今하고 托意가 高遠하니 寧爲一妓而發耶아. 簾外三句는 用古詩의 捲簾風動竹하니 疑是故人來之意요, 石榴半吐五句는 蓋初夏之時에 千花가 事退로대 榴花가 獨芳이라 因以寫幽閨之情也──라 하엿다.

東坡의 詞를 이와 갓치 紹介할여면 끗이 업겟지만은 이만하여도 東坡의 詞的 一面과 詞的 天才를 알 수 잇고 또 兼하야 當時 詞壇의 特趣와 支那文學史上 宋詞의 地位라는 것은 짐작할 뜻하다. 다음에 東坡의 眞面目을 알만한

滿庭芳詞 二首와 가장 有名한 것 二三首를 더 紹介하고 이 稿의 끗을 막기로 한다.

滿庭芳

歸去來兮, 吾歸何處. 萬里家在岷峨. 百年强半, 來日苦無多. 坐見黃洲載閏, 兒童盡楚語吳歌. 山中友難[07]豚社, 飮[08]相勸老東坡. ◯ 云何當遠去, 人生底事. 來往如梭. 待閑看秋風, 洛水淸波. 好在棠前細柳, 應念我莫翦柔柯. 仍傳語, 江南父老, 時與曬漁簑.

同

蝸角虛名, 蠅頭微利, 算來着甚乾忙. 事皆前定, 誰弱又誰强. 且趁閑身未老, 儘放我些子疎狂. 百年裏渾教是[09], 三萬六千場. ◯ 思重能幾許, 憂愁風雨, 一半相妨. 又何須抵死, 說短論長. 幸對淸風皓月, 苔茵展, 雲幕高張. 江南好, 千鍾美酒, 一曲滿庭芳.

---

07 '難'은 '鷄'의 잘못이다.

08 단구(斷句)가 잘못되었다. 응당 '山中友, 鷄豚社飮, 相勸老東坡.'어야 한다.

09 '渾教是醉'로서 '醉'가 탈락되어 있다.

水調歌頭

明月幾時有, 把酒問青天. 不知天上宮闕, 今夕是何年. 我欲乘風歸去, 又恐瓊樓玉宇, 高處不勝寒. 起舞弄情影, 何似在人間. ○ 轉朱閣, 低綺戶, 照無眠. 不態[10]有恨. 何事長向別時圓. 人有悲歡離合, 月有陰晴圓缺, 此事古今難全. 但願人長久, 千里共嬋娟.

水龍吟

似花還似非花, 也無人惜從教墜. 抛街傍路, 思量却是, 無情有思. 縈損柔腸, 困酣嬌眼, 欲開還閉, 夢隨風萬里, 尋郎去處, 又還被鶯呼起. ○ 不恨此花飛盡, 恨西園落紅難綴. 曉來雨過, 遺縱何在. 一池萍碎. 春色三分, 二分塵土, 一分流水. 細看來, 不是楊花點點, 是離人淚.

洞仙歌

氷肌玉骨, 自清凉無汗. 水殿風來暗香滿, 繡簾開, 一點明月窺人, 人未寢, 欹枕釵橫鬢亂. ○ 起來攜素手, 庭戶無聲, 時見疎星渡河漢. 試問夜幾來, 夜已三更, 金波淡, 玉繩低轉. 但屈指西風幾時

---

10 '態'는 '應'의 잘못이다.

來, 又不道, 流年暗中偷換.

虞美人

持杯遙勸天邊月. 願月圓無缺. 持杯更復勸花枝. 且願花技, 長在莫離披. ○ 持杯月下花前醉. 休向榮枯事. 此歡能有幾人知. 對酒逢花, 不飮待何時.

西江月

世事一場大夢, 人生幾度秋凉. 夜來風葉已鳴廊. 看取眉頭鬢上. ○ 酒賤常愁客少. 月明多被雲妨. 中秋誰與共孤光. 把盞淒然北望.

臨江仙

夜飮東坡醒復醉, 歸來髣髴三更. 家童鼻息已雷鳴. 敲門都不應. 倚杖聽江聲. ○ 長恨此身非我有, 何時忘却營. 營[11]夜闌風靜縠紋平. 小舟從此逝, 江海寄餘生.

以上.

11 단구(斷句)가 잘못되었다. 응당 '何時忘却營營, 夜闌風靜縠紋平'이어야 한다.

藝術上으로 본 西廂記와 그 作者[01]

梁建植

(一)[02]

文學은 反抗精神의 象徵이요, 生命이 窮促할 때에 부르짓는 一種의 革命이다. 屈原의 離騷가 이와 가티 생겨난 것이요, 蔡文姬의 胡茄[03]十八拍이 이러케 생겨난 것이요, 딴톄의 『神曲』과 밀톤의 『失樂園』이 모다 이러케 생겨난 것이다. 周詩의 變雅는 幽厲時期에 낫고 先秦諸子의 文章은 周末에 煥發하엿스며 꾀톄, 실레르는 獨逸의 陵夷할 때에 낫고 톨스토이·떠스터에브스키는 露西亞의 專制미테 낫스며 中國 最近文壇에 자못 生氣勃勃한 槪가 잇는 것은 또한 안으로는 武人과 밧그로는 强隣의 醞釀한 바에 말미암은 것이다.

禮教는 사람으로 因하야 맨든 것이요, 人性은 禮教를 因하야 난 것은 아니다. 禮教가 그 平함을 어드면 可히 人性의 正當한 發展上의 一助가 되어 人

---

01 『東亞日報』 1927.11.17~20, 3면. 이 글은 말미에 첨부된 「西廂記」 원문 외의 내용은 郭沫若이 1921년 5월 2일에 완성한 논문인 「"西廂"藝術上之批判與其作者之性格」(郭沫若, 『文藝論集』, 上海: 光華書國, 1925.12.27, 초판본)을 거의 가감 없이 초역한 도작(盜作)이다.

02 매회 연재분 표기로서, 4회에 걸쳐 연재되었다.

03 '茄'는 '笳'의 오식이다. 아래도 마찬가지이다.

性을 超越하야 그 暴威를 불이지 못한다. 男女의 相悅은 人性의 大本이니 種族의 蕃演이 이로 말미암고 人文의 進化가 또한 일로 말미암은 것이다. 純愛의 꼿은 만히 優秀한 열매를 맷는다. 이는 一般 常識上으로 또는 學理的 實驗上으로 모다 認定하는 바이니 禮敎를 마튼 者 맛당히 잘 引導하야 그 正當한 發展을 도읍고 그저 箝制를 하고 한까 壓抑게 잇스니 이는 分明히 一種의 『拜足狂』이다. 女子쪽으로 말하면 스스로 달게 摧殘을 바더 男女間 性의 滿足을 더하랴고 한다. 이것은 分明히 一種의 『愛[04]動的 虐淫』이니 禮儀三千이 막 이 受動的 虐淫者 幾萬을 製造하엿슴에 지내지 못한다. 現代는 性의 敎育이 漸漸 啓蒙이 되여 靑年男女의 個性의 覺悟가 이미 火山의 噴裂 가타서 不合理한 한갓 變態 性慾者를 製造하는 舊式 禮制는 말은 가지와 말은 닙새와 가티 불만 다면 곳 灰燼이 되게 되엿다. 이미 살어저 업서진 權威를 지금 다시 말할 것은 업거니와 이제하고 만흔 老年男女가 變態 性慾알에 이미 固定되야 잇는 것을 생각할 때에 오히려 痛歎할 萬斛의 눈물을 아니 뿌릴 수 업다.

你不拘箝我 可倒不想
你把我越間阻 越思量!

(당신이 나를 拘束지 아니하면 돌우혀 생각 아니하랴니와 당신이 나를 막으면 더욱 생각한다.)

---

04 郭沫若의 원문과 대조해보면 '愛'는 '受'의 잘못이다.

(二)

鄭德輝의『倩女離魂記』中에 張倩女가 부른 이 두 句 歌詞는 正하 中國 數千年來 數萬萬 變態 性慾者의 病蔕를 道破한 것이다.

想嫦娥西沒東生有誰共?
怨天公, 裴航不作遊仙夢
勞你羅幃數重愁心動……

(嫦娥는 西쪽에 젓다가 東쪽에 나니 뉘와 가더 지내는고. 원망 하노니 하누님이 裵航의 遊仙夢을 지어주지 아니하고 羅幃로 겹겹이 에싸듯이 그 마음이 달뜰가하야……)

『琴心』中에 鶯鶯이 달무리(月暈)를 보고 부른 이 두 句 놀애도 또한 中國 青年男女가 禮敎의 權威에 對하야 부르지즌 一種의 反抗的 心理로 볼 수 잇다.『倩女離魂記에 描寫한 바는 단지 이 潛意識의 第二重 人格의 活動이지마는 西廂記의 描寫한 바는 이 一重 人格의 有意識의 反抗이니 비록 다 가튼 舊禮敎를 反抗하는 作品이로되 西廂記의 態度는 더욱 擔大하고 더욱 猛烈하고 더욱 革命的이니 나의 이를『人性이 禮敎와 싸와 이긴 凱旋歌요, 紀念塔』이라고 한 말은 생각컨데 무릇 青春의 血液이 脈管 中에 流動하는 사람과 무릇 變態 性慾者가 아닌 사람이면 모다 賛成할 줄로 안다.『西廖[05]記』의 描寫한 바는 이 人類의 正當한 性의 生活이요, 叙述한 바는 愛情으로 말미암아 結

05 '廖'는 '廂'의 오식이다.

合하는 것이니 決코 姦淫으로 認할고 업고 또한 決코 濃[06]淫泛賣者의 代辯으로 認할 수 업다.

西廂記는 南北의 두 種類가 잇고 南西廂은 또 李日華·陸天池의 두 種이 잇스나 詞句가 鄙俚하야 足히 말할 것이 못되고 北西廂은 即 世間의 流傳하는 西廂記니 王實甫가 作하고 關漢卿이 이를 續한 것으로 『驚夢』以後의 四齣는 即 漢卿의 續한 바이다.

王實甫는 大都사람이요, 그 生平 事蹟은 자서치 못하다. 或은 金 때 사람이라고도 하고 或은 元代 사람이라고 한즉 아마 元·金 어름의 사람인 듯하다. 그 作品은 西廂記를 除한 外에 또 十二種이 잇다.

> 芙蓉亭, 麗春堂, 破窑記, 多月亭, 販茶船, 明達賣子, 陸績懷橘,
> 七步成章, 麗春園, 于公高門, 進梅諫, 雙題怨.

그러나 西廂記와 麗春堂을 除한 外에 그 남아는 모다 散失되엿다. 麗春堂 雜劇은 金 때 完顏徒單克甯事를 叙한 것이나 그 結構와 詞는 모다 훨신 西廂記에 떨어지는 것으로 現在 『元曲選』 中에 收載하엿다. 涵虛子詞品에 評하기를 『王實甫如花間美人』이라 하엿지마는 이것은 作品을 通하야 본 作者의 性格을 表出한 것으로 말하면 影響이 模糊한즉 아마 王實甫가 보드라도 또 首肯하지 아니할 것이다. 우리가 가만히 西廂記 一卷을 玩味하면 能히 그 作者의 感覺이 非常히 發達하야 거의 病的 程度에 이른 것과 作者의 想像이 非常히 豊贍하야 거의 狂的 地步에 이른 것을 알 수가 잇스니 作者는 音響 中에 能히 色彩를 듯기까지 하엿다. 그 鶯鶯이 거문고 소리를 듯고 한 말을 叙

---

06 郭沫若의 원문과 대조해보면 '濃'은 '濫'의 잘못이다.

述할 때의 句節에 『其聲幽, 似落花流水溶溶』(그 쏘리 그윽하야 落花流水가 溶溶하는 듯)이라 한 것을 보면 落花의 紅色과 流水의 緣色과의 두 가지 動態를 모다 드른 것이니 이것은 分明히 『色聽』이요, 作者가 昆虫과 鳥雀의 雙雙히 노는 것을 보고 一種의 情의 衝動을 늣기니 그 『春心蕩, 怪黃鶯兒作對, 怨粉蝶兒成雙』(마음이 상숭생숭하야 꾀꼴이가 짝 진 것을 야릇이 여기고 나비가 雙진 것을 원망한다.)이라는 것을 보면 이것은 分明히 『見淫』이다. 나는 이 作者의 性的 生活을 莫大한 缺陷이 잇고 또 非法淫을 犯하엿고 또 거의 拜足狂의 即 傾向이 잇는 사람으로 본다. 그 『休提眼角留情處, 召這脚跟兒將心事傳』(눈초리의 情 머므른 것은 말 말고라도 다만 그 발이 心事를 傳하는구나)이라는 것이나 그 外에 西廂記 中의 발로 신에 이르기까지 또 여러 곳 描寫 잘한 곳을 보면 作者는 女性의 발에 對하야 만흔 興味를 가진 것으로 본다. 그럼으로 나는 생각하기를 王實甫는 반듯이 여러 가지 箝束과 誘惑을 바더 變態 性慾者가 되어 自家의 純粹한 感情을 고만 砲[07]壞하야 性의 生活을 完全한 正當한 方面으로 發展치 못하고 肉慾의 苦悶下에서 困頓하며 純正한 愛情을 渴慕하든 사람인 줄로 안다. 近代 精神分析派의 學理에 비추어 이를 말하면 이 西廂記는 곳 Libido의 產物이라 할 수 잇스니 Libido는 即 精神的 創痍로 即 個體의 性慾이 그 사람의 道德性과 或 其他 外界 關係의 壓制로 말미암아 생긴 無形의 傷害이다.

(三)

精神分析派 學者는 性慾 生活의 缺陷을 一切 文藝의 起源이라 한다. 或 過

---

07 '破'의 오식이다.

當한 곳이 잇슬른지는 모르나 다만 中國文學 中의 만히 볼 수 업는 作品인 楚辭나 胡茄十八拍이나 織錦廻文詩나 王實甫의 西廂記 가튼 것은 나는 모다 이 말로 說明할 수 잇는 絕好한 研究에 供할만한 作品이라고 생각한다. 屈原은 獨身生活者인 듯하니 그의 精神에는 確實히 조곰 變態가 잇다. 우리가 試驗으로 그의 離騷, 湘君, 湘夫人, 雲中君, 山鬼……等의 作品을 닑어 보면 그에게 變愛的 動機가 裏面에 잇다고 아니 말할 수 업고 蔡文姬와 蘇蕙는 희스테리性의 女人인즉 다시 더 말할 것도 업다. 이러케 말을 하면 作者의 聲價와 作品의 尊嚴性을 減하는 것 가트나 實은 그러치 아니하야 오즉 이 精神上의 여러 가지의 苦悶이 잇슴으로 비롯오 向上의 衝動이 생기고 이 衝動을 文藝에 表現하야 文藝의 尊嚴性이 비롯오 생기어 이에 豪貴家의 一種 遊戲品이 되지 아니하는 것이다. 만일에 屈原이 獨身이 아니라면 美人芳草의 幽思를 煥發치 못할 것이요, 蔡蘇가 희스테리가 아니면 即 胡茄[08]와 廻文의 奇製를 내지 못할 것이며, 만일에 王實甫가 나의 想像한 바 가튼 一種의 性格이 아니라면 곳 이 西廂記도 또 나오지 못하엿슬 것이다. 왁네르의 有理한 말이 잇다. 『生活이 如意할 때에는 藝術을 要치 아니할 것이다. 藝術은 生路가 장차 막힌 곳에 이르러서 생기는 것이다. 無論 어떠한 것이던지 生活할 수 업는 때에 이르러 사람은 藝術을 빌어 부르짓나니 그 하고저 하는 바를 부르짓는다.』

이제 西廂記 中 가장 클라이막스한 部分인 主人公 密會의 場面을 간단히 보이고 끗을 막으랴고 한다.

鶯鶯: 紅娘아, 寢房 치어라. 나 자겟다.

---

08 '茄'는 '笳'의 잘못이다.

紅娘: 악아씨, 어째요. 죽으시랴고 하면 그 이는 어떠케 하서요?

鶯鶯: 뭐 그 이?

紅娘: 또 그러서요, 악아씨! 사람의 목숨이 달렷는데 弄談이 아니애요! 악아씨가 또 딴전 하시면 난 마님께 여쭐테애요. 『악아씨가 나를 시켜 편지를 주어 張書房님하구 마추엇다구요!』

鶯鶯: 조년이 도레 재근덕 재근덕하네.

紅娘: 제가 재근덕어리는 것이 아니라 악아씨 또 그리시면 못써요!

鶯鶯: 하지만 사람이 붓그러워 엇떠케가니?

紅娘: 누가 보나요! 저 밧게 또 딴 사람이라곤 업는데요!(재촉한다) 가서요! 가서요!

鶯鶯: (말 아니 한다.)

紅娘: 악아씨! 엇절 수 업스니 가서요! 가서요!

鶯鶯: (말은 아니하고 가랴는 것 가치 한다.)

紅娘: 악아씨!우리 가서요! 자.

鶯鶯: (말 아니하고 가다가 또 멈춘다.)

紅娘: 악아씨, 왜 또 스시긴 해요? 가서요! 가서요!

鶯鶯: (말 아니하고 간다.)

張生(唱):

빈 섬에 우둑허니 섯스니
밤이 깁허 香 아즈렁이 金界에 빗기엇네.
정가론 房에

글 읽는 손이 못 견대겟구나.
五色구름은 어대가 잇는고?
달은 밝아 물 가치 樓臺를 잠갓는데
중은 판두방에 잇고
가마귀는 뜰위 나무에서 지저귀네
바람이 대ㅅ소리 희롱하니 생각하기를 金佩소리로다.
달이 꼿그림 옴기니
疑心하기를 이 玉人이 오는도다.
빠지게 바라는 눈
急하게 조히는 맘
맘 한 조각을
둘 곳이 업구나.(門 엽헤 비겨선다.)
할 일 업시 어린 듯이
門에가 의지하야 기대린다.
더욱이 푸렁새의 消息이 아득하고
누런개의 소리는 아니나네.(房으로 들어간다.)

(四)

精神이 昏迷하야 눈도 띄기 슬힌데
외로운 벼개 마테
꿈은 陽臺로 날러드는구나.
진작에 밤낫 업시 저로하야 病 어들 줄 알앗든들

아마도 當初에
그 고은 빗을 안보니만 갓지 못하엿다!
사람이 허물 잇스면 반듯이 스스로 책망하고 고치기를 끄리지 말지니라!
色을 조와하듯 어진 사람을 조와하듯이 마음을 닷잡으랴고 것마는
제 이러케 맘에 떠오르는 것을 어찌나 견댈가? (다시 門에 나와선다.)
나는 할 일 업시 門 만지어 손으로 턱을 바치고 잇다!
참 나로 측량치 못하게 하는구나.
오랴는가 안 오랴는가?
夫人의 압헤서 아마 그 겨틀 떠나기 어려움인가보다?
저를 바라보는 눈은 뚤어질 것 갓고 저를 생각하는 맘은 더욱 죄이는구나!
아마도 그 애물이 제맘으로 못함이로다!
제 만일 즐겨온다면
벌서 저의 집을 떠낫슬 터이다.
제 만일에 오고 보면
별안간 봄빗이 내 房에 나리로다.
제 만일에 아니 오면
돌이 큰 바다에 잠긴 것 가트리로다!
저의 발거름을 헤히매
窓살에 의지하야 기다리면서
네에게 말을 부치노니——

그러한 모진 핀잔도
전혀 마음엔 두지 아니하얏다!
한 동안 생각을 돌우키어
밤과 낫으로
속절업시 눈 주어 半年이나 지내엿나니
이 즈막엔 진정으로 견대기 어려웟다.(房으로 들어가 門을 닷는다.)
病날 것을 알앗고
죽어나기로 채리엇다!
생각하면 他鄕의 몸이
강잉히 茶ㅅ물로 버틔엇나니
다만 고 것 까닭에
속만 태오고 견댐이라.
한 조각 至誠의 마음을 내어
빈 껍질된 몸을 머물르고 잇다.
시험으로 觀象監을 시켜
半年 동안 근심을 헤여보게 하야라.
分明히 큰 수래로
거지반 열암은 차는 되리로다.

紅娘: 악아씨, 난 가요. 악아씨는 녜기서요.(門을 두다린다.)

張生: 누구시요?

紅娘: 악아씨 오섯서요!(張生이 나온다.)書房님 무슨 턱하서요?

張生:(절한다) 오즉 하눌이나 알게 맘으로나 갑지.

紅娘: 부대 곰살굽게 하서요! 혼이 나게 마서요!(鶯鶯을 민다) 악아씨! 들어가서요! 난 밧게서 기대릴 테니요.(張生이 鶯鶯을 보고 꿀어 맛는다.)

(張生이 鶯鶯을 대리고 房으로 들어가며 門을 닷는다.)

(本 原文은 郭沫若氏 刪定이 西廂記에 據함.)

1928년

短篇小說의 見地로서 본 支那 古詩 『上山采蘼蕪』[01]

金九經

諸般 學術이나 思想을 支那人 特有의 理想인 「治國平天下」의 實現 手段이나 或은 方便으로 생각하야 甚至於 古代의 民謠나 俗歌에 不過한 『國風』(詩傳의 周南, 召南 等)까지라도 『詩經』이라는 尊稱下에 哲學이나 政治學的 或은 道德이나 倫理學的으로 解釋하고 意味를 붓치려고 無限히 애를 써오던 支那에서 그 痼疾이 되다십히한 政治思想을 떠나서 「文者는 經國之大業이오, 不朽之盛事라」고 提唱하야 文學의 意義라든지 使命이라는 것을 自覺하고 文學의 立地로 獨立시긴 三曹(曹操, 曹丕, 曹植)은 참으로 支那文學史上 特筆大書할만한 價値 잇는 人物이라고 볼 수 잇다. 그로 因하야 그처럼 燦爛한 六朝文學이 생긴 것도 勿論이오, 또 詩論, 詩話 等의 各種 文藝評論이 發生된 것도 事實이다. 그 當時 文壇의 盛況을 想像하건대 오날 우리 文壇의 沈滯됨을 더욱이 늣기지 안이할 수 업다. 赤壁江 火攻에 慘敗하고 華容道 좁은 골에 목숨을 빌던 曹孟德에게도 「月明星稀에 烏鵲이 南飛」라는 銅雀臺의 雅懷가 잇던 줄은 알엇슬는지도 몰으지만 그가 果然 風雲이 쉬일 새 업든 三國 天地를 統

---

01 『朝鮮之光』 제75호, 1928.1.

一하야 大魏의 帝業을 세운 魂[02]文帝와 「煮豆持作羹하고 漉豆以爲汁하니 萁在釜底燃이오, 豆在釜中泣이라. 本是同根生으로 相煎何太急고.」 世說新語라는 七步成詩로 有名한 陳思王과 함게 支那文學史上 잇지 못할 人物인 줄이야 아는 사람이나 알는지.

何如間 六朝 末期에는 梁나라 昭明太子 蕭統이 文選樓라는 집을 新築하고 當時 文士들를 網羅하야 『文選』이라는 純文藝 作品만의 選集을 編輯할만치 價値잇는 作品이 豐富하엿던 것은 勿論이오, 또 文選의 編纂이 例가 되여 『唐文粹』, 『宋文鑑』, 『元文類』, 『明文最』[03] 等의 選集이 代々로 編纂된 것도 文學史의 見地로 보와 이저 바리지 못할 큰 일이다.

이와 갓치 文學의 意義를 自覺한 者들의 손으로 編輯한 『文選』도 亦是 支那人의 道德觀念을 完全히 脫却하지는 못하고 文藝的 價値 잇는 多數의 艷體詩를 意識的인지 無意識的인지 만이 除外하엿다. 이것을 달은 見地로서 編輯한 것이 陳나라 徐陵의 編輯한 『玉臺新詠』 그것이다. 玉臺新詠은 勿論 唯一無二한 唐 以前의 艷詩集이니 二百人의 作家와 九百篇의 情詩만을 모와 十卷에 分排하엿다. 그 第一卷 最初에 잇는 것이 이 글의 題目인 作者不明의 古詩 「上山采蘼蕪」라는 것이다. 나는 只今 이것을 單純한 詩로만 보지 안코 短篇小說이라는 見地로서 보와보려 한다.

그러자면 爲先 『短篇小說』이라는 것의 定義부터 制限하여야 하겟다. 그러나 여긔서 새삼스럽게 短篇小說의 定義를 提出하야 여러分의 同意를 强要한다는 것도 우수운 일인 故로 다만 나의 理論을 빨니 進行시기기 爲하야 便宜上 支那 文藝評論家이오, 또한 忠實하게 硏究하는 學者인 胡適氏의 定義를

---

02 '魏'의 오식이다.

03 『明文衡』의 오기로 보인다.

暫間 借用하기로한다. 胡適氏는 말하되

短篇小說是, 用最經濟的文學手段, 描寫事實中最精采的一段或一方面, 而能使人充分滿意的文章.

이라고 하엿다. 그리고 다시 氏는 「最經濟的文學手段」이라는 것과 「事實中最精采的一段或一方面」이라는 것의 內容을 說明하엿다. 本文을 引用하기가 繁雜한 故로 大意만을 들어보건대

一, 事實中最精采的一段或一方面이라는 것은 譬喩하자면 큰 나무를 톱으로 켤 때에 그가 植物學者이면 나무의 「橫截面」만을 보고 나무의 年輪을 헤여보면 그 나무의 年紀를 아는 것과 一般이니 一箇人의 生活, 一箇國의 歷史, 一箇社會의 變遷 等이 모다 一箇의 「縱剖面」과 無數의 「橫截面」이 잇다. 縱面을 보자면 從頭至尾히 徹底하게 본 後에라야 비로소 그의 全部를 알 것이오, 만일 無數한 橫截面 中에서 그 中 要緊한 部分을 截開한 것이 잇다하면 이 一箇의 橫截面만을 가지고서라도 足히 一箇人, 一箇國, 一箇社會를 代表할 수 잇다. 이 全體를 代表할만한 部分을 指目하야 「最精采的」部分이라고 한다.

二, 最經濟的文學手段이라는 것은 經濟라는 두 字를 說明하기에는 宋玉의 말 「增之一分則太長, 減之一分則太短, 着粉則太白, 施朱則太赤.」(登徒子好色賦序)이라는 것을 借用함이 第一 適切할 뜻하다. 다시 말하자면 絶對로 增減할 수도 업고 塗飾할 수도 업고 그리고도 處々에 絶妙한 곳이 잇서야만 비로소 「經濟的手段」이라고 할 수 잇다.

以上 두 條件을 綜合하야 보면 社會나 箇人의 縱剖面을 들어서 從頭至尾히 詳細하게 叙述한 所謂 『章回小說』은 勿論이오, 一部分만 描寫한 短篇일지

라도 叙事가 暢盡치 못하고 寫情이 飽滿치 못한 것은 眞正한 『短篇小說』이라고 할 수 업다는 것이 胡適氏의 短篇小說에 對한 定義인 듯하다. 이 定義의 可否는 뭇지 안코 나는 처음에 말한 바와 갓치 이것을 標準 삼어서 「上山采蘼蕪」라는 古詩의 短篇小說的 價值를 吟味하려 한다.

序說이 너무 길어젓는 듯하니 바로 問題의 古詩를 本文대로 紹介하자.

上山采蘼蕪, 下山逢故夫.
長跪問故夫, 新人復何如.
新人雖言好, 未若故人姝.
顏色類相似, 手爪不相如.
新人從門入, 故人從閤去.
新人工織縑, 故人工織素.
織縑日一匹, 織素五丈餘.
將縑來比素, 新人不如故.

이 詩를 仔細히 보면 누구든지 全體로 보아서 그 結構의 巧妙無雙함을 깨다를 것이오, 또한 處々에 絶妙한 點을 發見할 것이다. 첫재는 八十個의 小文字로 一家 三夫婦의 情形을 描寫하되 曲盡 切實하야 보는 사람으로 하야금 何等의 不滿의 感이 업시 쫏겨난 『故人』의 可憐한 情況을 불상이 여기며 人情과 義理는 半點도 업고 계집에 손에 메달녀서 財物이나 모으려고 하는 『故夫』의 沒人情한 態度를 痛忿히 여기게 하엿스니 이것만 하여도 眞正한 短篇小說의 價値는 充分히 잇다고 볼 수 잇다.

다시 細部로 들어가 보건대 故夫가 棄妻娶妾한 事實을 描寫하기에 普通이면 「某々는 某處人이니 平素의 性行은 若何 이만저만하다. 처음에 妻 某氏

에게 장가 들어 琴瑟도 相和하고 그 妻도 매우 賢淑하엿섯스나 未久에 다른 女子를 戀慕하야 맛침내 前妻를 버리고 新妾을 어덧다.」라고라도 할 것을 一言半句도 쓰지 안이하고 보는 사람이 能히 그만한 事實을 想像할만하게 하엿다. 三個人의 歷史 中에서 어느날 『故人』이 山에 나물 캐러 갓다가 도라오는 길에 『故夫』를 맛나서 두어말 이야기 한 몃分 동안의 橫截面만을 들어가지고 前後의 關係와 各人의 心理狀態를 充分히 理解할만치 表現하엿스니 이에서 더한 『經濟的手段』과 『精采的手段』이 또 어대 잇스리오. 短篇小說의 最精最妙한 條件이 具備되엿다고 할 수 잇다.

「上山采蘼蕪下山逢故夫」 十個字는 實로 金玉文字라고도 할 수 잇다. 그 속에는 勿論 『故夫』의 棄妻娶妾한 事實도 想像할 수 잇거니와 내쫏긴 『故人』이 經濟的 困難을 無限히 밧어 날마다 野采나 뜻어 먹어가며 僅々히 延命하는 事實도 認定할 수 잇다. 『長跪問故夫新人復如何』 속에는 『故人』이 내쫏김은 밧엇슬망정 『故夫』를 思慕하야 하로도 잇지 못하던 婦女의 情懷와 뜻밧게 『故夫』를 맛나 怨痛한 點으로 해서는 外面를 하고 지나거나 忿 나는 김에 辱說이라도 할 뜻하것만 반가운 생각이 압흘 서々 그 後의 經過를 恭遜히 뭇는 場面에는 『故人』의 賢淑한 天性과 溫順한 態度가 表現되지 안이하엿는가. 『新人雖言好未若故人姝』에는 新情에 飽和되여 다시 『故人』에게 맘이 잇는 『故夫』의 心理狀態와 『顔色類相似手爪不相如』에는 人格의 差等을 生産能力의 多少로만 區別하려 하는 『故夫』의 貪慾無道한 天性이 낫하난 듯하다.(註, 手爪의美, 即 손이나 손톱이 생김생김을 말함이 안이오, 다음에 잇는 新人工織謙[04] 故人工織素와 關聯되여 손꼿 才操 即 手工의 能力으로 보는 것이 古人의 通說이오, 나도 이

04 '謙'은 '縑'의 오식이다. 아래도 마찬가지이다.

와 갓흔 意味로 보려 한다.) 『新人從門入故人從門[05]去』에는 그 當時의 社會制度와 妻妾關係를 足히 想像할 수 잇지 안이한가. 新人工織謙故人工織素」에 이르러서는 妻妾 両人의 性格的 差異와 故夫의 利慾的 心理를 諒解하기에 充分하다. 다시 말하자면 新人의 虛榮心만은 性質과 故人의 質朴한 天稟을 알 수 잇고 兼하야 男子의 「新人雖言好未若故人姝」라고 하면서도 집에서나 입을 「工織素하는 故人」보다도 팔면 돈이 될 「工織謙하는 新人」을 조와하는 心理가 女子의 姿色에 홀닌 것이 안이오, 다만 打算的 觀念으로 利慾에 빠지엇든 것을 證明할 수 잇다.

이와 갓치 보와오면 果然 이 詩가 얼마만치나 短篇小說的 價値가 잇는가를 理解하기가 어렵지 안이할 뜻하다. 그러나 나의 말하고자 하는 바는 이 古詩에 短篇小說的 價値가 잇다는 것을 鼓吹하려는 것 보담도 短篇小說的으로 보와야만이 古詩의 眞價를 알기 쉽다는 것이다. 다시 말하자면 詩의 眞味를 아는 사람이라야 비로소 短篇小說의 好處를 理解할 수 잇고 短篇小說의 特色을 了解하는 사람이라야만 詩의 妙境을 體驗할 수 잇스며 더 크게 말하자면 詩의 妙味를 맛보는 사람이라야만 一般 文藝도 알 수 잇다는 것이니 詩味가 업는 小說은 文藝的 作品이라고 認定할 수 업다는 것이다. 나는 다시 詩에는 꿈이 必要한 것과 갓치 小說에도 꿈이 必要하고 詩가 必要하다는 것을 主張하려 한다. 事件이 複雜하야 耳目만 眩亂하게 하는 것이 小說의 唯一한 要素로 아는 某々氏에게 敢히 一言을 呈하노라. 이갓흔 意味에 잇서々 나는 다시 今年 七月에 自殺한 日本文士 芥川龍之助[06]의 『すじの ない 小說』이라는 것을 主唱함에 同感이오, 우리 文壇에서도 이와 갓흔 作家가 한아나 둘

---

05 '門'은 '閤'의 오식이다.

06 '助'는 '介'의 잘못으로 보인다.

쯤은 잇서도 無妨으로 생각하고 또 하로 밧비 보기를 苦待한다.

말이 만이 脫線된 듯하나 이 古詩는 西漢末에 作品이니 西曆 紀元 前後 적어도 二十世紀나 十九世紀 前 作品이라는 것을 또 다시 한번 생각할 必要가 잇다. 文藝的 價値를 認定하면 認定할수록 年代가 오래면 오랠수록 누구인지는 모르나마 그 作者의 文藝的 天才에 놀애지 안이한 수 업다.

마지막으로 短篇小說的 價値는 업슬망정 이와 比等한 歌詞는 우리나라에도 잇다. 누구나 다 알 것 갓지만 이 글의 餘韻을 껄기 爲하야 다음에 附記하려 한다.

「도라지를 캐러 간다고
요핑계 조핑계 하더니
총각 낭군 무덤에
삼우제 지내러 갓단다.」

以上

中國文學과 修辭[01]

李殷相

(一)[02]

一

『劉勰』의 『文心雕龍』은 文體論과 修辭說의 地位에 잇서서 中國 彼土에는 毋論이요, 往日 朝鮮에서도 識者 사이에는 그 일홈을 몰을 이가 업섯던 것이 엇다.

이에 中國 歷代의 文學을 專攻的으로 鑽硏하는 者도 아니요, 그러타고 하여 또한 讀書에 深解의 힘 조차도 업는 者로써 敢히 大方의 손을 압나서서 이 『雕龍』을 云謂하고저 함은 그리 반가히 녁일 點이 업는 것이나 읽고 듯긴 것만은 숨길 수 업는 것이요, 抽擢하여써 우리에게 利用코저 한 생각이 잇슨 것만은 또한 약은 心情에 빼지 못할 버릇이 된 것임으로 다만 名目 조케 『文學修辭의 初學者를 爲하여』하고 더 긴말 업시 贅言을 느려 볼까 한다.

中國의 文學史에 잇서서 齊梁의 時代는 可謂 南朝文化의 絶頂에 達한 때

01 『朝鮮日報』 1928.4.1, 4.3~4.7, 4.10, 3면.

02 매회 연재분 표기로서 7회에 걸쳐 연재되었다.

라고 할 수 잇스려니와 思想으로 보아 儒, 道教의 外에 佛教까지 잇슨 것은 毋論이요, 藝術에 잇서서 爲先 귀익게 들어온『氣韻生動, 骨法用筆』等 六法을 唱導한 畵論의 先達『謝赫』도 이 齊의 사람이며 書의 評論도 梁의 武帝, 庾肩吾 등의 後에 비로소 그 隆興을 보게 된 것이라 하는 것이다.

文學에 對한 諸 評論! 그 또한 이 齊梁時代에 盛히 닌 것이니 宋의 範曄, 謝莊으로부터 齊의 謝眺, 王融, 梁의 周顒, 沈約을 거처 盛行된 聲韻說이며 昭明太子, 簡文帝의 文學上 理論과 鍾嶸의『詩品』, 裵子野의『雕虫論』이며 蕭子顯과 蕭繹 等의 評論이 모도 다 이 齊梁時代의 盛觀을 보여주는 것이라 할 것이다.

이러한 때에 그 字를 彦和라 하고 後日에 다시 慧地라 改名한 이 劉勰이 잇서 또한『文心雕龍』을 著한 것이니 可히 齊梁의 時代를 닐러 中國文學史의 重寶期라 한다 하여도 그만일 것이다.

또한 그 中에서 特히『文心雕龍』을 들어 이 劉勰의 文學史上 地位를 說明할 수 잇슴은 그 雕龍이 大體에 잇서서 中國文學上 注目할만한 點에는 거의 다 論及된 것인 만콤 可能한 일이라 할 수 잇는 것이다.

이와 가티 勰은 異彩를 띄인 人物이요, 이 異彩를 띄게 한 그의 雕龍은 當時 文學界의 鉅篇이라 할 것이니 이에 小筆者의 힘은 그것을 全部 紹介한다거나 研究 批評함에 이르지 못하고 다만 그 十卷 五十篇 속에서 우리에게 實際的으로 利得이 될만한 것만을 抽拔하여 小議코저 하는 것이니 스스로 민망히 녁임도 걱지 안흔 바이다.

二

勰은 일즉이『自生人以來로 아즉 夫子 갓흔 이 업다.』하엿고 또 그가

三十歲의 때에 孔子를 꿈에 본 일이 잇섯다느니만큼 文心雕龍에 잇서 六經의 文을 推揚하고 『文章도 經典으로 爲本하는 데에 그 貴함이 잇다.』 한 것은 毋論 그의 文學思想이라 하려니와 그럼으로 여긔에 暫間 그의 『文學道德關係說』에 對하여 數言하고저 하는 것이다.

그는 『兩儀旣生矣. 惟人參之, 性靈所鍾, 是謂三才. 為五行之秀, 實天地之心, 心生而言立, 言立而文明, 自然之道也.』(原道篇)라 하여 文——即 文學——의 『人心의 自然한 곳』으로부터 생겨남을 말하엿스나 그는 거긔에 이름으로 긋친 것이 아니요, 『行』과 『情志의 信實』과를 第一義로 하고 文을 第二義로 함을 말하여 『文以行立 行以文傳 四教所先 符采相濟』(宗經篇)라 한 곳에까지 이른 것이다.

그러나 그가 文學은 『적어도 非道德的이 되지 말어라.』한 것이요, 決코 『文은 반도시 道德을 說明한 것이어야 한다.』고 하엿슴은 아니다.

(二)

이러한 點은 그가 일즉 影響을 밧앗다는 『蕭統』(昭明太子)의 『文質彬彬』이란 思想과 갓다 할 것이라 생각한다.

이 『質』이라고 하는 말은 道德的인 觀念을 包含하고 잇는 말이라 생각하는 것이니 蕭統이 일즉 陶淵明集에 序하여 『此亦有助於風教也』라 하고 쓴 것을 보면 文學으로써 風教에 有助하다는 것을 한 층 더 반가운 일이라 생각한 곳에서 文과 質이 아울러 아름다워야 한다고 主唱한 것이라 아니 할 수 업는 것이다.

다시 이 勰과 蕭統과를 比較해 보는 때에 蕭統은 『文藝』을 編하매 그 態度

를 文質兼用의 思想과 道德 以外(毋論 非道德的이란 말은 아님)에도 文學이 存在함을 肯定하는 理論으로 하고 『經子와 가튼 것은 대개 立意로써 爲宗함이요, 能文으로써 爲本함이 아니라.』(文選席[03])하여 聖經과 諸子 史傳과 策士의 論은 採錄치 안흔 反面에 이 劉氏는 『道沿聖以垂文 聖因文而明道』(原道篇)라 하고 雕龍의 첫머리에서부터 『易』以後 『書, 詩』의 文學이 잇슴을 論하엿스니 或 그들 사이에 間隔이 잇지 안흔가. 또한 勰은 그의 宗經篇에 『文能宗經, 體有六義』라 하여 文學이 經典을 宗으로 하는 때에 비로소 그것에 六義가 잇다 하고 說明하엿스니 더욱 可疑할 點이 잇지 안흔가 생각할 수 도 잇는 것이나, 이 勰이 『體有六義』란 것을 說明하되 『一則情深而不詭, 二則風淸而不雜, 三則事信而不誕, 四則義直而不回, 五則體約而不蕪, 六則文麗而不淫』(宗經篇) 하라 하여 『不詭, 不雜, 不誕, 不回, 不蕪, 不淫』 等 『文』을 肯定하면서도 다만 非道德的임만을 譏誚하는 態度를 보면 또한 劉孝綽이 蕭統의 命을 닙어 『昭明太子集』(蕭統集 編纂하고 그 序에 蕭統의 長을 讚賞하여 『能使典而不野, 遠而不放, 麗而不淫, 約而不儉』이라 한 卽 蕭統 그 自身의 理論이요, 實際라고 할만한 『不野, 不放, 不淫, 不儉』 等의 것과 同一한 特論이라고도 못할 것 업는 것이라 생각한다.

何如間 이 齊梁時代에 잇서서 紛紜된 『文學上 取捨 標準의 理論』은 누구로써 보아도 興味나는 點이라 할 것이니 이에 이 勰의 理論은 細別 解說하지 안코 簡單히 一言으로 맷는다 할지대 그가 孔子를 尊奉한인 것 만큼은『道則文』的인 態度라 할 것이요, 蕭統에게 影響된 이인 것큼은 『헛되히 雕□를 일삼다가 其 本體를 일흠은 文의 道가 아니다.』 하는 그 態度라 할 것이다.

蕭統도 또한 風敎를 害함에는 그 肯定을 말하지 안흔 것이요, 『넘우나 綺

---

03 '席'은 '序'의 잘못이다.

鹿에 偏重함은 文을 돌이어 傷함이라.』하엿스니 大體로 보아서는 이 齊梁時代에 蕭統이 잇고 또한 갓흔 思想을 가진 劉勰이 잇서 그 『文與道德關係』에 對한 中庸說의 一流를 일우엇다고만 하여도 그리 큰 乘舛은 업스리라 생각한다.

三

限外의 論에서 더 머물고저 안커니와 그의 文心雕龍은 十卷 五十篇으로 되엇스니 第一 原道篇으로부터 第二十五 書記篇까지는 文體論의 部分이라 할 것이요, 第二十六 神思篇으로부터 第四十九 程器篇에까지는 修辭論의 部分이라 할 것이다.(最終의 序志 一篇은 別로히 加하여 둔 것으로 말하면 以上 四十九篇의 總結篇이라고 할만한 것이다.)

이에 그 前部 文體論에 잇서서 特히 中國文學을 硏究하는 이에게만 必要한 것이라 할 것임으로 여긔에는 省畧하고 다만 그 後部 修辭論에 잇서서만(이것도 또한 우리의 實際에 必要한 것만을 抽選하여) 그 原書의 順次를 쫄아 畧述하여 보고저 한다.

(三)

다만 賈誼와 劉勰이 『試와 文品』으로써 『사람으로 하여금 스스로 完成케』(賈誼의 說)하고 『習을 定하며(性을 지어) 그 性에 因하야 才를 練하게』(劉의 說)함에 必要한 것으로 道破함만은 同見이라 할 것이나, 이 勰의 體性篇의 理論이 또 그대로 『文(詩)은 道德의 理敎를 밝힌 것이라(賈誼의 說)는 말임은 안인 것만큼 이들의 理論이 서로 다른 것이라 안이 할 수 업는 것이다.

勰은 다만 『文이 才에서 나오고 才는 性에 因함이 만흐매 文을 爲하여는 性을 닥그라』함과 다시 『그 性은 習慣에 딸은 것이니 良習을 길러야 하고 그리기 爲하여는 또한 文品을 擇하여야 한다.』 한 것이니 文, 才, 性, 習의 互相 주고밧는 理致를 말함이라 할 것이다.

敎育的 理論은 毋論 世上에 才의 庸儁, 氣의 剛柔, 學의 淺深, 習의 雅鄭이 잇슴을 拒否할 수 업슴과 또한 文品으로부터 影響 바듬이 적다 하지 못할 것임을 보아 敎育思想인 地點에서는 그 반듯한 말임을 肯定하지 안흘 수 업는 것이다. 그러나 오늘에 잇서서 文學家가 반드시 直接 敎育家的 責任을 가지고 敎育的으로 活動하여야만 할 것임은 안인 것이라 생각한다.

다만 하나 이 本性篇에서 (作家로써도) 首肯할 수 잇는 點은 性格과 文學作品과의 互相 影響되는 것을 말한 것──即 『賈生이 俊發인 故로 文潔而體淸하고 長卿이 傲誕인 故로 理侈而辭溢하고 子雲이 沈寂인 故로 志隱而味深이라.』 한 그것이다.

그것을 一一히 考證하기 爲하여 이에 賈生(賈誼), 長卿(司馬相如), 子雲(楊雄) 諸家의 性格과 文品을 보일 것까지는 업거니와 이것은 오늘 우리에게 잇서서도 오히려 차자볼 수 잇는 것이니 이것은 實로 古今不易의 理致라 할 것이다.

『風骨篇』의 理論은 엇더한 것인가.

그가 이 風骨의 意義를 말하되 『結言端直을 骨이라 하고 意氣駿爽을 風이라 고』하야 그 첫머리에 쓰되 『結言端直, 則文骨成焉. 意氣駿爽, 則文風淸(一作生)焉』이라 하엿다.

即 이 말은 『말이 곳고 긔운 차거라』는 말이다. 그가 篇中에 曹丕의 말을 引用하엿기로 이에 그 曹丕의 理論을 들어 對照하여 보고저 한다.

中國文學史에 잇서서 文學의 自覺時代(道德의 拘網을 버서나)를 魏晋時代라

닐컷거니와 建安, 黃初의 文學 隆興은 實로 魏의 三祖 即 武帝(曹操), 文帝(曹丕), 明帝(曹叡) 等의 힘이라 할 것이다.

이 曹丕는 그의 『典論』 中에 『文以氣爲主』(文이란 氣魄으로써 爲主한다)하엿스니 이는 劉氏의 뜻에 큰 影響을 준 말이라 할 것이다.

魏[04]은 이 風骨篇에 『文章才力, 有似於此』라 하고 말하되 『若風骨乏采. 則鷙集乎翰林. 采乏風骨. 則雉竄文囿. 唯藻耀而高翔. 固文筆之鳴鳳也.』라 하엿다.

이 말은 眞實로 名言의 갑슬 가젓다 할 것이니 即 『글이 힘만 잇고 빗치 입스면 『매』와 갓다 할 것이요, 또한 빗만 잇고 힘이 업스면 그는 『꿩』과 갓다 할 것이니 오직 힘과 빗치 다 잇서야만 그를 『봉황』과 갓다 할 것이다.』라는 뜻이다.

(三)[05]

『神思篤』의 要旨는 이러하다. 대개 思考力이니 想像力이니 하는 것의 神變不可測을 말하고 다시 『그것이 時空의 限制를 離脫하여 萬里와 千載를 往來하고써 眼前에 接하게 한다』는 것을 說明한 것이다.

勰의 雕龍 文體論部에 잇서서는 蕭統의 『文選』과 同一한 點이 만흠을 發見할 수 잇거니와 그 修辭論部에 잇서서는 또한 晋의 太康, 元康의 時代에 나타난 『陸機』(西紀 二六一至三〇三)의 『文賦』에 參考됨이 만흠을 차자내일 수 잇는 것이다.

---

04 '勰'의 오식이다.

05 응당 '(四)'야 한다.

그럼으로 이 神思篇의 理論을 陸機의 文賦에 對照해 볼 必要가 잇다고 생각하거니와 진작 陸機도 그 文賦에 『其始也, 皆收視反聽, 耽思傍訊, 精騖八極, 心遊萬仞』이라 하여 『沈思』를 說明한 것이니 이 劉氏의 『神思』의 理論과 兩兩相照됨이 업지 안타 할 것이다.

勰은 다시 『意飜空而易奇, 言徵實而難巧』라 하여 架空에 想像을 달릴 때에 妙文을 엇기 쉬움을 말하고 니어 實境에 이르매 巧를 일우기 또한 어려움을 말하엿다.

毋論 이 말은 至當한 말이라 할 것이다.

即 이 文學에 對한 『思索』이니 『想像』이니의 地位를 말한 것이라 하려니와 劉氏는 다시 『平生에 才學을 싸흔 이라도 實地로 붓을 들메 이르러서는 마음을 虛靜히 하여 實로 運用의 眞妙를 엇게 하라.』한 것이니 이것은 文章家의 직혀야 할 바 不易之道라 할 것이다.

그리하여 그는 『神思로부터 뜻이 되고 또 그로부터 말이 됨』을 說破한 것이니 생각컨대 神思의 업는 곳에는 뜻(意)이 업고 또한 말이 업서 結局 文學의 創生이 업다 할 것이다.

眞實로 文學에 잇서서 그 主要를 이 『神思』에 두지 안흘 수 업는 것이니 神思를 重히 할줄 몰으거나 重히 할줄은 아나 이에 엇지 못하는 이에게는 眞實한 意義의 大文學이 잇지 못할 것이라 생각한다.

『體性篇』에 잇서서 그가 文品을 八體에 난호아 『一曰典雅, 二曰遠奧, 三曰精約, 四曰顯附, 五曰繁縟, 六曰壯麗, 七曰新奇, 八曰輕靡』라 하고 各各 說明한 것이 잇거니와 이는 毋論 文學을 品質上으로 類別한 말일 것이나 그 本義인즉 『性格과 文品은 習慣으로부터 改善할 수 잇는 것이니 文品을 擇하야 그로써 良習慣을 길러야 한다.』는 거긔에 잇는 것이다.

即『才者天資, 學愼始習, 斲梓染絲, 功在初化』라 하고 『宣摹體以定習, 因性以練才』라 하여 善良한 文品을 本떠서 習慣을 삼고 그 性格에 應하야 才를 練磨하라는 一種 文學敎育을 主唱한 남아에 그것을 爲하야 例로 文品을 八種으로 區別한 것이라는 말이다.

이 敎育的 文學思想이란 것은 本是로 그 源을 孔子에다 둔 것이라 할 것이니 이 勰이 孔子를 崇仰하엿다는 것만큼 『文品을 擇하야 良習慣을 길러라』 한 말은 孔子를 아는 이로는 조금도 怪異히 들을 것 업는 것이라 하려니와 孔子는 진작 『論語의 陽貨篇』에 『小子何莫學夫詩』아 하고 興, 觀 等 學詩의 六德을 말하엿스며 또한 文學을 다만 自己의 講學 說道에서만 肯定한 것이 엇다.

그리고 孔子의 『詩三百(詩經을 말한 것임), 一言以蔽之, 曰, 思無邪』(論語 爲政篇)이라 한 말도 後日 朱子의 解釋대로 보건대 亦是 敎育的인 點에서 이 勰에 無關한 말이라고는 못할 것인 듯이 생각된다.

即 『思無邪』 一言에 對하여서이다. 本是 이 三字는 『魯頌』 駉篇의 一句라 하거니와 그야 어데 잇던 것이든지 孔子가 自己의 詩觀으로 하여 쓴 말임은 分明한 것인 바 이 『생각에 邪됨이 업다』라는 말 한 마듸를 가지고 包咸은 『歸於正』이라 注하고 程子는 『誠也』라 解하엿는데 호을로 朱子는 그것을 『……其用歸於使人得其情性之正而已』(그 쓰임은 讀者로 하여금 그 情性의 正을 엇게 함에 잇다)라 하엿스니 그것을 作者의 心境이라 解釋하지 안코 讀者의 心境 即 讀者의 利德點으로 解釋하엿다고 하러니와 그럼으로 이 朱子의 닐은 바 『情性之正』이라는 말이 곳 이 勰의 닐은 바 『良習慣』이란 말과 가튼 말이라 할 것인 만큼 이 勰도 일즉이 孔子의 『思無邪』란 一言을 그러케 解釋해 보앗던지도 몰을 것이라는 말이다.

그러나 이 勰의 理論은 文學을 다만 道德用으로 쓰자고만 한 것은 안이니 그럼으로 漢의 賈誼와 가티 『詩者, 志德之理而明其指, 令人緣之以自成也. 故曰, 詩者, 此之志者也』(賈子新書·道德說)라 말과 가튼 말을 한 것은 안인 것이다.

(五)

文章이 如何히 彩藻에 富裕하더라도 風力을 不備하면 取할 것이 업고 氣魄이 아무리 衝天하더라도 丹彩를 不奧하면 보잘 것이 업다는 말이다.

이리하여 보건댄 그가 다만 曹丕의 『氣魂』이나 自已의 『風力』만으로 文章의 要諦를 삼음이 안이요, 采藻를 또한 헛되히 버릴 것 안임도 相半으로 言說한 것이니 이 말은 實로 文章家(作家라 하던지)가 되려는 이의 들어야 할 말이라 생각한다.

여긔에 나로 하여금 한 마듸 더 加하게 한다 할진대 『빗도 업고 힘도 업스면 그는 『가마귀』와 갓다고나 할 것이다.』하여 보려니와 엇잿던 文學이 萬人의 마음을 擾蕩케 한다는 것은 그 비로소 鳳凰에 니른 者에게 限하여서만 可能한 소리라□ 것이다.

毋論 無力無釆야 本是부터 問題될 바 아닌 것이어니와 꿩이나 매로써도 文學의 極致點이라 못할 것임은 더 긴 말을 기다리지 안는 배라 생각한다.

『定勢篇』은 그 文體를 딸아 修辭의 方法을 달리하여야 할 것을 말한 것이다. 即『章表奏議는 典雅를, 賦頌歌詩는 清麗를, 符檄書移는 明斷을, 史論序注는 覈要를, 箴銘碑誄는 弘深을, 連珠七辭는 巧艷을 主로 하라』는 것이다.

이는 毋論 中國의 文體를 標準한 것이매 直接 우리 말의 文學에는 큰 意義를 띄인 것의라고 못할 것이나 文體를 딸아 修辭를 달리하여야 할 것만은 異

議업슬 일이다.

曹丕가 일즉 『夫文, 本同而未異, 盖奏議宜雅, 書論宜理, 銘誄尙實, 詩賦欲麗. 此四科不同, 故能之者偏也, 唯通才能備其體.』(典論·論文)라는 말을 하엿거니와 이 말은 그 原文의 意味대로 文體에 딸아 그 歸趨 目的이 不同함을 말한 것이나 또한 그리기 為하여는 自然히 修辭로 달리하여야 할 것인 만콤 『修辭不可을 說함이라 하여도 그리 큰 舛午는 안일 것이니 結局 曹丕의 말은 곳 勰의 『定勢篇』의 先聲인 것이라 할 수 잇스리라 생각한다.

中國文學上 그 文體의 多樣임은 이 雕龍의 前 二十五篇의 文體論이나 蕭統의 『文選』을 보아 짐작할 수 잇스려니와 그것에 對하여는 반드시 修辭의 不同을 論함이 업지 못할 것이니 이리하여 보건댄 이 定勢篇의 功이 자못 적지 안타 할 것이다.

우리로써도 그것에 取할 點은 爲先 『詩歌는 淸麗로 하여라』한 그것이라든지 『評論은 覈要로 하여라』한 그것이니 詩로써 淸麗를 缺한다 하면 貴한 情緖를 일허버리기만 할 것이요, 評論으로 覈要를 밝히지 못한다면 다만 놉흔 思想을 썩히기만 할 뿐일 것이다.

『詩之至』(即 詩의 極致)를 『鍾嶸』의 닐은 바 『使味之者無極, 聞之者動心』──말하면 無窮한 맛이 잇서 人心을 感動케 한다──(詩品上)라는 거 긔에 둔다 할진댄 그것에는 高貴한 情緖, 氣魄, 風力이 毋論 必要하거니외 그것이 淸麗를 띈 後에 비로소 生命을 가질 것이라고 아니할 수 업는 것이다.

近代의 詩人이 이 道를 생각치 안흠은 스스로 그 邪를 부름과 갓다 할 것이다.

『情彩篇』에 잇서서는 情緖와 文彩의 關係를 說明한 것이니 『몬저 情性을 本으로 하고 그 우에 文彩를 베풀어라』한 말이 잇다.

毋論 이 말은 至當한 말이라 할 것이니 그가 『立文之道, 其理有三. 一曰形文五色, 二曰聲文五音, 三曰情文五性.』──即 文彩에는 三種이 잇스니 첫재는 五色으로써 하는 『形의 文』(文은 文彩의 뜻), 五音으로써 하는 『聲의 文』, 五性으로써 하는 『情의 文』이 잇다──고 하여 그 文彩에 力說하면서도 『몬저 情을 本으로 하라』는 말을 빼지 안핫슴은 더욱 可한 일이라 할 것이다.

그가 이 『情』을 『理』의 뜻으로 말한 것 갓거니와 이 『理』와 『彩』의 關係에 對하여는 일즉 『陸機에게서 볼 수 잇는 點이니 陸機는 道理를 本幹的으로 하고 文彩를 技葉的으로 하라 하며 『理扶質以立幹, 文垂條而結繁』(文賦)이라 하엿고 또 機는 意辭의 關係를 말하되 『辭程才以効伎, 意司契而為匠』이라 하여 『意』를 匠으로 하고 『辭』는 그 才에 準하여써 効伎케 하라는 뜻을 말하엿다.

또한 齊의 『辛毘』도 『文章當以理致爲心腎, 氣調爲筋骨, 事義爲皮膚, 華麗為冠冕.』)(顏之推家訓·辛毘所論)이라 하여 理致로써 心腎을 삼고 華麗(劉氏의 彩)로써 冠冕을 삼는다 하엿다.

이러한 對照의 例가 될만한 것은 毋論 頗多하려니와 여긔에 그 對照는 이만해 두고 다만 劉氏가 나타난 字로는 『情』이라고만 하엿스니 말 그대로 『感情』이란 뜻으로 解釋하는 것이 至當할 것이다.

그리고 그는 또한 昔人을 말한 後에 『為情而造文은 可하되 為文而造情은 不可』라는 말을 하엿스니 即 感情을 基本으로 하고 그 感情을 爲하여 文을 지음은 可하되 情을 지음은 不可하다한 말이다.

이 말은 이 齊梁時代에서만 말할지라도 南齊書의 著者 蕭子顯에게서 볼 수 잇는 것이니 蕭子顯은 『應思悱來, 勿先構聚』(南齊書 文學傳論), 即 文章家는 스스로 淸興이 소사오르기를 기다릴 것이요, 미리 構造하여서는 못쓴다──하엿다.

이 말은 곳 이 劉氏의 『情을 為하여 文을 짓고 文을 爲하여 情을 짓지는 말라』한 것가튼 것이라 보려니와 엇잿던 이 情彩 一篇의 理論은 造情者의 箴儆이 될 것이다. 眞實로 文에 잇서서 이 情과 彩는 그 어느 것이나 偏棄할 바 못 된다 할지나 그 中에 彩란 그 情을 表現함에 쓰는 한 手段으로만 삼아야 할 것이다.

『聲律篇』은 要컨대 言語의 音樂的임을 말한 것이라 할 것이니 『器寫人聲, 聲非學(當作效)器者也』──即 器樂이 人聲을 本뜬 것이요, 决코 人聲이 器樂을 摹效한 것이 안이다 한 말은 其實 뜻이 잇서 한 말이다.

(七)[06]

그가 篇中에 述한 바이어니와 오늘 우리에게 잇서서도 言語를 寫한 文章의 音調 如何가 돌이어 器樂의 그것 보담도 例事로히 됨은 可怪할 일인가 생각한다.

대개 文章이 音調에 關係됨은그 効果의 得失 多寡로써도 說明할 수 잇스려니와 眞實로 文章이 『聲轉於吻하매 그 玲玲함이 振玉함과 갓고 辭靡於耳하매 그 纍纍함이 貫珠와 갓다』할만한 곳에 니를 진맨 그로써 上品을 엇은 것이라 하여도 그만일 것이다.

韻이니 和니 하여 文章으로써 韻이 잇는 것을 『文』이라 하고 韻이 업는 것을 『筆』이라 하엿던 것은 그 當時의 稱呼인 듯하거니와(見于總術篇) 『無韻의 筆은 짓기 쉬우나 和(異音相從謂之和)를 엇기 어렵고 有韻의 文은 짓기 어려우

---

06 응당 '(六)'이어야 하며 따라서 이하 연재분도 표기가 잘못되었다.

나 韻(同聲相應謂之韻)이 一定하여 쉽다 할 것이다.』한 것 等은 우리로써 그대로 가저 온다 하면 쓸모업는 말이라 하려니와 그 大體의 意義 即 文章은 그것이 散文(筆)이던 詩(韻文)이던 그 『말』의 音樂的인 곳을 일어 바리지는 안하야 한다는 것은 어느 民族語의 文章에서던지 哲理로 待할 말이라 할 것이다.

다시 말하면 詩에 잇서서는 毋論이어니와 비록 無定則인 散文에 잇서서 일망정 그 天然의 詩調를 가다듬어야 할 것임은 文章家의 알아 두어야 할 重要한 點이라 할 것이란 말이다.

『章句篇』에 잇서서는 中國文章의 組織 即 『字句章篇』에 對하여 說明한 것이다.

『夫人之立言, 因字而生句, 積句而成章, 積章而成篇』이라 한 것은 毋論 序言이어니와 이것은 우리의 文章에 잇서서도 난호면 난홀 수 잇는 것이라 생각하는 것이며 딸아 『篇之彪炳, 章無疵也』, 『章之明靡, 句無玷也』, 『句之清英, 字不妄也』──即 한 字를 조심하여 한 句에 틔가 업고 또한 章에 흠이 업서야 비로소 한 篇이 빗난다──한 말도 들어 둘 말이라 할 것이다.

그리하여 『振本而末從, 知一而萬畢矣』라 할 만큼(即 全篇 一義가 되게) 文章이 洗練되고 疾病이 업서야 할 것이다.

이 文章의 疾病이란 것에 잇서서는 同時代의 沈約에게서도 볼 수 잇는 것이요, 이 劉氏에게서도 亦是 들을 수 잇는 것이다.

그러나 이 모도가 다 中國의 詩文을 標準으로 한 것임으로 우리에게 實際的으로는 必要가 업는 것이라 하려니와 大概 그 二三例를 보이건대 『平頭, 上尾, 蜂腰, 鶴膝, 大韻, 小韻, 正紐, 方紐』 等 沈約의 八病說 中에 假使 『平頭』 一病을 볼진댄 『芳時淑氣清, 提壺臺上傾』, 이와 가티 第一句의 第一字와 第二句의 第一字 또한 第一句의 第二字와 第二句의 第二字가 各各 同聲(平上去

入 어느 것이든지)인 字를 쓰면 病이라 하고 特히 各句 第二字가 서로 同聲字인 境遇에는 그것을 巨病이라 한다는 等.

(八)

또한 이 勰의 『雕龍·練字篇』에 말한 『字形의 避할 境遇 四條』 中에서 假使 曹攄의 詩에 잇는 『褊心惡呦呶』의 『呦呶』 二字 가튼 것은 그것을 詭異라 하야 避하라 한 것이라든지 또는 張載[07]의 雜詩에 잇는 『洪潦浩方割』의 『洪潦浩』 三字. 沈約의 和謝宣城詩에 잇는 『別羽汎淸源』의 『汎淸源』 三字의 類, 그리고 또 曹植의 雜詩에 잇는 『綺縞何繢[08]紛』의 『綺縞繢紛』 四字, 陸機의 『日出東南隅行』에 잇는 『瓊珮結瑤璠』의 『瓊珮瑤璠』 四字의 類는 同偏의 字가 一句內에 三個가 잇다 하여 그 聯邊을 避하라 한 것 等.

이와 가티 沈約과 劉勰의 『詩文에 對한 病 乃至 文學과 字形과의 關係』를 말한 것이 다. 中國文學에 잇서서만 必要한 問題를 붓잡은 것이라는 말이다.

그럼으로 다만 文章에 잇서서 한 字를 注意하고 한 句를 無玷히 하고 한 章을 無疵히 하야써 全篇이 빗나게 하면 그것으로 病이 업다 할 것이라는 말만을 記憶해 두자는 것이다.

우리에게 對한 特殊한 文章 修辭論을 說明하기 前인 이 날에 잇서서는 다만 이러한 것만으로써도 初學者의 懿戒는 될 것이라 생각한다.

---

07 張載가 아니라 그의 동생인 張協의 雜詩이다.

08 '繢'은 '繽'의 잘못으로 보인다. 아래도 마찬가지이다.

이 外에도 『麗辭之體, 大凡四對』라 하여 『言對, 事對, 反對, 正對』等 中國의 對句 文章의 法을 말한 『麗辭篇』과 또한 『簡精한 辭로써 興을 鳴하고 餘情이 잇게 함을 寫景詩文의 極致라 한다』는 것을 말한 『物色篇』과 그리고는 『文士가 서로 輕忽히 하여, 남의 長處를 모르는 것, 特히 時代를 同一히 한 者에게서 그러하다』하고 다시 『自己에게 親近한 者를 실겨하고 그러치 안이한 者를 閑棄하는 것은 文士의 道가 안이니 眞實한 識者는 힘써 넓히 보고 그리하여 判別을 公明히 한다』는 것을 말한 『知音篇』 等 二三篇은 一瞥할 必要가 잇는 듯이 늣기엇스나 그리 別記할 것은 업는 것이기로 이로써 그의 修辭論에 對한 小論은 마치고저 하거니와 이것 몃 篇만으로라도 劉勰의 修辭論이 大概 如何한 것이라는 것은 알리어젓스리라 생각하는 것이라.

毋論 이 勰의 『雕龍』後半(下卷) 『文章의 工批을 論한 것』 等이 가장 充分하고 가장 完璧인 것이라고 하는 말은 안이다.

그러나 細論에 들어가 具體的으로는 後人의 손이 들어야 하도록 한갓 概念論으로 되엿다 하더라도 그것이 當時에 잇서서 絶한 論이엿든 것만은 아니라 할 수 업는 事實인 것이며 또한 그 所論이 오늘 우리에게 잇서서도 볼만한 것임은 이미 贅說하여 온 바와 갓흔 것이다.

대개 『文』이 『文』되고저 하는 때에 반드시 要求되고야마는 것은 이 『文의 修辭』라는 것이니 이 道를 흙 버리듯 하는 때엔 그 『文』이 다만 『字』에 긋치고 마는 것임을 거듭 거듭 말하여 둔다.

——戊辰 三月 於 東京

中國의 新興 文化運動의 趨勢[01]

青園

一[02]

一九一九年 巴里 平和會議에서 山東問題의 提案에 署名을 拒絶한 消息이 東方으로 傳하야 오자 이 事件의 導火線으로 五四運動이라는 것이 이러 낫섯다. 그 때 그 運動의 思想과 人物의 背景은 確實히 封建社會를 向하야 進攻하는 뿔조아 民主主義의 反抗運動이엇고 一部 知識階級의 文化運動으로도 되야 잇섯다. 於是乎 文學革命의 旗幟가 날리엇고 今日에 와서는 文學革命의 道程으로부터 革命文學의 길로 드러섯다. 事實上 封建思想을 反對하는 五四運動은 社會의 矛盾이 먼저 이러한 意識形態의 批判을 促起한 것이며 또 이런 意識批判의 指導下에서 運動은 具體化하얏고 또 相互的 關係로 因하야 具體的 運動은 意識을 더욱 深刻化식혓다.

이 때에 科學과 떼모크라쓰의 根本 精神에 基因한 當時의 文化運動은 儒敎의 排擊을 先頭로 하고 極力으로 歐羅巴의 뿔조아 自由主義의 學說을 輸入하기에 애를 썻다. 이것은 그 때에 普遍的 現像이고 그리고 一面엔 階級意

---

01 『中外日報』 1928.7.19, 7.21, 3면.

02 매회 연재분 표기로서 2회에 걸쳐 연재되었다.

識의 線上에서 努力한 出版物은 北京大學 朱謙之, 黃凌霜氏 等의 『社會運動』과 『北京大學生週刊』 及 『[03]北京師範大學의 『工學』이라는 雜誌이엇다. 其外에 또 『新青年』, 『新潮』 等이 잇섯스나 階級運動에 對한 明確한 見解는 서지 못하얏섯다.

五四運動은 그 後로 一部 知識階級의 思想運動으로 轉換하야 繼續하야 오다가 帝國主義는 中國을 資本主義化시키고 半殖民地化를 시키자 中國의 푸로레타리아트는 비로소 自身의 組織運動을 開始하게 되엇다.

五卅運動——即 上海 南京路慘案이 一九二五年에 發生하자 聯合戰□으로 進攻하는 帝國主義의 侵略은 中國의 被壓迫民族으로 하야금 民族的 統一戰線下에서 反抗을 부르짓게 하얏다. 그러나 社會는 언제든지 矛盾狀態에 잇슴으로 最初에 잇서서는 各 階級의 聯合을 形成하얏스나 罷工과 示威의 連月 繼續으로 中國의 資本家는 亦時 外國 資本家와 가튼 恐怖를 늣기게 되엇다. 그래서 上海商務總會는 先頭로 學生運動을 反抗하고 露骨的으로 反動을 表示하얏다. 그래서 未久 形全民族的統一成線[04]이란 不可에 成의 幻想으로 歸하고 階級의 分裂은 더욱 明瞭하야저서 푸로티리애트는 自己 解放의 使命을 充成키 爲하야 組織運動이 必要한 同時에 文化運動이 따라서 必要하게 되엇다.

그래서 近來의 文化運動은 五四運動 때와 가티 다만 外國思想 輸入에만 汲汲하지 안코 階級意識下에서 階級解放의 理論을 確立하려 한다.

우리는 現下 中國文化運動이 左에 몃가지 派別을 顯著히 볼 수 잇다.

一. 唯美派

---

03 '『'는 잘못된 표기이다.

04 '全民族的 統一戰線 形成'의 오식과 탈자로 보인다.

二. 人道主義的 趣味派

三. 아나키즘의 民衆藝術派

四. 맑스主義의 無產文藝派

五. 表現主義派

六.自然主義派

唯美派의 代表的 出版物은 上海에서 發行하는『新月月刊』과『獅吼』이다. 그의 代表的 作家는 邵鉤美[05], 勝固[06], 徐老摩[07] 等을 꼽을 수 잇다.

二

人道主義的 趣味派에는『語絲週刊』과『莽原半月刊』(後에『未名』으로 改稱)이 가장 有力하고 또 그의 代表的 作家는 周作人, 周樹人氏 兄弟로 되어잇다. 그 中에도『魯進』[08]이라는 號를 가진 周樹人氏의 作品은 全國을 通하야 靑年들의 好感을 산다.

아나키슴의 民衆藝術派에는『現代文化』月刊,『文化戰線週刊』과『民間文化』週刊 等 出版物이 잇다.『現代文化』月刊의 創刊號──革命文學批判號를 爲始하야 그들은 民衆藝術의 理論을 確立하얏다. 그의 代表的 作家는 毛一

---

05 '邵洵美'의 잘못이다.

06 '騰固'의 잘못이다.

07 '徐志摩'의 잘못이다.

08 '魯迅'의 잘못이다. 이하 마찬가지다.

段[09], 謙弟氏 等을 꼽을 수 잇다. 그들의 出版物은 南部 中國에서 相當한 歡迎을 밧고 잇다.

맑스主義의 無產文藝派에는 『創造月刊』, 『文化批判』 及 『畸形』 等이 잇다. 그들의 代表的 作家는 全部가 日本 留學生 出身으로 成倣吾, 郭沫若 等은 오즉 日本을 模倣하기에 努力하고 잇다. 그들 가운데는 또한 派가 잇다. 『太陽月刊』 蔣光慈 一派는 直接 勞農露西亞의 文化를 接受하고 잇다.

表現主義派는 外觀的으로는 其 表現主義的 態度를 볼 수 업스나 質에 잇서 確實히 表現主義 길로 드러가 잇슴을 볼 수 잇다. 高長虹, 培良 等의 『狂飈週刊』, 『世界』月刊[10] 等은 그들의 經營으로 相當한 地位를 가지고 잇다. 그들의 主張을 簡略히 말하자면 藝術方面에선 表現主義이요, 科學에선 行爲主義로 流入하얏다.

自然主義派는 거진 自己의 立場을 沒覺하리만큼 微微한 勢力을 가지고 잇다. 葉紹鈞, 孫依工[11], 許傑 等의 『小說月報』는 그들의 藝術의 宮이다.

나는 우에서 各派의 現下의 形勢를 略述하얏다. 이제 다시 그들의 理論鬪爭의 形勢를 살피려 한다.

今年 二月 間에 中國 맑스主義의 理論은 人道主義的 趣味派의 代表的 作家 周樹人(魯進)氏를 向하야 一致하게 總攻擊을 下하얏다. 그 目的은 中國文壇의 霸叔[12]을 가진 氏를 第一步로 打倒식히자는 것이다. 아즉까지도 兩派의 鬪爭은 其勢가 不上不下하고 잇다. 맑스씨트는 魯進을 資本階級의 權護者라

---

09 '毛一波'의 잘못이다.

10 실은 周刊이다.

11 '孫俍工'의 잘못이다.

12 '霸權'의 잘못으로 보인다.

고 排擊을 主張하나 魯進氏 自身은 그것에 對하야 理論的으로 反駁하지 안코 『狂人日記』式(氏의 傑作) 諷刺的 態度로 應戰하는 것이 氏의 缺點이라 아니할 수 업다. 그리고 맑스시트의 攻勢는 依然히 强烈하나 임이 作品으로 地位를 엇는 魯進氏를 對抗하기에는 그의 努力에 比하야 別한 效果를 收치 못하얏다고 할 수 잇다. 이 싸홈은 맑스씨스트가 無產階級文藝運動을 提唱한 以來로 第一 처음으로 始作된 것이라고 하겟다.

此外에 맑스主義者와 唯美派 之間에 多少 論爭이 업지 아니하나 別로 注目할 거리가 되지 못한다.

中國에서도 A와 B, 아나키스트와 뽈쉬빅키의 論爭은 始作되엇다. 主義의 論爭은 오래 前부터 잇섯지만 文藝를 가지고 論爭하기는 最近 지나간 五月부터이다. 朝鮮의 柳絮는 中外日報 四月分에 發表하얏든 『無產階級藝術新論』을 劈頭로 『文化戰線』 創刊號에 漢文으로 發表하자 맑스主義者 便의 『畸形』 創刊號에서는 先頭로 불질을 하얏다. 次로 柳絮는 『民間文化』이 『檢討馬克主義的藝術運動』[13] 一文을 發表하자 『畸形』 二號의 谷蔭氏는 『藝術家的當面的任務』라는 글로 猛烈한 反駁을 加하얏다. 이 싸홈은 正히 熱烈한 中에 잇다. 이 싸홈으로 基因하야 아나키스트 便에서는 革命文學批判專號를 내게 되고 맑스主義者는 理論鬪爭을 아나키스트에 向하야 하게 되엇다.

以上에 藝術理論 鬪爭에 가장 明確한 趨勢는 맑스主義者는 藝術을 宣傳化할려 하며 其餘 諸派는 宣傳化的 藝術을 反對하는 것이다. 表現主義派만은 傍觀的 態度를 가지고 잇다.

요 사이 또 唯美派와 아나키스트 間에 藝術的 不和를 보이기 始作한다. 勿論 兩者는 妥協할 수가 업는 成分을 서로 가지고 잇다.

---

13 '檢討馬克主義的階級藝術論'의 잘못이다.

以上은 現下 中國 文化運動──其中에도 藝術運動의 趨勢를 筆者의 見聞에 依하야 畧記한 바이다. 압흐로 筆者는 理論鬪爭의 顚末을 詳細히 쓰기로 約束하야 두고 于先 이에 그친다.

現代中國文學의 新方向[01]

北平 丁東[02]

一

現代의 中國은 社會가 大變革을 하는 時期다.

封建勢力의 沒落과 資本主義의 突進이 全 社會를 混亂狀態에 빠지게 하고 그 우에 帝國主義의 政治的 經濟的 侵略이 이 混亂狀態를 持續 延長하야 그 근칠 바를 알지 못한다.

社會는 이러케 麻木이 되고 民衆은 이와 가티 彷徨하고 잇다. 이러한 中國人民을 救할려고 種々의 主義가 聯袂하야 일어난다. 無政府主義, 맑쓰主義, 레닌主義, 키드社會主義, 三民主義, 國家主義 等々 或은 大理想을 包含하고 或은 時勢에 適應한 것이여서 舶來 土産을 勿論하고 雨後竹筍 가티 一齊히 擡頭하고 잇다. 이와 가티 主義가 만흐나 大概는 羊頭를 걸고 狗肉을 파는 셈이다. 例를 들면 레닌黨이 殺人放火를 하며 自稱 共産主義를 實行한단 것이나, 國家黨이 政權을 爭奪하며 民衆을 不顧하고 自慢하게 救國方略이라고 하는 等이다. 모든 것이 다 이러한 故로 民衆은 如前히 彷徨하고 社會는 如前

---

01 『新民』 제42호, 1928.10.

02 정래동이다.

하게 混亂하고 잇다.

二

이와 가튼 社會背景으로 支持하여 간 現代 中國文學은 亦是 千頭萬緒로 亂雜하야 秩序가 업다. 文學이란 것이 社會生活을 反映한 것이라고 하면 現代 混亂한 社會 中의 文學도 亦是 黑暗無明할 것은 自然한 理다.

現代中國文學은 五四 以來의文學革命을 經過하야 古文體가 白話로 變하고 歐洲化하는 程度가 漸々 놉하진다. 그러나 直接으로 中國文壇에 影響을 주는 것은 西洋이 아니요, 도리혀 日本이다. 그럼으로 中國文學이 西洋文學을 接受하는 것은 大多數가 다 日本을 經由하야 間接으로 밧게 된다.

中國文人은 異常한 傾向이 잇다. 곳 自己自身이 恒常 偉大한 著者의 原書를 보지 안코 新聞 雜誌에 發表된 短評 片句의 意見을 納得하고는 大滿足을 늣기고 그 우에 此等 文을 中文으로 亂譯 惡翻하야 某種 著作 或은 某種 主義를 紹介한다. 故로 中國文學上 古典主義, 浪漫主義 무슨 表現派, 未來派 等에 關한 것이 出版되여 日常 보게 되나 此等 文學上의 各種 主義의 內容이 엇더한 것인지는 아마 그 主義를 紹介하는 使命을 가지고 잇는 文學者도 詳細히 알지 못할 줄로 밋는다. 이것은 完全히 「抄書著作家」이여서 以耳代目하는 文學家라고 할 수 밧게 업다.

이러한 結果로 中國文壇은 黑暗으로 變하고 만다. 文學批評家는 大構 亂雜하게 抄書일 것만 알고 만흔 創作家는 一心으로 模倣할 줄만 안다. 그럼으로 近 몃 해 間에 創作에 成功한 사람은 少數에 不過하다. 例를 들면 魯迅의 小說, 培良의 劇, 周作人과 狂飇社 몃 사람의 散文이 그 內容이나 外形에 잇서 相當한 成功을 하엿다. 此等 作家를 除한 外에는 自然主義를 提倡하는 「小說月報」에도 自己네의 主義에 맛는 小說을 發見할 수가 업다. 過去의 「創造月刊」에도 自我狂, 個人表現 等 芸術의 惡劣한 것만 볼 뿐이요, 別로 조흔 作品을 볼 수가 업다. 文芸批評에 일으러서는 根本的으로 업다고 하여도 過言이 아니다. 周作人의 「自己의 園地」는 한 閒話에 不過하고 「創造周報」의 評論은 自己의 主義主張과 다름만을 排斥할 뿐이요, 文學 本身의 評은 조금도 업다.

이것은 다 지내갓다. 다못 過去 몃 해 間의 中國文壇의 鳥瞰에 不過하다.

三

現今의 中國文學은 발서 新方向으로 나어가게 되엿다. 新時代의 開展할 때는 이미 이르럿다. 過去 一二年來의 自然主義派, 唯美派, 趣味派, 未來派 等의 所謂 創作, 그들의 所謂 批評은 발서 漸々 沒落하여저 간다. 新興의 一種 文芸上의 新主義가 一定코 代出할 것이다. 中國 現今의 文學은 一定코 一方面으로 趨向하야 將且 中國文學의 主潮가 될 것이다.

一九二八年 春에 一種 革命文學의 理論이 일어나게 되얏다. 이것은 過去及 現今의 露西亞와 日本의 無產階級文學의 影響이다. 이 無產階級文學의 長成은 그의 歷史的 使命이 잇고 그의 社會的 背景이 잇다. 이 가튼 中國 現代의 社會에서는 이러한 文學이 發生한 것도 그리 奇怪한 現象은 아니다. 이 無產階級文學도 中國文壇에 張固한 基礎를 세우게 된 것은 以上의 趣味派, 唯美派가 沒落한 까닭에 必然한 勢로 볼 수 잇다. 그러나 이 無產階級文學도 一種 階級文學이여서 僅々히 少數人 或은 一階級의 慾求만 滿足식힘에 不過하

다. 그 文學이 中國에서의 只今까지 文學의 主潮이엿스나 이 亦 應當히 抹殺될 것이라고 밋는다. 現代中國文學의 新方向이 이러케 된 것은 잘못 方向을 轉換한 것이엿다. 우리가 새 文學을 必要하면 그 前 現社會에 不適常한 것은 當然히 打倒하여야 할 것이다. 우리 新文學의 方向은 應當히 民衆의 압흐로 나어가야 할 것이다. 곳 新文學은 民主의 文學이요, 大衆의 文學이여야 할 것이요, 決코 個人의 것이나 한 階級에 屬하여서는 안이 될 것이다.

우리가 當然히 堤[03]倡할 것은 民衆文學이다.(民衆主義라고 할 수 잇다) 우리는 그 前 資產階級文學이나 또는 新興한 無產階級文學에 反對하지 안하면 안될 것이다. 우리는 階級對立과 階級鬪爭의 文學은 모조리 反對한다. 中國의 이 가티 沉悶한 文學이 民衆文學의 方面으로 나아가기 前에는 新生할 수가 업다.

二六·十·六

03 '提'의 잘못이다.

中國 新文學 簡考[01]

朴魯哲 鈔

(一)[02]

(一) 小說界의 墮落

中華民國이 비로소 成立될 때(一九一二年) 上海를 中心으로 하야 뭇 小說家들이 구름처럼 모혀 들매 그 著作은 實로 雨後竹筍처름 產出되기 비롯하엿스니 그 중 演義에는 『神州光復志』, 『清代演義』, 『清史演義』, 『新華春夢記』 等이엇고 散文 長篇에는 『碎琴樓』, 『雙秤記』, 『黃金祟』, 『斷鴻零雁記』, 『蒙古旅行記』 等이엇스니 그 중에도 半駢半散文體로는 『玉梨魂』, 『雪鴻淚史』, 『孽冤鏡』, 『鴛湖潮』 等을 들 수 잇다. 그리고 作者로는 林琴南, 程小青, 李涵秋 等이 잇스니 단지 李涵秋의 『廣陵潮』를 除한 外에는 거의 舊小說의 餘瀝을 맛본 것으로써 별로 볼만한 것이 업다.

作品이 만코 作者가 만흔 比例에 依하여 보면 小說界의 寂寞한 感이 업지는 안타. 이러하야 民國 五六年 頃에 『黑幕小說』이 發生되엇스나 거의 無結

---

01 『朝鮮日報』 1928.11.25, 11.27, 11.28, 3면.

02 매회 연재분 표기로서, 3회에 걸쳐 연재되었다.

構의 諷刺小說 중에도 가장 低劣한 作品 뿐으로 『說郛常識[03]』의 著者 徐敬修 가튼 사람은 한갓 小說이라는 것이 『淫逸을 誨하고 盜亂을 恨하야써 一時의 人心을 誘發하는데 지나지 못함으로 그 墮落이 極點에 達할 뿐』이라고 실로 慨嘆을 마지 안햇스니 小說의 墮落된 時期를 機하야 中國의 文學革命이 勃發된 것도 퍽 奇異한 일이라 아니 할 수 업다. 그리고 北京評話小說도 近年에 와서 『兒女英雄傳』, 『七俠五義』에 匹敵될만한 作品이라고는 아직 나오지 안햇다.

(二) 白話文學 主張

民國 五年(一九二六年)以來의 文學革命運動을 評詮하여 보면 意識的으로 白話文學을 主張하여 왓스니 從來의 中國文學界에 厭倒的 勢力을 가진 古文의 權威를 攻擊하야 이를 『死文學』으로써 認肯하는 運動으로 본다. 이 運動의 進展性에 依하여 보면 現代 中國에 漲溢된 改造思想에 留意치 안흘 수 업다. 이에 우리는 여긔에 對하야 表面으로 나타나는 文學革命運動 그것을 簡單히 말하는데 지나지 안는다. 대체 文學革命의 主張은 初期에 이르러 個人有志 間에 討論으로부터 비롯하엿스니 爲先 그 意見을 公然化한 이는 胡適으로 그는 民國 六年(一九一七年) 一月에 『文學改良芻議』를 雜誌 『新青年』에 發表하엿다. 胡適의 態度로 보아 平和的이라는 것은 『改良』을 이르는 것이니 革命의 두 자를 붓치지 안터라도 그 意義는 자못 明白하게 되엿다. 대개 胡適의 文學觀은 歷史的 進化의 始終에 依하야 그 芻議의 要旨를 밝혓스니 오로지 文學은 時代에 딸아 變遷하는 것으로 그 一時代에는 그 一時代의 文

---

03 '說部常識'의 잘못으로 보인다.

學이 잇서서 時代에 依하야 進化됨으로 스스로히 挽止시킬 수는 업다. 例를 들면 唐人이 周漢의 詩를 가질 수 업는 것처럼 宋人이 司馬相如, 楊雄의 賦를 擬度치는 못하는 것이다. 이제 歷史的 進化의 眼光으로 살펴본다면 中國의 白話文學이라는 것이 그 文學의 正宗으로 將次 中國文學界에 必要한 利器로 볼 수 잇스니 그『文學改良芻議』에 文學改良의 八要件이 說明되어 잇다. 一은 典籍을 使用치 말자는 것이며, 二는 陳腐한 語套를 쓰지 말자는 것이며, 三은 對偶를 講치 말자는 것이며, 四은 俗字俗語를 避할 수 업다는 것이며, 五는 文法을 講求하자는 것이며(以上은 形式論), 六은 無病的 呻吟을 불어내지 말자는 것이며(誇大無用한 呻吟), 七은 古人을 模倣치 말자는 것이니 即 個我(個性)를 尊重히 보자는 것이며, 八은 모름직이 對象에 擬度하자는 것이다(以上은 精神的 方面).

胡適은 原來 學者로써 歷史的 奇癖이 深大할뿐더러 革命事業에도 그 力量을 不絶히 發揮식힌 人物이다. 그리고 文學革命의 過程上 가장 重要한 急先鋒의 任務를 가진 자는 陳獨秀이니 그는『文學改良芻議』의 뒤를 이어 民國 六年 二月에『新青年』誌上에『文學革命論』을 發表하야 正式으로『文學革命』의 旗幟를 놉히 들엇섯다.

(二)

그 檄文을 보면「나는 全國 學究의 敵으로써 놉히『文學革命軍』의 大旗를 들어 聲援을 求한다. 우리는 旗上에 三大主義를 大書하엿다. 一은 彫琢的 阿諛的인 貴族文學을 打倒하야 平易的 抒情的인 國民文學을 建設하자는 것이요, 二는 陳腐的 誇張的인 古典文을 推倒하야 新鮮的 立誠的인 寫實文學을 建設하자는 것이요, 三은 迂迴的 難澁的인 山林文學을 壓倒하야 明瞭的 通俗

的인 社會文學을 建設하자는 것이다.』[04]라고. 그 후 七年 四月 頃에 『新靑年』에 掲載된 胡適의 『建設的文學論』에 依하야 본다면 現代中國의 文藝思潮에 對하야 進行할 方向을 明白히 決定하엿스니 그 文學論의 大旨는 이러하엿다. 「우리의 指唱하는 文學革命은 단지 中國을 爲하는 一種의 國語的 文學을 創造하는 데만 目的을 둔다. 이리하야 國語的 文學이 잇슴을 비롯하야서 마츰내 文學的 國語가 잇는 것이니 文學的 國語가 잇슴으로써 비로소 우리의 國語가 眞正한 國語의 價値를 發揮하는 것이다.」라고 하엿다. 그리하야 이 論文은 『建設的』이엿스나 그 內容인즉 실상은 破壞的 方面에 가장 有力하엿다. 胡適은 또 말하엿다. 『二千年以來로 中國文人이 作成한 文學은 거의 死文學이엿다. 病的 言語文字로 비저 낸 文學 밧게는 되지 안햇다. 이 가튼 死文字로는 決코 活文學을 造成할 수는 업는 것이다. 簡單히 말하면 詩經 三百篇으로부터 오날까지 끼처온 中國의 文學 가온대 多少의 生命이 잇다는 것은 白話的 作品 밧게는 별로 업다. 그럼으로 中國이 活文學을 갓고자 하면 무엇보다도 먼저 白話를 알어야만 됨으로 마츰내 國語的 文學을 崇尙치 안을 수 업다.』라고. 이리하야 同 七年 十二月號의 『新靑年』 誌上에 周作人의 『人的文學』과 그 밧게 朱希祖의 『白話文的價値』 等을 掲載하야 그 文學革命에 一段의 光彩를 낫하 내엿다.

이 文學革命에도 한편으로 反對運動이 잇스니 그 革命運動의 中心心[05]은 北平大學으로 該 校長인 蔡元培도 그 중에 가장 有力한 鬪將의 한 사람이엿다. 그리고 反對運動은 文學派, 校內, 校外 三方面으로부터 猛烈이 이러나기 시작햇스니 舊文學派의 代表者인 林紓(琴南)은 蔡元培와 猛烈히 論爭을 거럿

---

04 응당 '」'이어야 한다.

05 '中心'의 오식이다.

다. 딸아서 校內의 反對分子는 古文學擁護運動을 이리키고 校外의 反對分子는 當時에 安福派의 武人과 結託하여 가지고 이 新運動을 壓迫하엿다. 그러나 大勢는 反對派를 돌아보지 안코 제 갈 대로 다름질 첫스니 新運動은 마츰내 大學生 間에 響應者를 내이고 말엇다. 그리자 民國 八年에 巴里講和會議를 機하야 中國 側으로는 不成功한 탓으로 저 有名한 『五四』運動을 學生階級이 前衛가 되야 猛烈히 이리키엿다. 따라서 『六三』事件 以來로 學生의 勢力이 벗석 增加되는 둥시[06]에 文學革命運動도 絶大의 勢力을 읏기 비롯하야 民國 九年, 十年 頃에는 白話文學이 公然하게 中國의 國語로 使用케 되엇다.

그 후 文學革命運動은 理論의 時期를 經過하야 完全히 新文學의 創造期에 드러가기 시작하엿다.

(二)[07]

(三) 白話文學의 現狀

最後 七年 間의 白話文學에 對한 成績을 들면 대개 이러하다.

(一) 白話詩의 試驗

이는 最初 詩壇의 解放 될 때에 이르러 技巧의 不精熟으로 過渡時代의 缺點을 아직 免치 못하다가 兩三年 어간에 有韻詩와 無韻詩 또는 新興의 『短詩』에 成熟된 作品이 多數히 産出되면서부터 漸次 成功의 길로 드러가게 되엇다.

(二) 歐洲의 新文學 輸入

---

06 '동시'의 오식이다.

07 응당 '(三)'이어야 한다.

從來로 『듀一마』, 『서켄쓰』, 『하가一드』, 『아一뷘닝』을 主로 하야 紹介하든 英佛米 文學이 近來 와서는 『입센』, 『스토린도베리』, 『안더슨』 等의 北歐文學과 『톨스토이』, 『더스트이에푸一스키』, 『크一푸린』 等의 露西亞文學과 『에프타리오티스』의 新希臘文學과 『쎈쿠티』, 『제롬쓰키』 等의 波蘭文學이 白話譯 紹介에 자못 汲汲한 모양이다. 이런 方面의 代表者로는 누구나 周作人을 들게 된다.

㈢ 短篇小說의 成立

一九二一年以後로 上海 商務印書舘의 『小說月報』라는 것이 中國 創作小說를 提唱하기에 가장 重要한 機關으로 얼마든지 優秀한 創作品이 실려잇다. 그 중에 魯迅이라는 小說家가 優秀한 모양이다. 한 五年 前의 『狂人日記』로부터 近來의 『阿閨正傳』에 니르기까지 별로 拙作이라 할 것이 업다. 그리고 前記의 魯迅은 中國 小說作家 중에 매우 有力한 젊은 作家이다.

㈣ 白話散文과 長篇小說

近來 와서는 周作人 等의 『白話散文』이 퍽 流行하는 모양이다. 그러나 長篇小說은 볼만한 것이 한 가지도 업다 해도 過言이 안일 듯십다. 方今 新進作家 중에 이에 對하야 자못 奮勵하는 모양이나 좀처럼 力作을 產出치 못한다. 어느 편으로 보면 從來의 『儒林外史』나 『水滸誌』만도 못한 點이 만타. 그 結構 乃至 組織에 니르러서는 돌이어 鑑識者에게 不滿을 끼치는 수가 잇다. 如何間 現下의 發展되는 狀態를 보아 將來로 힘 잇는 作品이 만히 產出되리라고 나는 밋는다.

(完)

胡適氏의 『五十年來中國之文學』과 그 밧게 中國文學史에서 參酌함을 말하여 둔다.

1929년

中國文學汎論 - 文學思想의 推移와 新文學運動의 將來[01]

李殷相

(一)[02]

【辯言】──中國民族의 文學은 그들의 歷史 우에 보이는 數 만흔 歷代王朝의 變遷과 밋 國運의 盛衰로더부터 그 隆沈을 가티 하여 온 것이다.

그들이 古代에 잇서서는 如何한 思想을 土臺로 하고 文學을 形成하엿스며 다시 時代가 옴겨질 적마다는 그들의 思想이 如何히 推移되엇는가.

또 다시는 그들이 如何한 理論과 自覺아래에서 文學을 制作하엿스며 그리하야 文學的 革命, 文學的 運動은 如何히 進展되엇는가.

이러한 것들은 그들의 文學的 將來를 論함과 아울러 우리에게도 興味잇고 빗최임이 될만한 것이라 생각하는 바이다.

그럼으로 이에 編輯者에게서 바든 命題대로 彼土 文學史의 全幅을 通하여 各 時代의 重要한 思想이나 理論 乃至 運動을 概觀하고 그 將來를 愚論코저 하는 것이다.(筆者)

---

01 『朝鮮日報』 1929.1.1~1.6, 1.23~1.25, 1.28, 1.31, 2.3, 2.5, 2.7. 1월 1일 1면, 기타 3면.

02 매회 연재분 표기로서, 14회에 걸쳐 연재되었다.

(一)『天命』의 思想

漢民族이 처음부터 實際的이요, 功利的인 곳에 그 民族性을 뿌리 박게 된 것은 그들의 現實生活을 依據하엿던 그 땅이 氣候로는 嚴寒하고 質로는 磽瘠하여 거긔에 땀과 피를 흘려 勞苦하는 以外에는 조금도 다른 곳에 힘을 난호지 못한 것만큼 專혀 그들 自身의 經驗을 重視하게 하고 또 한 尊祖 保守의 慣習을 일으키게 된 것에 잇다 하겟다.

그럼으로 거긔에 딸아 그들은 自己들을 圍繞한 自然에게 向하여도 崇拜의 맘을 잇는대로 다하게 된 것이니 所謂 祭天의 古俗도 그 自然의 情勢가 薄倖한 것만큼 天에 祭하여 稷禾의 繁茂를 빌엇던 것이다. 그리하여 마침내 그들의 머리는 一元論的 思想을 굿게 어든 것이니 記의 말한『萬物本乎天, 人本乎祖』와 가튼 것이 그것이다.

君主에 對한 思想도 한낫『天』이란 것으로 짜이게 되고 生死苦樂에 對한 思想도 또한『命』이란 것으로 다하게 되니 저 冥想的인 印度民族으로 더불어 根本的인 差異를 가진 것도 여긔에 잇는 것이다.

『天』이란 大自然 압헤 無條件으로 絕對 服從한 그들은 佛教 民族이나 基督教 民族과 가티 死後의 世界라는 것에는 조곰만한 假想도 일으키지 안코 다만 現世를 天과 命이란 한 개의 튼튼한 思想만을 함께 하여 無難히 지날 수 잇섯던 것이다.

人生의 無常을 보고서도 곳 그것을 天命에 돌려 疑心치 안헛고 그것을 哲理에 들어 深解코저는 아니하엿다. 슬품을 맛나매『天』에 呼訴하엿고 不遇에 處할 때도 그를『命』에 돌렷다. 그들의 머리에는 그것만으로도 足하엿다.

詩經의 곳곳에 슬픈 者의 입이『彼蒼者天』이란 一語를 거듭 거듭 불렷고 孟子에도 舜帝가 그 아버지의 사랑을 못닙으매 그 애닯은 가슴을『旻天』에 號泣하엿다고 하엿다.『天生烝民』이라 한 것과『死生有命』이라고 한 思想은

中國 上古文學의 特色으로 볼 수 밧게 업는 것이다.

詩 小雅(小辯[03])에 『何辜于天, 我罪伊何, 心之憂矣, 云如之何』라고 嘆息하고 다시 『天之生我, 我辰安在』라고 懷疑한 것은 即 『辰』은 『時』라 生時의 如何에 그의 吉凶이 定하여진다는 것이니 一種 宿命觀의 存在도 엿볼 수 잇는 것이다.

屈原의 『懷沙賦』(集註本)의—

> 『民生禀命, 各有所錯兮, 定心廣志, 余何畏懼兮, 曾傷爰哀, 永嘆喟兮, 世溷濁莫吾知, 人心不可謂兮, 知死不可讓, 願勿愛兮, 明告君子, 吾將以爲類兮.』

란 것을 보아도 처음에는 天命의 定함 잇슴을 말하고 다음에 세상의 나를 誤解함을 憤히 녁여 死로써 自己의 潔白을 表明코저 한 것인 줄 알 것이니 대개 이 『天命』 一語는 中國民族에 잇서서 萬難을 解決하는 唯一한 眞理이엇고 그들의 人生觀을 세운 礎石이엇던 것이다.

> 『내 열다섯에 學에 뜻하고 설흔에 서고 마흔에 不惑하고 쉬인에 天命을 알고 여쉰에 귀가 順하고 일흔에 하고십흔 대로 하되 法을 넘지 안헛노라.』

이 말은 論語를 읽은 이는 누구나 다 알만한 孔子의 말이거니와 이것은 孔子의 훌륭한 自叙傳이요, 또한 그의 內面生活의 縮寫요, 그의 思想의 輪廓

---

03 '小弁'이다.

이라 할 것인 同時에 上古期 中國民族의 理想이 『天命』에 잇섯다는 것도 엿볼 수 잇는 것이라고도 못할 바 업는 것이다.

(二)

(二) 道儒의 二 思想(一)

이 天命의 思想은 中國 上古文學의 根本 立脚이요, 基礎 精神이라 할 것이며 짤아 이 思想은 後日 長大한 文學史 우에 큰 影響을 밋친 것이다.

三代 文學의 뒤를 니어 나타난 春秋 時代의 文學은 中國文學의 精粹를 結晶한 것이라고도 보려니와 時代의 廻轉과 刺戟은 爛熟한 周代文學의 極點에 達한 것을 겻눈으로 하고 政으로와 思想으로 當時의 天下를 자못 뒤흔들어 노코야 만 것이다.

所謂 『周監十[04]二代, 郁郁乎文哉』라 하고 孔子가 稱嘆한 制度 典章도 언젠가 頹廢하여지고 周末의 衰하고 亂함은 禮義 二百[05] 威儀 三千의 녯날로는 발릴 도리킬 바이 업시 그 門閥制度는 打破되고 그 中央執權은 解體되어 그대로 群雄이 割據하고 짤아 生存 競爭의 劇甚한 時代에 逢着된 것이다.

春秋 十二列國이 對峙되고 니어 齊의 襄公[06], 宋의 襄公, 秦의 穆公, 晉의 文公, 楚의 莊王 等 五覇가 서로 다토아 戰國의 世에 들어서서는 列國의 自然한 陶汰와 變遷을 일으키니 楚, 秦, 燕, 齊, 魏, 韓, 趙 等 七大國은 서로히 軍備

---

04 '十'은 '于'의 오식이다.

05 '三百'의 잘못이다.

06 응당 '桓公'이어야 한다.

에 傾力하고 智識의 士를 政에 올림을 딸아 뛰어난 선비들은 空拳으로 떨처 일어나 소리치며 知己를 天下에 부르며 經綸을 實現코저 하엿다.

이와 가튼 社會 變動의 影響은 畢竟 言論으로 하여금 自由롭게 한 것이니 周末의 學術思想에 流派를 내인 것도 辯論, 攻擊, 競爭, 軋轢의 自然한 所致라고 보려니와 文學의 發達과 進展이 잇슴도 實로 이에 關함이라고 斷言할 수 잇슬 것이다.

여긔에 일어난 모든 學術 思想의 先驅를 잡은 이가 잇스니 그가 곳 孔子와 老子의 二聖인 것이다. 道家의 開山인 老子는 『無爲謙弱』으로 主義 삼앗든 것이오, 儒家의 先師인 孔子는 『治國平天下』로써 理想을 삼앗던 것이다.

周朝의 衰頹期에 잇서서 世道 人心의 나날이 달라가는 것을 槪嘆하고 그 衰世를 挽回하여 다시 周室의 盛時를 가저오려고 『尊王賊覇』의 皇室 中心主義와 밋 『禮樂文物』의 文化主義를 鼓宣하엿던 것이 儒家의 先覺者이요, 이에 反하여 虛僞의 文化를 排擲하고 制度할 길 업고 廓淸할 길 업슴을 엿보면서 閉目蔽耳하고 塵世와의 交涉을 斷絶한 無爲의 思想을 붓잡은 것이 道家의 先覺者이엇다.

이리하야 이 두 思想은 오날에 일으기까지 또렷한 두 길의 體系를 그들의 文學史 우에 지워노핫다고 할 것이다.

孔子의 抱持한 根本 生命은 仁과 忠恕다. 아니 이것은 그의 根本 生命에 體達할 수 잇는 一 方途인 것이다. 孔子가 詩歌, 音樂의 美를 高調하면서도 언제나 功利的, 道德的인 地點에서 한 것은 自然한 結果이려니와 여긔에서 出發하야 開展한 그의 宗敎觀, 社會觀, 政治觀, 文藝觀, 倫理觀 等이 또한 『常識』의 範圍를 넘어서지 아니한 것도 이상할 것 없는 定理라 할 것이다. 그것 그대로 體系化되고 組織化되어 同時에 그 功利가 極端에 흘으지 안코 中道에 서게 된 것도 孔子의 面目이라고 보겟다.

그리고 孔子는 一種의 運命論에 그의 宗教觀을 세웟다고 할 것이요, 德本思想에 그의 政治觀을 두고 禮樂中心論에 그의 社會觀을 두엇고 仁과 忠恕에 그의 倫理觀을 두엇슴에 짜아 『仁』에 니르는 一 道程으로 하여 藝術을 尊重하고 個個의 生命을 充實히 하는 點에 文藝의 功利的 使命, 意義, 本願이 잇다고 肯定한, 말하면 仁을 目標로 한 것에 그의 藝術觀을 두엇다고 할 것이다.

(三) 道儒의 二 思想(二)

이에 孔子가 文學을 功利的으로 解釋한 것을 보자. 文學品의 厚意야 어대로 갓던지 그것은 別로히 하고 그것을 한갓 政教上의 어느 點에 應用한다는 것은 孔子의 文學에 對한 根本的 態度다.

論語의 子罕篇에 보면 逸詩의 『唐棣之華, 偏其反而, 豈不爾思, 室是遠而』라 한 男女相思의 노래를 引하고 니어 『子曰, 未之思也, 夫何遠之有』라 한 것이 잇스니 이는 『아직 덜 생각한 것일다. 엇지 생각함에 먼 것이 잇단 말가』하는 말이다.

이와 가티 男女相思의 俗謠에 自己의 講學을 붓친 것이니 우에 쓴 그 詩評도 실상은 『子曰, 仁遠乎哉, 我欲仁, 斯仁至矣』(論語·述而篇)라는 即 『仁』이란 것이 엇지 멀가보냐. 내가 仁을 원하면 仁이란 거긔에 이르는 것이라는 뜻을 말한 것이다.

이와 가튼 例는 한 둘이 아니거니와 大學에 詩(商頌, 玄鳥)의 『邦畿千里, 惟民所止』와 詩(小雅·魚藻之什·緡蠻)의 『緡蠻黃鳥, 止于丘隅』를 引하여 『子曰, 於止, 知其所止, 可以人而不如鳥乎』라고 말한 것도 『止』字를 주서 모아 大學의 『止至善』에다 利用한 것이다. 孔子는 이러케 文學을 『仁』에 이르는 한 道程

으로 보앗던 것이다.

大體로 이 儒學의 思想은 一朝一夕에 孔子를 그 先師로 하고 나타난 思想이 아니요, 그 功利的인 點, 그 道德的인 點, 그 倫理的인 點으로 보아 中國本來의 傳統과 精神과 理想의 結晶이요, 組織이라 할 것이며 또한 그 思想은 中國文學의 主要面을 차지하게 된 것인 줄을 알 것이다.

이 儒家에 對峙한 老子의 思想은 『無』에 依據하여 出發한 것이니 『萬物은 有에서 생기고 有는 無에서 난다』고 解釋하고 또한 『無名은 天地의 始라』라고 말한 것이다. 老子 『無』라는 것은 差別界의 『無』 그것도 아니요, 또한 『皆無』라는 그것도 아닌 것이니 다만 그가 宇宙의 絶對的 根本 生命을 鮮明함에서 어든 言語 道斷의 『無』 그것이다.

老子의 所謂 『道는 一을 나코 一은 二를 나코 二는 三을 나코, 三은 萬物을 나핫도다.』라는 것이나 『惚하고 恍함이여, 그 속에 象이 잇고 恍하고 惚함이여, 그 속에 物이 잇고 窈하고 冥함이여, 그 속에 精이 잇나니 그 精은 極한 眞이로다.』한 것 等을 統言하건댄 萬物은 宇宙의 根本 生命인 『道』로부터 생긴 것이나 그 道란 것도 실상은 한 개의 일홈이요, 虛無요, 無名이니 絶對한 無요, 同時에 絶對한 有라는 理論이다.

그럼으로 그 道는 無爲요 有爲며, 無爲도 아니요 有爲도 아니다. 即 그것은 宇宙의 根本 生命이요, 根本 法則이니 다만 不可思議의 絶對力인 것이다. 이것을 佛敎의 所謂 『眞如實相』과 맛추어 볼 수도 잇는 것이어니와 果然 佛陀는 涅槃을 說하되 恒常 『空』으로써 標榜한 것이며 그리하야 佛敎를 『空慧解脫의 敎』라고도 하는 것이다.

이와 가티 儒敎主義가 實際的, 保守的이요, 秩序와 階級을 重히 하고 力行勤勉을 主로 하며 畏天 尊祖와 論政 排外를 中心 理論으로 함에 反하야 道家는 無爲를 說하고 自然을 頌하며 平等을 崇하야 虛想에 耽하고 哲理를 講한

것이니 兩者가 서로 反目하는 地點에 선채로 中國 上古文學에는 二大 特異한 思想으로 하여 볼 수 박게 업는 것이 되엇스며 그것은 또 다시 後世에 크나큰 思潮를 지은 것이다.

(續)

(三)

(四) 無常에 對한 思想

中國民族이 『天』과 『命』의 思想을 진작부터 가지어 그들의 生活意識은 全혀 그 속에서 버서나지 안햇섯던 것만큼 人生의 無常에 잇서서도 그것을 『命』으로만 解釋하고 말앗던 것이니 말하면 上古期의 그들은 無常觀에 對하야 比較的 冷淡하엿다고도 볼 수 잇는 것이다.

先秦時代에 잇서서 이 無常의 現象에 깁히 늣긴 사람으로는 다만 生의 無常을 늣긴 煩悶으로부터 免하기 爲하야 그 方法으로 現世의 快樂을 貪하야 放縱한 快樂主義에 빠진 楊朱 一人을 손꼽을 수 잇슬 뿐이다.

그러나 해가 지나매 人生無常의 厭世觀 乃至 享樂主義思想은 그들의 文學 속에 적지 안흔 자리를 차지하게 되어진 것이니 그들의 文學史 속에서 後漢에 들어 차자볼 수 잇는 것이다.

所謂 『人生은 아츰 이슬이라』는 것은 朝鮮사람의 頭腦에까시 밀리어 들어온 것이어니와(毋論 엇더한 民族, 엇더한 個人에게던지 이 無常에 對한 嗟嘆이 自發的으로 나타날만한 素質이야 다 잇는 것이지만 朝鮮사람의 無常觀에는 中國의 그 思想으로부터 바든 影響이 크다고 봄) 漢書의 蘇武傳에 『李陵武曰, 人生如朝露, 何久自苦如此』라는 것이 文獻으로 보아 漢의 時代에 나타난 無常觀의 現著한 一例이다.

當時의 文學品 속에는 이 無常觀과 乃至 享樂主義 等의 思想이 자못 一特

色을 보인 배니 爲先『古詩十九首』를 들고 五首의 無常詩를 뽑아낼 수 잇슴을 보아도 짐작할만한 일인가 생각된다.

『廻車駕言邁, 悠悠涉長道. 四顧何茫茫, 東風搖百草. 所遇無故物, 焉得不速老. 盛衰各有時, 立身苦不早. 人生非金石, 豈能長壽考. 奄忽隨物化, 榮名以爲寶』(古詩 十九首 中 一首)

이 一篇은 自然物에 빗최여 人生의 無常을 보고 死後의 榮名으로써 그 生命의 延長을 어드려고 한 노래다.

그럼으로 이것은 無常의 詩이면서도 그 思想으로 보아서는 그 立脚을 儒教精神에 두엇슴을 알 것이니 다시 말하면 儒敎思想에 세운 無常觀이라고 볼 것이라는 말이다.

『去者日以疎, 來者日以親. 出郭門直視, 但見邱與墳. 古墓犁爲田, 松栢摧爲薪. 白楊多悲風, 蕭蕭愁殺人. 思還故里閭, 欲歸道無因.』(古詩 十九首 中 一首)

이 一篇은 前者와는 그 無常觀의 立脚이 判異한 것인 줄을 알 수 잇거니와 이는 單純한 그대로의 無常觀이다.

이 詩에 나타난 陰鬱과 悲哀는 자못 엷다 하지 못할 것이어니와 이는 悲觀的 無常觀으로 볼 수 박게 업다. 그럼으로 前代의 楊朱의 無常觀과는 互相異同이 잇슴을 發見할 수 잇는 것이니 楊朱 는──

『十年亦死, 百年亦死, 仁聖亦死, 凶愚亦死. 生則堯舜, 死則腐骨,

生則桀紂, 死則腐骨. 一矣, 孰知其異. 且趨當主[07], 奚遑死後.』(列子·楊朱篇)

라 하야 그 無常觀의 立脚이 오히려 悲觀에 잇지 안흔 것을 알 수 잇슬 것이다.

다시 古詩 十九首 中의 이러한 것을 보자.

『生年不滿百, 常懷千歲憂. 晝短苦夜長, 何不秉燭遊. 爲樂當及時, 何能待來茲. 愚者愛惜費, 但爲後世嗤. 仙人王子喬, 難可與等期.』(古詩 十九首 中 一首)

라던지

『靑靑陵上栢』 一篇의 『人生天地間, 忽如遠行客. 斗酒相娛樂, 聊厚不爲簿.』이라던지, 『驅車上東門』 一篇의 『浩浩陰陽移, 年命如朝露.』라 하고 下句에 『萬歲更相送, 賢聖莫能度. 服食求神仙, 多爲藥所誤. 不如飮美酒, 被服紈與素.』라는 것 가튼 것은 現生의 享樂을 爲한 뜻의 노래니 이는 實로 楊家의 思想과 가튼 것이며 딸아 이를 그 系統의 것으로 斷言한다 하여도 無妨할 것이라 하겟다. 이 古詩 以外에 樂府歌辭에서도 이 無常의 노래를 보게 되는 것이다.

『薤上露, 何易晞. 露晞明朝更復落, 人死一去何時歸.』(薤露歌)

라던지

---

07 '主'는 '生'의 오식이다.

『蒿里誰家地, 聚斂魂魄無賢愚. 鬼伯一何相催促, 人命不得少踟躕』(蒿里曲)

라던지 其他『長歌行』,『西門行』(이는 古詩의『生年不滿百』一篇과 거의 가튼 노래임) 等이 이 無常에 對한 노래인 것이다.

이것에 잇서서는 特히 後漢 明帝의 때(永平 八年以來)에 佛敎의 輸入된 것을 注意할 必要도 잇는 것이라 생각한다. 以上에 잇서서 보더라도 佛敎의 無常觀에 感染된 자취를 넉넉히 차자 볼 수 잇겟거니와 딸아서 死後 世界에 對한 思想까지가 그들의 머리 속에 자리를 잡게 된 것이라고 보는 것이다.

(續)

(五) 高踏 獨善의 思想

漢代가 끗이 나자 漢末의 變亂은 當時의 社會道德을 餘地 업시 頽廢케 한 것이다. 그리하여 漢末以來로 傳承되는 儒敎主義도 當時의 社會를 救拯하지는 못하엿던 것이다.

이 때로부터 비롯된 文學史의 所謂 六朝時代의 文學은 엇더한 思想알에서 支配되엇는가 하는 것은 中國文學史의 全體를 通하야 가장 意義잇고도 가장 興味나는 것이며 딸아 注意해볼만한 것인 줄 안다.

歷史上으로 일으는 六朝時代는 吳, 晋, 宋, 齊, 梁, 陳을 갈으친 것이나 文學上으로 일으는 이 六朝時代는 魏晋南北朝로부터 隋末에 이르기까지의 約四百年 동안을 統稱하는 말이다.

이 六朝時代의 文學思想 乃至 文學運動은 前代에의 革命이요, 叛逆이요, 同時에 文學的 自覺이다. 이것의 前驅를 잡은 것은 魏의 時代니 이 魏는 吳蜀

魏 三國의 對立時代로부터 文學上에 優勢들 占하엿고 우흐로 漢代와 그 文學思想을 달리하면서 또한 알에로 六朝靡儷의 源이 된 것이다.

이 時期의 文學思想 乃至 運動에 잇서서 먼저 高踏獨善의 思想을 考察하고저 한다.

대개 思想 乃至 生活의 高踏이라는 것은 그 母胎를 厭世에 두는 것이 常例이요, 또한 이 厭世란 것은 그 源流를 慨世에 두는 것이 普通이다.

中國의 政治的 變革 即『亂世』란 그것은 所謂 環境의 刺戟이라는 것이요, 思索的인 文藝家 乃至 思想家는 그 秉性이 또한 敏感的인 것이니 慨世라, 厭世라 하는 것은 實로 이 兩者의 結合에 因함이라고도 할 것이다.

慨世가 厭世라는 一階段을 밟아 高踏이라는 곳에 이른다는 것은 一種의 避亂을 意味하는 것이요, 다시 獨善을 加하여는 온전한 救護에 達하는 것이다.

이것을 넓게 보아 말할진댄 上代의 老莊思想도 그 根源을 이 點에 둔 것이라고 할 것이니 그 思想이 春秋戰國의 衰亂時伐[08]에 일어난 것도 畢竟 그 時勢의 烘爐에 盞盪된 所致로 解釋할 수 잇슬 것이다.

毋論 일어한 高士 學者를 말할 때에는 上古 三伐[09]의 盛時에도 오히려 許由, 巢父, 卞隨, 務光, 伯夷, 叔齊의 徒가 잇슴을 빼지 못하려니와 이 六朝時代의 그것을 말하기 爲하여는 屈原 一人을 說明하고 지나야만 할 必要를 늣긴다.

屈原의 慨世 乃至 厭世의 生活과 및 汨羅水底에 떨어저 그 高踏獨善의 極에 이르는 一幕 史幅은 그의『離騷』以下의 珠玉에 歷歷히 박아 노핫거니와 그의 漁父辭나 卜居 等篇에 보면 高踏的인 곳과 世俗的인 사이에 서서 망서리는 狐疑의 心情이 發露되어 잇는 만큼 現世에 對한 執着과 世苦를 解脫코

---

08 '伐'은 '代'의 오식이다.

09 '伐'은 '代'의 오식이다.

저 한 두 마음이 얼마나 葛藤되 잇던 것인지를 알 수 잇슬 것이다.

『遠游』의 篇에 그가 濁世를 버리고 天上의 仙鄕에 豪遊함을 노래한 것이나 『離騷』의 篇에 그 스스로 靈鳥를 타고 空中에 날며 縣圃 其他의 仙鄕을 돌아 神女를 차자 다닌 것을 노래한 것이 畢竟은 한 개의 高踏獨善의 生活 속에 安住의 境地를 發見하려 하엿던 苦心이엇다고 볼 것이다.

이로부터 六朝期의 그것을 살펴 보자.

魏晋南北朝의 天下多難이 人民의 生活에 크나큰 威脅을 던저준 것은 압헤서도 말하엿거니와 거긔에 딸아 이 高踏獨善의 思想이 現著히 濃厚하고 激增되어 이 思想을 抱持한 者들이 一大 社會를 形成한 것이니 그들은 空前絶後의 大氣勢로 이 思想을 生活化한 것이다.

여긔에 딸아 일어나는 藝術은 첫재 『山水愛의 藝術』이요, 둘재 『酒의 藝術』이다. 웨 그런고 하니 그들에게는 이 藝術 以外에는 엇더한 藝術도 잇슬 수 업고 잇서서 必要하지 안흐며 또한 잇서서 안될 것이기 때문이다.

이 點에 잇서서 비로소 陶淵明과 謝靈運 二家를 論하게 되는 것이다.

이 陶淵明은 오늘 우리의 입에도 얼마나 만히 올리어지는 人物이거니와 더욱이 지난 날의 朝鮮에는 高踏的 人物로의 그가 크나큰 影響을 끼치어 준 것인 줄 알 것이니 民謠와 時調가 그를 左證하고 사람이 또한 그러하다. 陶는 晋末에 잇서서 六朝一期를 通하야 文學上에 一大 光芒을 던젓다고도 하거니와 潯陽紫桑의 出身으로 한 때에 生活을 爲하야 官吏가 되엇다가 五斗米로 남압헤 허리 굽히기를 실혀하야 다시 田園으로 돌아오니 그 際에 文으로 그 思想이 發露된 것이 일으는 『歸去來辭』다. 그럼으로 이 一篇은 有名한 그대로 그의 自叙傳이요, 同時에 그 思想의 代表的이다.

『結廬在人境, 而無車馬喧. 問君何能爾, 心遠地自偏. 采菊東籬

下, 悠悠見南山. 山氣日夕佳, 飛鳥相與還. 此中有眞味, 欲辨己忘言.[10](『飮酒』 中 一首)

이 一首로써 陶의 生活과 思想을 全部 다 그렷다고 하려니와 그 自然愛 속에 뭇치어 高踏獨善을 직힘이 이러하엿다. 宋에 이르더 謝靈運이 잇스니 이는 山水文學의 首位를 차지한 니다. 그의 『山居賦』는 山居의 樂을 謳歌하고 그 地勢의 優越, 周圍의 景色을 叙述하고 湖水溪流의 美觀을 說破하고 그 사이로 逍遙하는 快樂을 披瀝하엿다. 그리고 佛敎의 놉흔 뜻을 讚美하고 心境의 淸澄을 깃버하고 또한 菜園의 風景을 描寫하는 等 이도 亦是 그의 生活과 思想의 寫眞이라고 할만하다.

그리하야 그는 世人이 名利의 陋巷에서 俗塵을 떨지 못하고 山水美의 至境을 悟得지 못함을 非難하매 自然禮讚을 高調하엿스니 이것이 다 그의 高踏獨善의 思想에서 出發한 것 라고 할 것이다.

要컨대 東籬 알에에서 菊花를 캐매 悠然히 南山의 저녁 빗을 바라보는 것은 淵明의 自然愛요, 從者 數百人과 발에 나막신을 신고 나무를 처 길을 뚤코 岳嶂千里에 반드시 그 幽峻에 이르러 더 보고야 돌아올 줄을 알던 것은 靈運의 山水愛이거니와 그들의 山水愛의 藝術에서 보는 高踏獨善의 思想을 대개 그 짝을 찻지 못할만한 것이엇다.

(續)

10 '』'가 탈락되어 있다.

(四)

(六) 文學, 道德 分離의 理論

高踏獨善의 思想은 다만 陶謝 二家로써만 할 것이 아니다. 이 思想은 當時 社會의 全體를 通하여 잇섯던 것이니 至於 繪畫에까지 나타난 것이다.

우에서 山水愛의 藝術에 보인 그 思想을 말하엿거니와 酒의 藝術에서도 차자 볼 수 잇는 것이니 劉伶의 『酒德頌』, 陶潛의 『飮酒』篇 等이나 其他 阮籍의 『大人先生傳』 等으로 알 수 잇슬 것이다.

所謂 『竹林七賢』이란 이들이 反儒教主義의 旗를 들고 禮法의 規矩에 갓친 사람을 비웃고 形式에 拘泥된 사람들을 嘲弄하며 意志로 感情을 抑壓하거나 矯飾으로 本能을 制壓함을 極力으로 背反하는 一面으로 莊子의 所謂 『坐忘』을 사랑하고 物外에 逍遙遊를 한 것 等 이 모든 것이 또한 高踏的 生活, 高踏的 思想 그것이엇다.

그들은 本能의 自由를 取하여 反禮文主義, 反儒教主義인 同時에 本能主義를 中心으로 하고 거긔에 享樂主義를 混淆하여 一種 『데카당』的 色彩를 濃厚히 보인 것이니 酒中天地는 그들의 生命을 救護하여 주는 避難所이엇던 것이다.

이 술과 山水愛는 호올로 六朝 時代만이 아니라 中國文學 全體를 通하야 重大한 特色이 되어 잇는 것이거니와 이 思想 乃至 文藝가 가장 그 根據를 明確히 한 時代는 이 六朝 時代라고 할 것이다.

大體로 이 高踏獨善의 思潮가 如何한 者임은 이미 說明한 바와 갓거니와 이에 딸아 考察코저 하는 것은 文學上에 잇서서 史勢의 必然的으로 닐어나고야 말 運動, 또한 그것은 文學理論의 發達, 推移의 當然한 結果로도 볼 것이니 그것은 文學과 道德과 分離하고저 한 理論이다.

孔子 以來 漢末에 닐으기까지는 道德을 떠나 文學을 說明코저 아니하엿고 도리혀 文學을 道德 思想 鼓吹의 一 手段으로 解釋하엿던 것이다. 歷史가 비로소 魏의 時代를 거치게 되는 때에는 그 文學 價値의 標準이 달라지어 文學 獨立을 主張하게 된 것이다.

魏의 三祖(武帝, 文帝, 明帝)는 모다가 作家인 王者로써 文學의 鬱起한 것도 實로 그들의 힘이라고 하려니와 曹丕(文帝)의 『典論』은 作家의 批評 乃至 自己의 文學觀을 記錄한 것이다.

> 『대개 文章이란 經國의 大業이요, 不朽의 盛事로다. 年壽는 때잇서 다하고 榮樂은 그 몸에 긋처 이 兩者가 반듯이 그 常期에 니르나니 다만 文章의 無窮함만 갓지 못하도다.』(典論·論文)

라 한 것에 쓰인 그 經國이란 말도 直接 道德과 連絡한 뜻의 말이 아니요, 다만 넓은 意味의 國家의 經綸을 뜻함이려니와 『詩賦欲麗』라 하여 文學의 아름다워야 함을 말한 것이다. 『文以氣爲主』라 하여 作家의 精神的 活力을 爲主한다는 것이 實로 文學으로 하여금 道德의 쇠사슬에서 버서나개 하려는 思想의 發芽이엇던 것이다.

一步 더 나아가 梁의 簡文帝(蕭綱)의 說을 보자.

> 『若夫六典三禮, 所施則有地, 吉凶嘉賓, 用之則有所. 未聞吟詠性情, 反擬內則之篇, 操筆寫志, 更摹酒誥之作, 遲遲春日, 翻學歸藏, 湛湛江水, 遂同大傳.』(與湘東王書)

이 얼마나 文學의 獨立性을 主張한 말이라 할 것인가. 이는 文學이 도리혀

道德 經義를 本뜬 것을 痛罵한 말이니 性情을 吟詠한 『글』이 엇지해 內則(禮記의 篇名)을 흉내 내며 붓을 삽고 뜻을 쓴다는 것이 엇지해 다시금 酒誥(尙書의 篇名)을 본뜬단 날가 한 것은 蕭綱이 일즉 그 아들을 誡하여 한 말 『立身하는 道란 文章으로 더부러 다르나니 立身은 몬저 모름직이 謹重히 하되 文章은 또한 모름직이 放蕩할지어다.』한 말과 아울러 蕭綱의 文學□을 알 수 잇는 말인 것이다. 綱이 徐陵으로 하여금 「玉臺集」을 編撰케 하고 集中에 綺羅脂粉에 關한 文字의 가장 麗靡한 것을 取한 것도 그 까닭이 文學의 獨立性을 主張한 것에 잇슴인 줄 알 것이다.

이와 가티 이 時代의 文學思想이 前代의 道德的 文學思想에 革命하고 새로운 世界를 打建한 것은 後世의 發展을 부르는 큰 소리로 하여 批評하지 안을 수 업는 것이다.

이 思想이 나타난 背景으로 하여는 歷史的인 것과 또는 地理的인 兩面이 잇다고 생각하는 것이다. 六朝에 니르러 儒敎主義가 無力해지는 一便으로 老莊思想이 勢力을 엇게 되고 前代의 無常觀 乃至 厭世觀에 니어 人生을 생각하고저 하는 傾向이 나타나 거긔로부터 思想을 細分되어 白眼的으로 世上을 보는 竹林은 七賢의 一群과 獨善的으로 高踏에 處한 陶謝의 一派를 내이면서 그대로 文學上으로는 一種의 데카당 文學도 생기게 되고 文學과 道德사이를 分離식히려 한 運動이 닐어난 것이니 이는 歷史的으로 본 이 純文學思想의 起因이다.

杜牧의 詩에 나오는 아니 더 알기 쉽게 우리나라의 民謠나 時調에 보인 『牧童이 遙指杏花村이라』는 그 南部 支那의 斷魂 風景이 畢竟은 그 唯美的, 詩的, 空想的, 審美的인 性質을 도아 道佛 二敎를 歡迎하게 하고 神仙 趣味를 더욱 놉히고 高踏的인 生活을 求하게 하는 一面 그 風光의 柔婉 明媚한 그대로 華麗 艶冶한 文學을 내이고 同時에 北方的인 儒敎主義的 禮文思想 乃至

道德觀念을 文學 속에서 去식히게 한 것이니 이는 地理的으로 본 이 純文學 思想의 起因이다.

그리하여 文學上의 形式에까지 그 影響을 밋친 것이니 所謂 騈儷文이라던지 四聲으로 詩作에 韻을 制定한 것이라던지 其他 聲韻說, 修辭論 等이 다 이 때의 일이엇던 것이다.

(七) 文質彬彬의 理論

魏晉 以前에 잇서서는 文學에 對한 理論이 한낫 道德의 扶□으로 하야 거긔에 비로소 文學의 價値를 認定하려고 하얏스나 魏晉 以後에 니르러는 文學의 純粹한 獨立的 世界를 開拓하게 되니 거긔에 甚한 者는 道德的 方面을 絶對로 無視하고 文學은 다만 綺麗함으로써 그 使命과 價値가 다 된다고까지 主張하게 된 것이다. 그리하여 그것은 度를 넘어 데카당 文學의 一派까지를 내어 노케 된 것이엇다. 그러나 一便에 잇서서는 純道, 純思想과 純文學思想의 兩者를 한 가지로 否認하는 同時에 兩者 間의 中立的 態度를 取하게 된 것이니 그것이 곳 여긔에 命名한 文質彬彬의 思想이다. 卽 文學은 綺麗와 質實을 兼하여야 한다는 思想이다.

『夫文, 典則累野, 麗則傷浮. 能麗而不浮, 典而不野, 文質彬彬, 有君子之致.』(蕭統答湘東王求文集及詩苑英華書)

이 말은 蕭統(昭明太子)의 文學說이다. 麗하고도 不浮함과 典하고도 不野함을 取한다는 말이니 이가 곳 文質彬彬의 美를 가추어야 한다는 말이다. 이 質이란 것에는 道德的인 意味가 包含된 말이라 생각하거니와 그가 일즉 陶

淵明의 集에 『此亦有助於風敎也』라 하고 序함을 보아서도 알 것이다.

말하면 文學이 아름답고 同時에 風敎를 維持하는 곳에라야 文學의 存在를 肯定한다는 것은 안인 것이요, 다만 文學이 綺麗에만 偏하지 말라는 말인 것이다. 그럼으로 그가 『文選』을 編撰할 때에도 文質兼用의 思想과 밋 道德以外에도 文學의 存在를(毋論 道德을 害하지 안는 限에서) 肯定하는 態度로 한 것이니 經子 가튼 것에 對하야 『대개 立意로써 無宗[11]함이요, 能文으로 爲本함이 아니로다.』(文選 序)한 것을 보면 『文學과 道德과를 明確히 區別하얏슴도 알 수 잇슬 것이다.』

이 蕭統 以外에도 蕭繹이 또한 이 文質兼用의 思想을 가지엇던 것이니 그의 『金樓子』를 보아 알 것이다.

그 立言篇 下에 所謂 學者를 儒學筆文의 四에 分하야 儒者에게는 屬辭의 拙함을 責하고 學者에게는 自己의 識見이 업슴을 責하고 筆家에게는 取義를 말지 안흠을 責하고 文家에게는 靡曼滛蕩함을 責하얏스니 살피건댄 그 眞意가 文質兼備로써 目的함이라고 하겟다.

또한 修辭論家의 劉勰도 그의 文心雕龍(宗經篇)에

> 『文能宗經, 體有六義. 一則情深而不詭, 二則風淸而不雜, 三則事信而不誕, 四則義直而不回, 五則體約而不蕪, 六則文麗而不淫.』

이라고 하얏스니 所爲 不詭니 不誕이니 不淫이니 한 것 等이 다 文의 非道德的인 點을 排斥한 것이다.

北朝의 顔之推도 그의 『家訓』에 文字와 音韻에 關한 說, 文體에 對한 說,

---

11 '爲宗'의 잘못이다.

詩人 道德論 等을 말하얏거니와 『辭가 理로 더부러 다토아 辭가 勝하고 理가 伏하엿스며 事가 才로 더부러 싸화 事가 繁하고 才가 損하엿도다.』 하고 또 다시 『맛당히 녯날의 制裁로써 本을 삼고 오늘의 辭調로써 末을 삼아야 할 것이니 이 兩者를 並할 것이오, 可히 偏棄치 못할 것이로다.』라 하얏스니 이 뜻을 推察컨댄 文學은 맛당히 理氣事義와 華麗와를 兼備하여야 할 것임을 말한 것이라 할 것이다.

이 文質 兩派의 相爭은 엇더한 나라의 文學 思想史에서던지 또는 엇더한 時代의 그것에서던지 對立되어 잇는 文學의 根本 問題인 것이니 道德, 政治 乃至 現實들과 文學과의 關係를 重要視하게 되는 것은 至當한 일이라고 하려니와 여긔에서 그 어느 쪽에 기우는 때에는 綺麗 中心, 功利 中心의 두 思想이 確然히 나타나는 것이다. 우에 말하여 온 것은 대개 六朝 時代의 것을 一般的으로 말할 것이지만 實上 이 文質 相爭의 對立은 地理的 影響 乃至 實際的 關係 等에 因함으로인지 南朝와 北朝의 對立인 것처럼도 되엇던 것이다.

그리하야 偏文과 偏質의 弊는 免치 못하엿던 바 隋가 나타나 政治的으로 南北을 統一하고 同時에 各其 長所를 融和하야 이 文質彬彬의 思想을 完成하엿스니 次期 唐代의 燦然한 文學 勃興도 實로 여긔에 그 原動力을 둔 것이라 할 것이다.

(八) 民衆文學의 理論

六朝의 文藝運動의 뒤를 니어 文學史上에 다시 업슬 燦然한 光芒을 던진 것이 唐代의 文學이다. 特히 唐代에 잇서서는 그 文學의 發展에 政治 主權者의 貢獻이 컷던 것이니 太宗 가튼 이는 高宗의 事業을 補佐하야 國內를 統一하고 外國을 經略하야 큰 功績을 세우는 同時에 文學을 愛好하여 文學館을 세우고 杜如晦, 虞世南, 房玄齡 等 十八學士를 選任하야 그들과 文學, 政治를 討論하고 弘文館에 五經, 史記, 諸子, 詩賦 等의 書 二十餘萬卷을 모으는 一方으로 孔穎達 等에게 『五經正義』를 짓게 하는 等 자못 文學 隆興의 地礎를 깔앗던 것이다. 中宗도 또한 詩文을 愛賞하야 斯道의 英才들을 修文館 學士로 任命하고 文學을 奬勵하엿스며 玄宗도 文學, 音樂 等 一般 藝術을 질겨하고 人材를 登用□□ 詩賦로써 하게 하엿스니 이 모든 政治 執權者의 文學에의 直接 □動은 그 힘이 莫大한 것이엇다.

이러한 背景下에서 詩歌의 隆興은 그 壯觀을 어느 時代에서도 차자 볼 수 업슬만큼 된 것이니 저 有名한 李白, 杜甫의 大詩聖도 이 때의 사람이며 韓愈, 白居易의 二大 詞宗도 이 때의 사람이다.

이 唐代의 文學思想이나 또한 文學運動 中에는 一般的으로 優位를 占한 宗敎가 佛敎와 道敎이엇던 만큼 佛敎思想의 文學도 한 개의 現著한 隆盛을 보인 것이요, 또한 文章上에 잇서서 韓愈, 柳宗元 等의 高調한 古文復興運動도 擧論할만한 것이나 여긔에서는 割愛하고 特히 注意할만한 白樂天 一派의 民衆文學 思想에 對하야만 말하여 볼가 하는 것이다.

從來의 詩人이 거의 다 貴族 學者들을 相對로 하고 文學을 制作하엿슴에 反하야 이 白居易은 別로히 새로운 相對를 取하려 한 것이니 이 新 相對라는 것은 곳 民衆 一般이다. 그럼으로 自然히 그 詩風은 平明하여젓고 難□를 絶對로 避하야엿던 것이다. 짤아서 坦夷에 失한 바 업지 안핫스니 이 點에 잇서서 世人으로부터 賤俗하다는 冷評을 바닷던 것이나 如何間 그가 民衆的인 點에 그 詩를 開拓코저 한 努力은 彼土 文學의 特異이엇다.

그의 이 思想에 對한 宣言이라고 할만한 그의 歷代 詩評을 보자.(長慶集 卷四十五와 唐詩紀事 卷三十八과 舊唐書 本傳 等에 다 실리어 잇슴) 그가 歷代를 評하여 말하되 『古代에 잇서서는 詩를 듯고 우에 잇는 者가 써 自己의 箴儆을 삼앗스나 周가 亡하고 秦이 興한 以後로는 그 採詩官까지 廢하고 말앗다.』하고 『上不以詩補察時政, 下不以歌洩道人情』이라 하여 政治와 人情이 共히 그 正道를 일케 되엇슴을 말한 後(中畧) 晉, 宋代에 니르러는 謝靈運이 山水에 잠기고 陶淵明이 田園으로 돌아간 것과 江鮑(江淹, 鮑照) 等 輩는 더 보잘 것 업는 것을 말한 것과 梁, 限[12]人들의 『嘲風雪, 弄花草』를 슬퍼하고 唐代에 잇서서도

> 『詩豪를 말하되 世上이 헌히 李白과 杜甫를 가르치거니와 果然 그들의 奇才는 凡才의 딸으지 못할 것이나 李白에게서 諷雅比興을 찾는 때엔 十無一이라 하 것이요, 杜甫는 傳할만한 것이 千餘篇이나 잇스되 『新安吏』 等(詩篇 省畧) 十三四에 不過하다 할 것이니 杜甫가 이러한 거은 하물며 杜에 밋지 못하는 이들이야 더 말할 것 잇스리요.』

한 것 等이 모다 그 批評의 標準을 諷諭에 둔 것이라 할 것이다. 그러면 그가 自己의 最高 詩說로 支持한 이 諷諭란 것은 果然 어데에다 그 根據를 둔 것이며 어대에서 그 價値가 論議될 것인가. 이는 毋論 『社會』라는 一點에 잇는 것이다.

그가 自己의 雜律詩 等은 잇스나 한 것이라고 『他時, 有爲我編輯斯文者, 畧之可也.』라 하여 그것들은 自己의 詩存속에서 刪去하여도 그뿐이라고 말한 것이다.

그가 自己의 生命이라고까지 한 新樂府 五十篇의 序文에

---

12 '陳'의 잘못이다.

『文辭는 質素하고 곳게 하엿스니 이는 보는 이로 하여곰 깨닷기 쉽게 하려함이요, 말은 바르고 適切히 하엿스니 이는 듯는 이로 하여곰 깁히 儆誡하려 함이며……그리고 詩體는 平易하고 音待맛게 하엿스니 이는 樂章歌曲에 올닐 수 잇도록 함이로라.』

라 하엿스니 이 一言에서도 그의 持論을 짐작할 수 잇슬 것이다.

말하면 前代의 만흔 詩人이 花草風雪을 主題로 한 것에 反하여 社會的인 事實을 題材로 하려는 그것 또는 그 筆致의 가장 民衆的인 것을 爲主함 等을 强烈히 主張한 것이라고 할 것이다.

(五)

그럼으로 거긔에 딸아 그의 文學은 全體를 通하여 民衆本位의 生活과 思想 우에 根據한 것이 된 것이니 그의 『折臂翁』篇에 몃 個人의 邊功慾으로부터 民衆에게서 니는 哭聲과 怨罔을 노래한 것이나 『道州民』篇에 侏儒들의 凌辱 밧는 悽慘한 一 歷史를 말한 것이나 『兩朱閣』篇에 크나큰 尼院 佛庭의 넓은 뷘 터와 無錢階級의 居處할 곳 업는 것과를 比較하여 노래한 것이나 『紅線毯』篇에 차운 줄 몰으는 땅우에 그득 거운 비단을 깔지 말고 차운 줄 아는 사람의 몸에 옷을 짓게 하라는 宣州太守에의 警告라던지 『杜陵叟』篇에 백성들의 身上帛과 口中栗을 빼서가는 官吏의 虐政을 말한 것 等 이로 헬 수 업는 만흔 詩篇들이 다 그 民衆本位의 思想에서 된 것이며 文學 內容의 理論과 共히 그 表現의 理論까지가 平明으로 爲主하엿스니 이도 또한 그에게 잇서서는 自然한 結果인 것이다. 이것으로써 대개 그 民衆本位의 思想을 알앗스리라 밋는다.

(續)

(九) 白話文學의 發端

唐代는 中世紀의 終幕이요, 宋代는 近世紀의 序幕이다. 또한 그 사이에 『五代』라고 稱하는 後梁, 後唐, 後晉, 後漢, 後周 等의 過渡期가 끼여 잇다.

이리하여 宋代는 唐代의 文學 隆興의 뒤를 바든 것이나 政治上 乃至 經濟上에 이른는 現著한 變遷과 아울러 그 文學 乃至 文化 全體에 크나큰 相異를 가지게 된 것이다. 唐의 貴族 政治가 廢하여지자 宋은 君主 獨裁政治를 行하게 되고 또 黨爭의 性質上으로 보더라도 唐代에 잇서서는 다만 그것이 政治上의 權力을 엇기 爲함이엇다고 볼 것이나 宋代에 잇서서는 그 主義, 그 政見上의 相違로부터 닐어난 것이라고 하려니와 兩代의 比較를 經濟上으로 考察할 것이면 唐은 物物交換 따위의 組織이 잇고 宋은 一步 나아가 所謂 貨幣經濟가 施行되엇던 것임 等을 말할 수 잇는 것이다.

다시 이것을 文學上으로 考察하여 보자. 唐代의 文學은 詩歌로써 代表하는 것만큼 情感爲主의 時代이엇던 것이요, 宋代는 理智 本位의 時代이엇던 것이다. 딸아서 文化上으로는 唐을 藝術的 時代라고 할 것이요, 宋은 學術的 時代라고 할 것이다.

特히 中國에 잇서서는 歷代 王朝의 變遷도 그 文學 隆沉에 直接 關係를 가진 것이엇거니와 人材를 登庸하던 科擧의 制度는 더욱 그 時代 文學의 運命을 左右하엿던 것이라고 보는 것이니 例를 이 唐과 宋에 들어 唐代의 科擧가 詩賦를 主로 하엿든 만큼 그 文學이 詩賦로써 代表하게 되엿고 宋代의 科

學가 論策으로 行하엿든 만큼 그 文學이 散文에서 光輝잇게 된 것임을 보아도 알 것이다.

그럼으로 이 兩代를 詩的 時代, 散文 時代라고도 區別할 수 잇스려니와 大體에 잇서 藝術的 氣分 乃至 情感의 힘이 强烈하엿던 唐代에 對하여 이 宋代는 理智的, 學術的인 傾向이 잇섯다고 볼 것이다. 그리하여 散文의 勢力이 컷슬뿐 外라 新哲學이 닐어낫슴도 偶然한 現象이 아닌 것이며 딸아 가장 注目할만한 『白話文』의 使用도 事勢의 自然한 바 일이엇던 것이다.

그럼으로 宋과 밋 宋 以下 元, 明代를 通하여 나타난 文學上의 主要 思想, 主要 運動 中에는 歐蘇 一派가 唐代의 韓柳 等輩의 主張을 니어 文章上에 古文復興을 닐으킨 것이나 所謂 三詩說이라는 格調說, 性靈說, 神韻說 等이 모다 一筆할만한 것이라 하려니와 이는 다 다른 機會로 밀고 여긔에는 『白話文』의 發芽에 對한 것을 말하고저 한다.

대개 中國文學에서 俗語를 使用한 文學品으로 하여는 古代에서 그 자최를 차자 볼 수 업는 것이다. 古代 詩經이나 楚辭 等屬에 若干의 方言을 雜用하엿다 할지라도 그것이 純粹한 口語의 文學이 될 수 업슴은 毋論이다. 다만 戰國의 때에 楚의 莊辛이란 者가 越나라 배ㅅ사공의 부르는 노래라고 하여 引한 全篇이 越의 方言으로써 記載되어 잇는 『說苑』(善說篇)의 歌 一首가 잇서 其 辭曰

『濫兮抃草濫予昌枑澤予昌州州𩜱州焉乎秦胥胥縵予乎昭澶秦踰滲惿隨河湖』

라한 그 文意不通할 者가 잇슬 뿐이라고 함은 學者 間에 一致하는 말이다. 그 以後 六朝 晉末 宋頃에 『子夜四時歌』가 잇서 皆中에는 底, 許, □, 覓,

那, 儂, 歡, 郎 等의 俗語가 混用되어 잇다. 그리고 盧照鄰의『長安古意』에『生憎帳額繡孤鸞, 好取門簾帖雙燕』이라 한 生憎과 好取 等 또는 一一히 枚擧키는 어려우나『祗今唯有西江月』의 祗,『眉黛奪將萱草色』의 將,『無那春風欲送行』의 那 等이 잇슴을 보아 唐代의 詩에도 이 俗語의 使用이 업지 안헛슴을 알 것이나 宋 以來에 잇서 詞의 隆盛을 딸아 白話 即 俗語의 文學에의 接近은 現著히 나타난 것이다.

毋論 이 宋詞 中에서도 秦少游, 黃山谷, 趙長卿, 辛稼軒, 楊无咎, 蔣竹山 等은 俗語를 全篇에 使用하엿고 柳屯田, 蘇東坡, 沈端節 等은 比較的 俗語를 多分히 雜한 이들이엇고 其 以外 諸 詞家는 若干의 俗語를 混用한 이들이엇다. 이에 黃山谷의『卜算子』一□을 보자.

> 『要見不得見, 要近不得近. 試問得君多少憐, 管不解, 多於恨.
> 禁止不得淚, 忍管不得悶. 天上人間有底愁, 向個裡, 都諳盡.』

이와 가티 詞에 잇서서 白語의 使用이 現著하게 된 것이다. 長皇히 말 못하나 宋 以後의 小說 乃至 元曲 等에는 詞에서 보는 以上의 白話 使用을 볼 수 잇는 것이다.

印刷物이 進步되어 活版이 發明되고 딸아 前代에 比하여는 書冊의 頒布를 쉽게 할 수 잇슴을 利用하야 佛敎家들은 그 經義, 語錄 等을 一般에게 알리기 爲하여서라도 俗語體를 使用하게 된 것이엇스니 이러한 左右의 現象이 小說, 詞曲 等 類로 하여금 俗語에 接近, 아니 俗語로써 發生케 한 것이다.

이 白話文學의 發芽를 後日 即 今日의 彼土 革命文學의 源流로 또는 母胎로 볼 수 잇슴은 오늘에 잇서서 無難한 理論인가 생각한다.

(十) 新思想과 新精神

中國現代의 新文學을 興起시킬 압소리로 하여 나타난 것이 잇스니 그것은 淸의 德宗 時代(西紀 一八七五——一九〇八)에 보인 一種 新異를 求하는 思想이다.

中國의 民族처럼 保守的이요, 尙古的인 民族이 업다고 하는 것임에도 不拘하고 中國의 文學이 적어도 在來의 그것과는 다른 새로운 風味의 것을 取하여지게 된 것에는 一種 驚異의 마음으로 對하지 안흘 수 업는 것이다.

이것은 歐米 文明이 輸入(新敎育이라든지, 産業上 乃至 國際上의 交通 等이 包含) 된 것에서 刺戟된 現象인 것임이 毋論이다. 이 新異를 求하는 思想은 그 第一步로 國家를 爲하여 人物을 養成하고 官吏의 弊風을 改善하고 軍備를 整理하고 民心을 結合하여야 한다는 소리를 내이엇스니 이것은 다시 한 번 가다듬는 『愛國思想』의 旗幟를 들고 나오게 된 것이엇다. 이 思想이 그들로 하여금 如何한 自覺, 如何한 態度로 文學에 臨하게 하엿는가 하는 것은 오늘의 우리에게 잇서서도 異常한 注目을 끄으는 點이라 할 것이다.

梁啓超의 『愛國歌』 四章에서 一部만을 옴겨와 보자.

『結我團體
振我精神
二十世紀新世界
雄飛宇內疇與倫
可愛哉, 我國民
可愛哉, 我國民』

이 노래는 洋樂에 맛추어 부르게 된 것이어니와 이것이 詩歌의 價値를 가

졋느냐 아니냐는 別問題로 다만 當時의 思想 鼓吹가 如何하얏던 것임을 짐작할 수 잇슬 것이다.

國家의 統一을 爲하야는 또한 國運의 保存을 爲하여는 一種 尙武의 思想을 鼓吹하여야만 할 것이라고 보앗던 것이니 黃遵憲의 軍歌 等을 보면 알 수가 잇는 것이다.

이 軍歌는 出軍, 軍中, 還軍의 三部 合 二十四章으로 된 것이어니와 그 一部를 보이건댄──

『阿娘牽裾密縫線,
語我毋戀戀.
我妻擁髻代盤辮,
瀕行手指面.
敗歸何顔再相見,
戰戰戰.』
(軍中歌 第二章)

이라한 大體로 보아 勇氣를 도아주는 노래이다.

康有爲 갓흔 사람도 荷蘭의 博物館에서 배의 模型을 보고 곳 長篇을 지엇다고 하는 노래에 보면 그 結尾에는『嗟哉誰爲王圖, 鐵艦乃是中國魂, 何當忽見鐵艦五百艘, 龍旂翩蕩四海春』이라하여 海軍의 必要를 叙한 것이다.

이와 가튼 愛國尙武의 思想은 黃遵憲의『小學校學生相和歌』의 一部『於戱我小生, 全球半黃人, 以何保面目』等에서도 엿볼 수 잇듯이 歐米 白色人種의 文化적 優越로부터 刺戟된 것임이 分明한 것이라 할 것이다.

이러한 思想을 一方에 두고 그 詩歌 方面의 新味라는 것은 그것에 並行하야 所謂『天擇』(自然 淘汰의 뜻), 아니『物競』(生存競爭의 뜻), 아니『天演』(展開, 發展의 뜻)이니 하는 말하면 西歐의 進化說 가튼 따위나 生物學上의 知識이라던지 또한 汽車, 汽船, 機械, 飛行船, 潛行艇 따위에도 着眼하고 그것을 題材로 한 詩歌 等도 나타난 것이다.

黃遵憲의『今別離』(四首) 가튼 것을 보면 男女思想의 노래로써 女子가 하는 말이니 第一首에는 男子가 汽船을 타고 離別하는 것을 말한 後 末句에『所願君歸時, 快乘輕氣球』라 하여 돌아 올 적에는 輕氣球를 타고 와 달라느니 第二首에는 아츰 저녁으로 男子에게서 電報로 安否가 온다 하고 末句에『安得如電光, 一閃至君傍』이라 하야 電光처럼 一瞬에 그대 엽헤 가고 십다느니 第三首에는 夢中에 魂이 서로 往來하다가 그도 길이 서로 어긋나 애타하는 것을 노래한 것이어니와 그 構想이 새롭고 딸아 새로운 詩語의 使用이 나타나 잇슴을 알 수 잇슬 것이다.

新思想을 表現하는 대에는 그 措辭의 範圍도 變하야 질 것은 自然한 일이다.

우리나라의 光武 元年 前後 即 淸의 德宗 二十三年 頃에 가장 流行되던 飜譯語 따위를 보면『텔레폰』(電話)을『德律風』이니, 印度의 階級制를 가르친『카스트』를『喀私德』이니『파-라만』(國會)를『巴力門』이니 하야 律詩, 絶句 等에 使用하얏던 것이다.

古來의 文學은 그 思想上, 技巧上 可謂 極點에 達하얏다고 할 것이매『代近的인[13] 思想을 가장 自由롭고 새로운 方式으로 叙述하고저 한 이 新思想의 文學 出發이 極히 우수운듯이 보일 것임은 묵은 눈으로 보아 當然한 일이라고 할 것 밧게 업스나 이러한 近代的 風味를 띠게 된 그들의 近代的 自覺 思想은 반듯이 興起되고야 말 地點과 運命에 到達하엿던 것이라고 할 수 밧게

13 '近代的인'의 오식이며 '『'는 잘못 첨부되었다.

업는 것이다.

그럼으로 時代의 달라짐을 딸아 그들의 思想도 달라진 것은 思想이란 그 自體가 主義니 信仰이니 하는 것을 뜻하는 말인 만큼 새로운 義, 새로운 信仰을 붓잡은 것으로 볼 것이며 딸아서 國家를 統一하자고 웨치며 同時에 愛國 思想, 尙武 精神 等을 鼓吹하는 一方 그 詩歌 乃至 一般 文學 全體에 新味를 加하고저 하는 運動이 닐어난 것은 그들에게 잇서서 반듯이 取할 길이엇다고 보는 것이다.

(六)

(十一) 儒敎 破壞의 運動(一)

淸의 宣統帝도 三年으로 마지막 退位를 지으매 그들의 政體도 一變하여 中華民國이란 것으로 幕을 다시 열게 된 것이다.

中華民國에 들어서서 政治上의 革命이 닐어남애 隨件하야 文化上에도 革命이 닐어난 것이다. 그럼으로 그들은 文學의 革命을 크게 부르짓게도 되엇거니와 그것 보다 먼저 考究할만한 것은 社會 道德思想의 革命이라는 것이다.

彼土의 道德思想이라는 것은 毋論 幾十年을 貫通하여 온 儒敎道德인 것이다. 그럼으로 道德思想의 革命이란 말은 곳 그대로 儒敎의 破壞를 意味하는 말이며 同時에 그 思想을 代身할만한 新道德의 樹立이라는 것이다.

이 儒敎道德의 破壞라는 것은 民國 初의 絶對한 呌呼이엇던 것이니 이것을 正히 革命文學運動의 背景이라고 할 것이다.

이 思想을 鼓吹한 사람으로는 陳獨秀와 吳虞 二人으로 그 巨將을 삼을 것이니 陳獨秀는 政治學的 見地에 西歐의 倫理道德 乃至 宗敎의 說을 根據로

하야 破倫의 旗를 들엇던 것이요, 吳虞는 中國 本來의 文獻에 徵驗하야 法制上의 地點에서 破儒의 高喊 내인 것이다.

民國以來로 全 國民의 思想이 歐化됨을 恨하야 爾來 保守派의 老人들은 孔子의 教를 國教로 定하고 그 아래에서 國民思想을 統一하자고 宣揚하엿던 것이 所謂『孔教會』라는 것이어니와 破儒의 運動이 熱烈하게 된 것에는 이 孔教會라는 것이 적지 안흔 刺戟을 준 것이라 할 것이다. 여긔에는 그 以前의 狀況으로부터 생각할 必要가 잇다. 淸의 光緒 後半期에 이러난 여러 가지 政變과 밋 西紀 一八九五年 頃의 日淸戰役이 잇슨 以後로 時代를 覺醒한 바 잇서 所謂『洋鬼子』라고 불러오던 西歐人의 文化를 輸入하지 안흐면 안될 것이라 하여 物質文明 乃至 學術思想을 目標로 한 可謂 當時의 新思想家라고 할 康有爲와 밋 그 門下의 梁啓超 等을 相對로 葉德輝 가튼 사람은『翼教叢篇』을 지어 舊道德 思想을 擁護하여 互相 衝突을 惹起하엿던 바 當時 新思想 主張者의 頭目이라고 할 康有爲는 다시 葉德輝와 가튼 地帶로 돌아가 孔教 擁護로써 態度를 박구게 되엇다.

民國 元年(西紀 一九一二) 十一月, 孔子 二千四百六十三年 誕日을 期하여『孔教會』를 세우고 康有爲는 그 序에 會의 綱旨를 聲明하느니 또한『不忍雜誌』를 刊行하여 機關志로 使用하느니 同 十二月에는『中華救國論』을 發表하여 儒教의『大同』思想은 共和政體에 合一되는 것과 밋 民心을 統一하는 대에는 儒教를 確執하여야 할 것이라느니 後에 다시『孔子爲國教配天義』等의 論을 發表하는 等으로 자못 그 孔教運動에 적지 안케 努力한 것이나 結局은 民衆의 反感을 산 것 밧게 다른 아무 것도 업섯다.

그리하여 그는 政府에 孔子教로써 國教를 삼을 것을 請電도 하엿스나 南北의 新聞은 異口同聲으로 反對論을 提唱하엿고 또한 國會에서는 憲法 中에서 孔子尊崇의 一個條를 刪削하자는 主張만 생기고 만 것이다.

다시 그는 民國 五年(西紀 一九一六)에 黎總統과 段總理 等에게 『尊孔論』을 提議하자 때에 破儒運動의 覇者 陳獨秀로부터 猛烈한 駁論을 밧고야 만 것이다.

이 陳獨秀 以前에 잇서서는 反孔論者로 하여 易白沙 一人이 잇섯스니 그는 陳獨秀의 主宰한 『新青年』志의 一卷 六號(西紀 一九一六年 二月), 二卷 一號(西紀 同年 九月)에 『孔子平議』를 發表하엿다.

陳獨秀도 新青年 第二卷 一號에 康有爲를 駁하여 痛論한 以後 다시 繼續하여 同誌 二卷 三號에 『憲法政治興孔子[14]』를 發表하고 同四號에는 『孔子之道興現代生治』을 發表하고 同五號에는 『再論孔教問題』를 發表하여 통히 孔의 道德 乃至 政治思想이 現代生活 乃至 中國의 無限進의 將來에 크나큰 魔碍가 됨을 痛論하엿다.

이와 가치 號를 繼續하여 나타난 破儒運動은 마침내 固陋한 頭腦者와 밋 康有爲 等을 박차버리고 同時에 天下青年들의 피를 새로히 끝케 하엿든 것이다.

(十二) 儒教 破壞의 運動(二)

陳獨秀의 反孔論에 相應하여 멀리 四川 成都의 僻地로부터 소리 웨치고 나온 이가 곳 吳虞다.

이는 실상 民國 以前 宣統初 德宗末──말하면 우리나라의 隆熙 元年 頃으로부터 진작 破儒의 思想을 가지엇던 것이다. 그가 東西의 法律과 哲學 等을 研究한 以後에 된 『李卓吾別傳』, 『儒家大同之義本於老子說』, 『讀荀子』,

---

14 '憲法與孔教'의 잘못이다.

『儒家重禮之作用』, 『儒家主張階級制度之害』, 『消極革命之老莊』, 『家族制度爲專制主義之根據論』 等에서 진작 儒教의 非와 弊害를 痛言한 것이요, 其後 『宋元學案粹語』를 著한 結果로 相當한 問題가 되어 當時 清朝의 學部는 發賣禁止를 命하엿다.

그리하여 마침내 그는 自己 環境과 思想을 陳獨秀에게 傳하게 되어 以後 陳獨秀는 그의 論을 求하야 『新青年』志上에 繼續 揭載하게 된 것이다.

이제 그의 反抗論의 概要를 들어 보고저 한다.

그의 『家族制度爲專制主義之根據論』과 밋 『儒家主張階級制度之害』 等에서 보면 制度上으로 보아 反孔思想의 核心을 立論한 것이다.

> 『儒教의 社會道德은『孝』라는 것에서 出發하는 것이다. 이 一點이 家庭에 잇서서는 孝요! 國家에 잇서서는 忠이니 家庭에는 家長의 다스림이 잇고 國家에는 君主의 다스림이 잇다. 그럼으로 國家란 것은 家庭의 擴大이니 君主專制政治란 것은 畢竟은 家族制度의 延長으로 볼 것이다. 即 儒의 思想과 基本精神은 專制政治를 肯定하고 鼓吹하는 것이다. 딸아서 孝, 敬, 忠, 順이라는 諸種의 制度는 다만 尊貴長上에게 利益이 잇슬 뿐임으로 그것은 權利의 平等的 思想에 立脚한 共和의 精神과는 相反 背馳되는 것이 아닐 수 업다. 대개 孔子의 教는 利祿의 湛心하엿던 것인 만큼 尊王을 主張하지 안흐면 안되엇던 것이니 그들의 學說이 顯達한 榮貴에게 阿諛하는 媚笑에 不過하게 된 것은 自然한 일이다. 論語의 鄉黨篇을 보더라도 孔子가 如何히 媚態의 巧를 다하엿던지를 알 수 잇는 것이다. 그는 實로 專制時代의 官僚流의 萬世的 師表이엇다. 아! 孔孟의 道는 六經에

잇고 六經의 精華는 滿淸律例에 잇니나[15] 이는 또한 野蠻的인 尊卑貴賤의 階級制度의 代表者다. 儒敎를 革命하지 안코서는 我 中國은 新思想, 新學說을 가질 수 업술 것이니 무엇으로써 新國民을 지을수 잇슬 것인가.』

라고 하엿던 것이다. 그리하여 다시 吳虞는 『孝說』에 잇서서 『五刑의 屬三千 罪는 不孝보다 더 큰 것이 업다.』는 것을 들어 『이러한 珍奇한 刑法으로 專制的 私心을 達하기에 一威嚇을 삼앗던 것이라.』하고 말하는 等, 또는 孟子의 所謂 『不孝에 셋이 잇스니 後生 업는 것이 가장 큰 것이라.』는 것을 들어 『이것으로 드듸어 我 中國의 制度에는 蓄妾의 風을 내이고 女子는 다만 子息 낫는 機械가 되엇다.』하고 말하는 等 그리하여 그는 禮에 對하여도 痛論하엿던 것이다.

이와 가튼 儒敎破壞의 運動은 社會的으로 크나큰 作用을 이르킨 것이다. 現代 中國의 新思想을 抱持한 新人들로는 어느 사람이나 이 儒敎에 籠統된 舊道德 思想에 反感을 가진 것이다. 이 破儒運動이 果然 中國의 將來로 하야금 如何한 地點에 逢着되게 할는지는 아직 別問題로 하고 그들이 或은 社會主義로 或은 過激思想으로 或은 中國 固有의 墨家思想으로 或은 老莊思想으로 各其 根據를 삼고 나타난 이 反孔運動은 近者에까지 그 波紋과 紛紜을 이은 것이니 이러한 社會的 背景 속에서 나타난 것이 問題의 『革命文學』이라는 것이다.

---

15 '니나'는 '나니'의 오식이다.

(七)

(十三) 新文學의 初期

新文學을 促進식힌 것은 毋論 西歐文明의 輸入이엇든 것이니 그 端緖를 차자 올라가 보는 것은 新文學 考察에 가장 必要한 일인 줄 생각한다.

우리나라의 憲宗 八年 即 淸宣宗의 道光 二十二年(西紀 一八四二)에 所謂 江寧條約이 締結된 때로부터 基督教 宣教師가 續續으로 中國 안에 들어오게 되고 딸아 『미슌 스쿨』을 創設한 것이 彼土의 西歐文明에 눈 뜨게 된 始初이엇다.

爾後로 西歐의 文化는 中國으로 하여금 놀라게 한 것이 만핫던 것이요, 日淸戰이 지나간 後로부터는 더욱 더 洋學熱이 盛하게 된 것이다. 그리하여 頒白한 老人들까지가 西歐의 學問을 研究하려는 狀態이엇고 그 際에 압서도 말하엿거니와 康有爲, 梁啓超 等의 新思想家가 輩出하여 西學을 鼓吹하게 된 것이다.

이리하야 文學的 方面에 잇서서 康梁을 除한 外에도 政論家의 嚴復, 文章家의 林紓, 思想家의 章炳麟 等이 나타나니 이들이 다 西歐文化에 影醫된 當時 一流의 文學者들이엇다.

中老들에게서 『今文不可解』의 嘆을 들음에 應하여 所謂 『新語字典』의 著作을 내인 것만 보아도 當時의 狀態를 그려볼 수 잇슬 것이다. 康有爲 가튼 이는 『巴黎登汽球歌』를 짓고 梁啓超는 『二十世紀太平洋歌』를 짓는 等 詩歌方面에 잇서서도 新調의 試驗이 잇섯던 것임을 알 것이니 梁의 詩에——

『誓將適彼世界共和政體之祖國
問政求學觀其光

乃於西歷一千八百九十九年
臘月晦日之夜半
扁舟横渡太平洋』

라 한 것이던지 『超超乎我今白日上青天, 杳杳乎俯視地上山與川』이라 한 康의 詩들을 보면 唐代의 日長短句에 比하야 얼마만한 差異가 잇는지를 알 것이다.

그리고 林紓 갓흔 이는 飜譯小說家로 하여 壯한 活動을 한 것이니 有名한 『林譯小說叢書』를 들고 그 中에 收錄된 五十種 九十餘卷의 飜譯小說이 잇슴을 보아 알 수 잇는 것이다. 거기에 잇는 것을 보면 대개 스코트의 『탈리스맨』을 『十字軍英雄記』라 하여, 또는 『아이방흐』를 『薩克遜劫後英雄畧』이라 하여, 어빙의 『알함부라』를 『大食殿宮餘載』라 하여, 직켄스의 『니코라스닉클피』를 『滑稽外史』라 하여, 또한 『올리버취스트』를 『賊史』라 하야 모은 그러한 等屬의 것이매 그 程度 如何도 짐작할 수 잇겟거니와 그 西歐文學에 얼마만한 親近을 가지게 된 것인지를 알 것이다.

評論文學 等에도 多少 눈을 뜬 것이니 或은 漁隱叢話와 가튼 史的으로 評論을 試驗한 것과 或은 文心雕龍 갓흔 槪論的으로 評論을 試驗한 것 等도 잇기는 하엿스나 그 評論의 態度는 淸末로부터 西歐의 學風을 바든 것에 因하야 陳曾則의 『國文講義』나 其他 文學 方面은 아닐지언정 皮錫瑞의 『經學歷史』나 張亮采의 『中國風俗史』 等 은 비록 民國 以前의 著書 等이건만 그 硏究의 態度는 西歐의 그것에 摹함이 만헛던 것이다.

『中國文學史』에 잇서서도 王夢曾 其他의 者가 새로운 것과 謝旡[16]量의

---

16 '旡'는 '无'의 오식이다.

『中國哲學史』, 『中國婦女文學史』 等의 精密한 著書 等이 나온 때는 벌서 民國 以後의 일이다.

上海의 商務印書舘으로부터는 『文藝叢刻』이라 하야 王國維, 吳梅, 王夢生, 錢靜方 等 新人의 硏究를 發刊하는 等이라든지 또는 우리나라의 己未年 運動이 일어나던 그 해 即 民國 八年(西紀 一九一九)에 『北京大學月刊』이 創刊되어 第一號에 北京大學 文科教授 朱希租[17] 等이 純文學 主張을 强烈히 하야 從來의 經學過重的 文學 見解로부터 新文學에 解放되어야 할 것을 宣揚하엿던 것이라던지 이러한 모든 現象은 刻刻으로 新文學의 胎盤을 지엇던 것이다.

딸아 北京大學月刊에서는 漢文을 橫書하는 等, 句讀點 符號 갓흔 것에까지 歐文式을 使用하는 等, 또는 그 우에 同校에서는 『新潮』라는 雜誌를 創刊하여 新文明의 謳歌에 努力하는 等 新空氣의 吹収는 자못 그 勢力이 漸漸 興旺하여진 것이다.

(八)

(十四) 胡適과 文學革命(一)

民國 六年 一月 一日에 雜誌 『新青年』 第二卷 第五號가 胡適의 『文學改良芻議』 一篇을 실고 世上에 나타나니 이 一論이야말로 革命文學運動의 序幕을 열은 것이다.

때는 只今으로부터 十二年 前이요, 胡適은 當時 二十六歲의 米國 『콜넘비아』大學에 在學中인 一靑年이엇다.

17 '租'는 '祖'의 잘못이다.

그가 宣言한 文學革命은 周知하는 바와 가티 八個條로 하여 成案된 것이니 (一)은 須言之有物, (二)는 不模倣古人, (三)은 須講究文法, (四)는 不作無病之呻吟, (五)는 務去爛調套語, (六)은 不用典, (七)은 不講對仗, (八)은 不避俗字俗語 等이다.

첫재 『須言之有物』이라 한 것은 毋論 말 그대로 文學에 對한 『內容』의 地位를 말한 것이니 內容의 空虛한 것을 排伻한 것이다. 그는 이 때에 잇서서 文學은 모름직이 情感과 思想을 土臺로 한 것이어야 함을 論하되 感情이란 것은 文學의 靈魂이며 思想은 文學에 잇서 人身의 腦筋과 가튼 것이라고 하엿다.

둘재 『不摹倣古人』이라 한 것은 時代의 獨特을 主張한 것이니 그는 이때에 이러케 말하엿다. 『時代를 짤아 文學은 變遷한다. 한 時代에는 그 時代의 文學이 잇는 것이다. 尙書로부터 先秦諸子에 司馬遷, 班國[18]에 그리하여 韓柳歐蘇 等에 다시 語錄小說의 白活文 等에 음겨 온 歷史는 그 곳 『文의 進化』다. 그럼으로 歷史的 進化라는 地點에서 보면 모다 古人의 文學이면 今人의 그것보다 優越하다고 할 수는 업는 것이다. 左氏나 太史公의 文은 奇다. 그러나 施耐菴의 水滸傳은 그것들에 遜色이 업스며 三都 兩京의 賦는 豊富하다. 그러나 唐詩 宋辭에 比하면 糟粕일 따름이니 이것은 文學이 時代로 더부러 한 가지 進化하는 所以인 것이다. 그럼으로 今日의 中國에는 今日의 文學이 잇서야 할 것이요, 唐宋의 模倣, 周秦의 흉내로써 足할 바 아니다.』 이것이 그의 둘재 項의 要旨다.

셋재 『須講文法』이라 한 것은 別것 업고 다만 文法을 無視하여서는 意義의 不通을 내인다는 것이니 그가 진작부터 律로서는 杜律 以外에는 읽기조

---

18 '班固'의 오식이다.

차 실혀 하엿거니와 杜律도 『秋興八首』와 가튼 類는 도모지 壓症만 생긴다고 하엿다 이것이다. 文法의 不通, 結構의 不明 等의 詩는 元體로 틀린 것이라고 생각한 때문이다.

넷재로 『不作無病呻吟』이라 한 것에 그는 요새 青年들이 얼핏하면 消極的인데로 向하야 悲觀한 것처럼 處하기를 조하하야 號를 짓드라도 흔히 『寒灰』니 『死灰』, 『無生』이니 하는 따위를 取하고 글을 지으매 또한 落照를 對하야 晩年을 생각하고 秋風을 對하야는 零落을 생각하는 것으로써 文學的이라고 하는 듯이 보인다 하고 다시 그것은 亡國의 哀音일다. 老人에게 잇서서도 稱讚할 마음이 업거든 하물며 青年들이랴. 그럼으로 힘 잇고 밝은 作品이 나올 수가 업는 것이니 病 업시 呻吟하는 것은 반듯이 긋처야 할 것이다.

(九)

그리하여 그는 『피―테』나 『마지니』 갓흔 文學家를 願하고 賈生이나 屈原 갓흔 文學家는 願치 안는다고 하엿다.

다섯재 『務去爛調套語』라 한 것에서는 只今 學者들이 머리 속에 몃 個의 文學的 套語만을 記憶해 넛케 되면 곳 詩人이 되어 바리는 꼴이라 하고 蹉跎, 身世, 寥落, 飄零, 虫沙, 寒窓, 斜陽, 芳草, 春閨, 愁魂, 歸夢, 鵑啼, 孤影, 雁字, 玉樓, 錦字, 殘更……等의 따위와 가티 이러한 陳腐하고도 우수운 흉내는 긋치고 제 各其 自己의 耳目으로 親히 見聞한 實感으로 또한 自己의 詩로써 率直히 表現하여야만 한다고 하엿다.

여섯재 『不用典』에 잇서서는 典故에 廣狹 二義가 잇서 廣義의 典인 『古人이 베플은 譬喩』, 『成語된 것』, 『史實을 引用하는 것』, 『古人을 引하여 比較하

는 것』, 『古人의 말을 引用하는 것』 等 五種은 쓰나 안쓰나 無妨하다 하고 其外 『남모르는 典故를 끄을어와 讀者로 하여금 알지 못하게 하는 것』, 『古典의 成語를 切取하여 文法에 不合하는 것』, 『原意를 喪失하는 것』, 『空然히 普通事實에 不適하게 쓰는 것』, 『比較가 適切치 못하여 여러 가지로 解釋되어 確實한 根據가 업는 것』 等 五種은 狹義의 典으로써 이는 쓰지 안하야 할 것이라 하엿다.

닐곱재 『不講對仗』에서는 古代의 『老子』나 『論語』 가튼 것에도 對句는 使用되엇지만 이는 言語의 自然한 것으로 됨이요, 空然한 技巧는 아니나 後世의 駢文 律詩 따위는 人工的 牽强的으로 對를 取하게 한 것이니 오늘의 文學改良에 잇서서는 이러한 末技에서 重貴한 精力을 虛費치 말 것이라 하엿다.

여덜재 『不避俗語俗字』에 잇서서는 中國의 言文背馳를 말한 後 佛教의 經典이 飜譯될 때 文章語만으로는 不足한 곳이 잇서 卑近한 文으로 譯하기 비롯하여 其後 宋에 이르러 佛氏의 語錄에 白話를 쓰는 一方 唐宋의 詩詞에도 白話가 나타나고 元에 이르러는 戱曲 小說에까지 쓰이어 一種 白話文學의 發芽를 보게 된 것이라 하고 白話文學이 中國 文學의 正宗인 것을 力說하엿다.

이와 가튼 八個條의 論旨에서 보건댄 內容에 關하여 第一과 第四가 잇고 型式에 關하여 其他 六條가 잇는 만큼 舊文學의 弊點을 指摘함에는 若干 그 內容問題에 不充分한 點이 잇슴을 中國文學을 족곰이라도 아는 이로서는 알 것이다. 胡適도 大聲을 一時에 다하지 못한 것이라 봄이 맛당하겟거니와 다시 胡適과 革命文學의 關係를 깁히 들어 考究해 볼 必要가 잇는 줄 안다.

(續)

胡適이 白話文에 처음 손대기로는 民國 前六年(西紀 一九〇六年) 上海의 『競

業旬報』에 一篇의 論文과 一篇의 小說을 쓴 것이엇다.(詩集『嘗試集』自序)

이 때에 그는 겨우 十五歲 假量이엇스매 그의 才華와 밋 後日 革命文學 提唱의 準備가 얼마나 일즉이엇든 것 等을 알 것이다.

그 後 十九歲 때(宣統 二年)에는 米國에 留學하엿다. 그리하야 歐米의 文學에 親近되게 될사록 그의 知識의 發展과 아울러 文學을 向한 革命心은 養成되엇던 것이다. 그 때에는 그의 在米 中의 作『去國集』(嘗試集附錄)에 收錄된 詩什들을 보아도 알 수 잇듯이 西詩에 摹倣한 幼稚한 程度이엇든 것이다.

그 後 二十四歲(民國 四年)의 八月에『如何可使吾國文言易於敎授』一論을 지어 文言의 死文字인 것과 白話의 活文字인 것을 說하엿스니 이 때에 이르러는 벌서 文學이 革命에 그 뜻을 세우든 것이엇다.

(十)

그리하여 그는 마츰내 白話文學의 主張을 決心하엿스니 그가 二十五歲(民國 五年)의 四月 五日 밤에 自己의 隨筆文인『藏暉室劄記』에 그 뜻을 말하되

(槪要)『文學革命은 中國史上에 잇서서 決코 創見이 아니다. 우흐로 三代로부터 아래로 近代에 니르기까지 大革命을 不絶하여온 것이다. 그런데 그 文學革命니 元代에 니르러서는 極盛하게 된 것이니 當時의 詞曲 小說과 갓흔 第一流의 文學은 擧皆 俚語로써 된 것이다. 即 中國에 잇서서는 참으로 한 개의 活文學이 생겨난 것이다. 그리하야 萬一 明代의 八股니 復古니 하는 것들에 阻碍되지 안코 그대로 發達이 되엇던들 지금쯤은

偉大한 俚語文學의 完成을 보앗슬 것이다. 그러타! 느릿느릿 할 일이 아닌 것이다. 文學의 革命은 中國의 文學으로 하야금 살게 하는 運動이다.』

이리하야 그는 『沁園春』 詞에 『誓詞』라는 題로 一篇의 文學革命宣言詩를 지은 것이다.

爾後로 여러 사람의 友人끼리 이 文學革命에 對한 意見을 交換하고 白話詩를 지어보내며 서로 辯駁하는 等 자못 熱烈히 나섯던 것이다.

그가 後日에 이 友人과의 革命 討論을 손밧부게 하던 때를 回憶하며 『當時 朋友들과의 사이에 一日에 端書一葉 三日에 封書大函으로 서로 討論하던 기쁨은 참으로 人生이 엇기 어려운 幸福이엇다. 나의 文學革命에 對한 一切의 見解가 結晶되어 一種의 體系的 主張을 完成하게 된 것도 專혀 그 때의 朋友들과 砌磋 討論한 結果인 것이다.』라고 말하얏던 것이다.

그 後 民國 六年 一月의 新青年志에 發表한 것이 前回에 보인 『文學改良芻議』 一文이엇스니 이것이 革命文學 主張에는 가장 큰 소리이엇고 同時에 胡適의 運動線上 第一步의 것이엇던 것이다.

이리하야 胡適은 新青年 第三卷 第三號에 『歷史的文學觀念論』 一篇을 發表하야 自己의 歷史的 進化說이라는 基本 理論을 土臺로 한 一文으로 漸漸 具體的 運動에 들어선 것이니 『一二千年 녯 날의 因緣이 먼 文體를 지으려고 애쓰지 말고 現在 우리들과 가장 親密한 現代語로써 文學을 創作하자.』는 것을 力說한 것이다.

그 다음 重要한 論評으로 하야는 同志 四卷 四號에 發表한 『建設的文學革命』이다.

이것에는 國語的 文學과 文學的 國語와의 關係를 말하고 例를 英伊에 들어『伊太利에는 단테가 英國에는 초서, 윅크리프가 다 各其 自國 民族의 俗語로써 大文學을 創作하고 드듸어 國語統一의 大功을 일운 것이라.』는 것과 밋 國語的 文學을 創造 建設하는 方法論을 말한 것이다.

爾來 胡適의 活動은 急進的이요, 同時에 그 影響을 社會 一般에 끼침이 컷던 것이니 現代 新文學運動의 驍將으로 하여 이를 들지 안흘 수 업슬 것이다.

이러한 것으로 대개 胡適과 革命文學과의 關係에 잇서서는 그 地位와 功勳과를 짐작할 수 잇슬 듯하다.

新青年志의 主宰 陳獨秀는 胡適의『文學改良芻議』의 뒤를 니어 翌月(民國六年 二月)에『文學革命論』一篇을 新青年志에 發表하엿스니 이 以前에서부터 反孔教論者로 하여 舊思想의 打破와 新思想의 鼓吹를 猛烈히 하든 그이인 만큼 胡適과 그 步調를 가티한 것이다.

元來 陳獨秀는 文藝에 잇서서도 中國의 文學이 古典主義나 理想主義의 境地를 떠나 寫實主義로 向하여야만 할 것을 主張하야 왓거니와 이 文學革命論에 잇서서는 다시 三個條의 表幟로써 말한 것이니 (一)은 彫琢的이요, 阿諛的인 貴族文學을 밀어 넘기고 平易하고 抒情的인 國民文學을 建設할 것, (二)는 陳腐하고 舖張的인 古典文學을 밀어 넘기고 新鮮하고 立誠的인 寫實文學을 建設할 것, (三)은 迂晦하고 艱澁한 山林文學을 밀어 넘기고 明瞭하고 通俗的인 社會文學을 建設할 것이란 것이다.

그는 亦是 胡適과 가티 中國 歷代에 對한 批評도 元明 以後의 戲曲 小說로써 文學的 價置의 最高位를 삼앗던 것이다.

이 一論을 發表한 그 前月號 胡適의『文學改良芻議』의 뒤에 書하야 曰──

『余恒謂中國近代文學, 史[19]施曹價値, 遠在歸姚之上. 聞者咸大驚疑. 今得胡君之論, 竊喜所見不孤. 白話文學, 將爲中國文學之正宗. 余亦篤信而渴望之.』

云云(文中에 施曹라 한 것은 施耐菴과 曹雪芹을 말함이요, 歸姚라 한 것은 歸震川과 姚姬傳을 일은 것임). 이러한 것으로 보아 그의 現代 驅歌 民主主義的 思想은 진작부터 가지엇던 것인 줄을 알 것이다. 이에 胡陳 兩人의 論을 比較하여 보자.

胡의 論	陳의 論
不言	建寫實文學
	建社會文學
不避俗字俗語	建國民文學
不作無病呻吟	倒山林文學
不講對仗	倒貴族文學
務去爛調套語	
不用典	倒古典文學
不摹倣古人	
須言之有物	
順講求文法	不贊成

以上의 對照表에 依하여 보면 胡適의 改良芻議와 陳獨秀의 革命論과의 異同 長短이 如何한 것임을 알 것이다. 胡適의 八個條 中에 內容問題로 하여 不

19 단구(斷句)가 잘못 되었다. 응당 '余恒謂中國近代文學史, 施曹價値,'이어야 한다.

備되엇든 點을 陳獨秀의 革命論에서 說한 바 잇섯스니 그는 表示한 바와 가티 寫實文學, 社會文學을 建設하여야 한다는 것이다.

이것에 잇서서는 우리나라의 新文學 勃興史우에서도 볼 수 잇는 自然主義的 理論에 立脚하엿든 것이니 年代 우흐로 보더라도 우리나라의 己未運動이 잇든 그 前後에 當한 民國 六七年 後의 일이니 우리 文壇우에 重要한 結果를 지은 己未歲 即前의 『創造』와 己未歲 即後의 『廢墟』 等志의 發刋과 아울러 그 作品과 氣分에서 自然主義的 色彩가 濃厚하엿든 史實들과 兩兩 比較되는 點도 업지 안흔 갓이다.

그리고 胡陳 兩人의 論을 또 다시 比較하여 보건댄 表示한 바와 가[20] 胡의 『須言之有物』과 『須講求文法』의 二條에 잇서서는 陳은 不贊成을 말한 것이 잇다.

(十一)

그것은 첫재, 中國의 文字가 語尾의 變化들 가지지 못한 것임에 因하여 억지로 西洋의 所謂 『그람머』 『文法』에 끝어다 맛추려는 것은 根本的으로 錯誤되는 일이라 하여 『須講求文法』 一條를 不贊成한 것과 둘재, 文學이나 美術 等 一般 藝術이 다 그 自體의 獨立的 存在의 價値가 잇는 것이요, 决코 所謂 『載道』의 一器械로써 應用될 것이 아닌 말하면 文學은 純文學的 見地에서 論議될 것이라는 데에서 『文以載道』의 弊를 가지어 오기 쉬운 것을 들어 『須言之有物』 一條를 不贊成한 것이다.

---

20 '가치'의 오식으로서 '치'가 탈락된 것으로 보인다.

그러나 大體에 잇서서 그들의 理論은 新思潮들 鼓吹하고 舊道德 思想을 排棄한 것이나 및 文學上으로 보아 그 內容 그 型式 等을 아울러 가장 現代的이요 가장 國民的인 곳에 세우고저 한 것에는 一致하엿든 것이요, 또한 그 運動을 가티 할 것이다.

(十七) 錢玄同과 文學革命

胡陳 兩家의 論에 響應하여 이러선 사람으로 北京大學에서 言語學의 敎鞭을 쥔 錢玄同이 잇다.

이는 『에스페란토』를 鼓吹한 新學者인 만큼 胡適의 論이 發表되자 곳 新青年 第二卷 第六號(民國 六年 二月)의 通信欄에 白話文學의 價値를 首肯한 後로 그의 新文學에 對한 意見을 言語學的인 點에서 發表하엿다.

그럼으로 胡適의 八個條 中 第六 『不用典』에 잇서서는 一步 더 나아가 精密한 考察을 가지엇던 것이니 胡適은 『不用典』條 中에서 工拙을 分하여 工者는 許容하고 拙者는 이를 斷然히 否認한엿스나 이 錢玄同은 工拙을 莫論하고 一切의 用典이란 것은 排斥하자는 主張을 내인 것이다.

(十二)

또한 中國의 文人이 古來로 질겨하든 雅稱 말하면 남을 불을 때에 그 사람의 字나 號나 謚 等으로써 말하고 甚한 者는 官名 乃至 地名 더욱 우수은 것은 이 地名에서도 그 땅의 古名으로써 代用하는 等의 惡風은 이를 斷然히 廢하지 안흐면 안된다고 하엿다.

例하면 李太白 갓튼 사람을 부르는 데에도 李翰林이니, 李謫仙이니, 李青

蓮(地名)이니 하는 것 等 其外에도 어느 것이 人名인지 어느 것이 地名인지를 分揀 못할 것이 한 두 百個가 아닌 것을 말한 것이니 이러한 것이 些小한 것일지언정 그들에게 잇서서는 實際問題에 들어 반드시 論할만한 거리가 되는 것임은 毋論인 줄 생각한다.

그리고 또한 無闇과 古字를 使用하는 惡癖을 버리어야 한다고 말한 것이니 例하면 『夜夢不祥, 開門大吉』이라 할 것을 구태어 『宵寐匪禎, 闓札洪庥[21]』라고 하는 것 等이다. 이러한 것도 실상은 用典과 同病이라고 할 것이다.

그리고는 胡適의 八個條 中 第三 『須講文法』에 對하야는 陳은 不贊成한 것이나 이 錢玄同은 그가 言語學者인 만큼 毋論 大贊成이엇던 것이니 例를 杜甫의 詩에서 들어 文法 破格으로 有名한 『香稻啄餘鸚鵡粒, 碧梧棲老鳳凰枝』 等으로 論하엿다.

다시 文體에 關한 그 論旨도 毋論 白話文으로써 中國文學의 正宗을 삼는다고 하여 古來의 文學에 對한 見解도 胡陳 二家의 그것과 가티 詞曲 小說이 가장 發達되고 高貴한 것이라고 한 것이라 하고는 그것을 다시 西歐의 文學에 比하야 小說로의 『水許傳』이나 『紅樓夢』 等, 戲曲으로의 元明의 南北曲, 崑曲 等은 볼만한 것이 잇지만은 近時의 小說이나 京調의 戲曲 等은 幼稚하다 하고 論하엿다.

이리하야 그는 革命文學에의 熱烈한 贊同者요, 同時에 運動者인 것을 分明히 나타내인 것이다. 뿐만 아니라 그는 直接으로 作品에 손대지는 안헛슬지언정 新青年 第三卷 六號의 通信欄에 依하건대 胡適의 在米 中의 때에 胡適을 激勵하야 『君의 白話詩는 죄다 아직 文言의 窠臼를 벗지 못하엿다.』하고 더욱 더 새로운 것을 要求하엿든 것을 알 수 잇는 것이다.

---

21 원문은 '札闓洪庥'이다.

또한 胡適의『嘗試集』에 長序를 지어 文學을 言語 變遷의 理論으로부터 보아 그 用語가 白話이어야만 할 것을 痛言하고 다시 胡의 詩의 缺點을 指摘하야『그 幾首는 아직 詞的 句調를 使用하엿고 或 幾首는 五言的 字數에 사로 잡히어 말과 꽉 들어 맛지를 아니하고 用語에 잇서서도 어덴지 아직 文語的인 嫌이 잇다.』라 한 것 等을 보아 胡適을 爲하야는 이 錢玄同을 策士로 하여 말하지 안흘 수 업슬 것이다.

그리고 民國 七年(西紀 一九一八) 六月 頃에 明의 嘉靖年 頃으로부터 興起된 崑曲(戲曲)이 北京에서 大流行이 되엇슬 때에 新青年 第四卷 第七號에 錢玄同은『隨感錄』一文을 發表하엿스니 그 中에『兩三個月 以來, 北京의 演劇界에는 갑작이 崑曲이 大流行인 모양이다. 듯건대 韓世昌이라는 崑曲大家가 나타난 뒤로 一部의 人士들은 中國의 演劇은 進步되엇다느니 文藝復興期가 왓다느니 하고 떠드는 모양이다.』云云(隨感錄 十八)라는 것을 보더라도 그가 얼마나 舊藝術에 對한 憎惡 乃至 反抗의 뜻을 품엇던가를 알 것이거니와 이 革命文學에 잇서서는 錢玄同의 新言語學者的 應援이 얼마나 有功하엿던가를 생각할 수 잇겟다.

(續)

(十八) 劉半儂과 文學革命

다시 그들의 革命文學 運動者로 하여 劉半儂을 들지 안흘 수 업스니 이는 英文學의 知識을 가진 사람으로 飜譯 等에도 만히 執筆한 사람이다.

新青年 第三卷 第三號에『我之文學改良觀』一文을 發表한 後로 完全히 運動線에 나선 것이니 이 一論은 胡適의 所論보다 確實히 一步 더 나아가 좀 더 精密하고 좀 더 秩序的인 것이엇던 것이다.

그는 이 一論을 文學의 定義 如何로부터 起論하여 散文의 改良할 點과 韵文의 改良할 點과를 秩序잇게 말하엿스니 胡適의 그것보다 現著히 더 나아간 點을 말하건댄——

첫재로, 『文學作者는 個性을 尊重히 할 것』이란 데서 胡適은 『不摹倣古人』이라 하여 古人을 본뜨지 말라 하엿스나 그는 一步 더 나아가 古人뿐이 아니라 今人도 摹倣하지 말아야 한다는 것을 말하엿고

둘재로는, 舊時代의 遺物로써 現代의 實際와 一致되지 안는 詩詞의 韻을 廢하고 現代에 適合한 韻法을 定하여 新詩를 創作하여야 할 것을 말하엿고

셋재로는, 詩體를 增加하여 여러 가지 自由로운 型式을 取할 것, 더 하여는 無韻으로 詩를 創作함도 宜當하다 하여 詩作 韻律로써 思想을 束縛한다는 것은 詩의 本質 乃至 發達을 害하는 것이라 하엿고

넷재로는, 劇에 잇서서 從來의 歌劇을 廢하고 白話劇을 세워야 할 것을 말하엿고

다섯재는, 文學을 書記하는 데에 使用할 記號에 西洋式을 加味할 것이라 하엿다.

이 論이 發表된 後로 賞際에 잇서 詩도 無韻의 詩가 생기어졋고 記號에도 西洋式이 全然 使用된 것이어니와 그 만큼 그의 一論이 有力하엿던 것은 事實이다.

여긔에 이 劉半儂의 特異한 理論이 잇섯스니 그는 文言과 白話와를 對峙並用하고저 한 一種 中庸說이다.

(十三)

다 가튼 話句에 잇서서도 或은 그것을 白話로 表現하여야 조흘 境遇가 잇고 或은 거긔의 文言을 使用하여야 効果를 어듭 境遇가 잇는 것이니 各其 長所를 取함이 맛당할 것이요, 文言을 全혀 廢한다 함은 不可하다. 아니 將來에 잇서서는 반듯이 白話로써의 훌륭한 文學이 나올 時期가 잇슬 것이지만 目下 過渡의 時代에 잇서서는 並用하는 것이 맛당하다는 見解이엇다. 이 理論은 實로 다른 諸家의 理想的인 革命運動에 억개를 가티 한 채 實行問題를 더 만히 考慮한 結果이엇던 것으로 볼 수 잇는 것이어니와 그들이 事實에 들어 이 問題을 討論할 수 밧게 업섯던 것은 周圍의 事勢를 살펴보는 때에 엇지할 수 업시 躊躇되는 일이엇기 때문이엇다고 할 것이다.

그 後 新青上 第三卷 五號에는『詩與小說精神上之革新』一篇을 發表하엿스니 이는 實로 民國 六年 八月 以前 諸家의 文論 속에서도 極히 注目할만한 것이엇다.

그는 詩에 잇서서 人間 性情의『眞』을 要求한다는 意味에서 詩經의 國風을 最上品이라 하고 陶淵明, 白居易 等을 眞正한 詩家라 하엿다. 그리고 모든 作爲的인 詩를 일러『虛僞文學』이라고 그것을 唾棄하엿다. 時代에는 古今이 잇고 物質에는 新舊가 잇스나 다만 이『眞』만은 唯一無二요, 永久不變이라고 絕糾한 것이니 그는 다만 詩에 잇서서 眞情 流露로써만 그 本質과 價値를 論하엿다. 小說에 잇서서는 眞理를 根據로 하여 立論하고『小說은 한 개의 理想的 世界를 지어낼이니 例하면『水滸傳』은 한 개의 社會主義的 理想世界를 描寫한 것이요, 杜翁의 作品 等은 理想的 新宗教世界를 描寫한 것이다.』라 하엿다.

그리고는 다시『作者의 實見한 한 바의 世界를 그대로 한 개의 縮圖로 할 것이니 例하면 『紅樓夢』이나 직켄스, 모파쌍 等의 作品과 가튼 類이다.』라 하얏다.

即 前者는 理想主義的 作品을 말함이요, 後者는 寫實主義的 作品을 말한 것이니 그는 兩者를 共히 取하되 理想主義에 더 置重하얏다.

이 劉半儂은 大體에 잇서서 詩를 그 發生의 本質的인 問題로써 論하고 小說을 理想主義的 見地에서 論하엿스니 어느 것이나 共히 新奇를 말한 것은 아닐지언정 그들의 革命文學運動이 內容問題의 考慮에 손이 떳든 만큼 그의 論이 必要하지 안흘 수 업섯던 것이라고 보겟다.

(十九) 文學革命의 一般的 趨勢

以上에 胡陳錢劉 四家와 文學革命과의 關係를 大畧 論述하엿거니와 이에 다시 一般的으로 그 趨勢가 如何하엿던가를 말하고저 한다. 文學革命에 對한 新青年 同人의 熱烈한 運動은 마침내 그 同人 以外의 사람들까지도 注意를 할 만큼 되엿던 것이니 數三人의 이에 對한 意見이 同誌의 通信欄에 실린 것을 보아도 알 수 잇다.

新青年 第三卷 三號 曾毅 通信에 依하면 所謂 『道』라는 것은 現代의 『思想』이라는 말과 가튼 말이요, 그것이 다만 多少 制限的인 意味를 가젓슬 뿐이라 하여 『文以載道』의 說을 辯護하는 態度에 立脚한 理想主義者流가 이 革新文學主張에 同情은 하면서도 밋처 舊文學에서 한쪽 발을 다 빼지는 못한 程度에서 잇는 現象도 볼 수 잇는 것이요, 同志 第三卷 三號 張護蘭 通信에 依하면 文學革命의 影響을 杞憂하여 諸君과 가티 너무나 急進的으로 나가면 도로혀 老學究들의 反感을 살 뿐으로 그들이 破壞 手段에 나설는지도 모르는 것이요, 또한 一知半解의 學生들이 넘겨집고는 國粹를 亡하게 하는 大誤

를 가저 올는지도 모르겟다는 注意를 가지고 나서는 者流도 잇섯던 것임을 알 수 잇다.

그리고 新青年志가 第四卷을 始作하게 된 때부터는 着着으로 新文學建設에 努力하게 되엇스니(第三卷 終了號로부터 四個月 間 休刊, 民國 七年 一月로 第四卷 一號가 續刊) 實際作品에 잇서서까지 胡適을 비롯하야 劉半儂, 沈尹默, 唐俟 等 詩作家를 내이게도 된 것이다.

同志 第四卷 二號에는 當時 北京大學 文科學生이엇든 傅斯年의 『文言合一草議』가 發表되어 多少 幼稚한 대로 標準語의 問題 乃至 白話와 文言의 調和의 程度 問題 等에 寄與한 바가 잇섯던 것이다.

小說問題에 잇서서도 同志 第四卷 五號에 胡適은 『論短篇小說』 一文을 發表하엿스니 그는 가장 經濟的 文學手段에 依하야 作者가 表現하고저 하는 事實 中에서 『가장 精采잇는 一段 或은 一方面』을 描寫한 것, 다시 말하면 社會事象의 橫斷面을 가장 緊張한 方法으로 描寫할 것이라 한 것만큼 別로 한 卓見이야 아엇슬지언정 中國 在來의 短篇小說에 比하여서는 한 개의 痛棒이 아닐 수 업섯던 것이다.

그 後 民國 七年 六月에 이르러서 新青年誌는 『입센號』를 내엿스니 이는 그들의 舊劇 破壞의 手段이엇다.

胡適의 『易卜生(입센)主義』, 胡適, 羅家倫 共譯의 『娜拉』(노라), 袁振英의 『易卜生傳』, 吳弱男의 『小愛友夫』(아이욜프) 等이 舊城 攻擊의 巨砲들이엇다.

戲曲에 잇서서도 錢玄同의 散文劇 主張도 큰 힘이잇거니와 傅斯年의 『戲劇改良各面觀』, 이것에 聲援하여 나온 胡適의 『文學進化觀念與戲劇改良』, 宋春舫의 『近世名劇百種目』, 歐陽予倩의 『予之戲劇改良觀』 等은 자못 그 勢力이 컷든 것이다.

(十四)

在來의 戱劇인 崑曲이나 京調나 乃至 梆子 가튼 것은 그 組織이 不純하다 하여 그를 『百衲體』라고 부르는 等 또한 文學的 價値로 보아 論하는 等 現代의 社會狀態를 가장 切實히 表現할 新戱를 要求하는 理論을 내인 것이다.(傳斯年의 論)

그 中에 歐陽予倩 가튼 이는 그 自身이 俳優인 만큼 直後 自己의 經驗을 基本으로 한 理論을 내인 것이니 그는 『오늘 中國에는 戱劇이 업다』라고 하기까지 激烈한 革命軍이엇다. 그리하여 劇本, 劇評, 劇論 等의 文學的 方面과 新俳優 養成의 實技的 方面으로 新戱를 建設하자고 하엿다.

이리하는 동안에는 張厚載 가튼 舊戱 擁護論者와 王敬軒 가튼 舊文學 尊崇論者가 나타나고 馬二先生이라는 者와 가튼 胡陳錢劉를 攻擊(上海 時事新報 所載)하는 이들이 생겨난 것이다. 一方에는 朱經, 任鴻雋 가튼 文學革命 反對者가 도로혀 그 運動을 贊同하는 現象까지 보인 것이엇스니 畢竟은 新靑年의 中國은 一般的으로 이 運動에 勢力을 加하게 된 것이다.

그리하여 民國 八年 十一月에 새로운 思想과 精神으로 新中國의 文學을 建設하려는 靑年들의 손은 『新潮』(文學雜誌)를 發刊하고 傳斯年 以外에 羅家倫, 康白情, 兪平伯, 潘家洵, 徐彦之, 汪敬熙 等 十數人의 運動이 잇는 等, 또는 西洋思想 驅歌를 中心으로 한 『少年中國』이란 雜志가 나와 『휘트맨』 百年祭를 하느니 周無, 宗白華, 鄭伯奇 等의 新人이 나오는 等 例의 新靑年志에도 周作人, 張壽朋, 張効敏, 潘公展, 楊寶三, 陳綿, 魯迅 等 諸論客 作家가 輩出하엿스니 대개 이것만 보더라도 新文學運動이 얼마나 一般化되고 組織化되엇는가 알 수 잇슬 것이다.

(以上 新文學에 對한 拙筆은 雜志 文學, 藝文 等에 실린 鈴本, 青木 兩氏의 中國文學革命에 대한 諸 論文 等에 參考함이 잇슴을 附言하여 둔다.)

白居易의 長恨歌로부터 洪昇의 長生殿까지[01]

京城帝大 文科 崔昌奎

쉬웁게 말슴하면 唐明皇과 楊貴妃의 事蹟을 素材로 한 中國文學的 作品을 列擧하고 그들의 心理와 性格 等을 若干 考察한데 不過합니다. 그러나 처음에는 좀 더 큰 慾心으로 始作하엿든 것임니다. 단은 無能한 탓으로 失敗하고 마럿슴니다. 論文의 大要들 적어 달나는 注文에는 失敗와 成功이 拒絶할 理由가 別노히 되지 못함으로 何如튼 붓을 들기로 하엿슴니다. 그러나 大要라는 것은 本是 漠然한 것임니다. 失敗한 論文의 大要를 漠然히 적는 것이 도히려 五里霧中 格으로 讀者를 속일 수 잇는 反面에 또 一層 失敗하엿다 함을 餘地업시 暴露식이는 것이라고도 生覺됩니다.

緖論

第一章 詩歌

第一節 長恨歌 以前의 詩歌

第二節 長恨歌

---

01 『朝鮮之光』 제84호, 1929.4.

第三節 長恨歌 以後의 唐詩

第四節 唐 以後의 詩歌

第二章 小說

第一節 唐代 別傳類 附 大宋宣和遺事

第二節 雜錄

第三節 隋唐演義

第三章 戲曲

第一節 梧桐雨

第二節 綵毫記

第三節 長生殿 附 綴白裘全傳

結論

以上이 論文의 目次입니다. 題目을 長恨歌로부터 長生殿까지라 하엿슴은 長恨歌 以前이나 또는 長生殿 以後에도 勿論 作品이 잇스나 그 두 作品이 大作이며 또 長恨의 遺恨을 長生으로써 完全히 「해피엔드」를 지은 것이 妙하다고 生覺되여 命名한 데 不過합니다. 事實은 「中國文學作品 中에 나타난 唐明皇과 楊貴妃」라고 하는 것이 도로혀 適切하리라고 生覺합니다.

第一章은 全唐詩, 唐宋詩醇, 宋詩紀事, 金元詩選, 明詩紀事, 國朝詩華[02] 等에서 材料를 엇엇습니다. 詩歌에 잇서서는 事蹟이 事蹟인만큼 律詩나 結[03]句에도 妙品이 잇기는 하나 長篇古詩에서 比較的 大作을 보여주엇습니다.

---

02 '國朝詩話'의 잘못으로 보인다.

03 '絶'의 잘못이다.

八十四篇 中에서 唐詩가 五十三篇의 多數를 占領하엿스며 亦是 大作도 이 中에 이섯습니다. 그러나 鄭嵎의 津陽門詩는 古詩 一百韻 一千四百字의 最大長篇이엿습니다만은 別노이 탐탁지 안엇습니다. 反對로 李商隱의 馬嵬, 于濆의 馬嵬驛, 黃滔의 馬嵬, 徐寅의 馬嵬, 蘇拯의 經馬嵬坡 等은 短詩이엿습니다만은 作者의 見地가 比較的 異彩를 가진 것이엇습니다. 淸朝 李廷□의 華淸宮은 七律 一首엿습니다만은 後世의 作品이랄 뿐만 안이라 全體를 通하여 短詩 中에서 成功한 作品이라고 밋습니다. 數爻로는 七絶이 第一位엇스며 七律, 七古, 五古 等이 次例로 만엇습니다. 또 素材의 性質上 即興詩나 抒情詩보다도 大作은 叙事詩에 만엇습니다. 取材의 範圍와 解釋은 區々하엿습니다만은 大略 十種으로 大別하고 다시 各々 數種으로 細別할 수가 잇섯습니다. 그 中 當時 宮中生活과 馬嵬坡의 慘劇의 解釋이나 또는 楊貴妃 죽은 後의 唐明皇의 解釋 等은 數爻도 만흔 만큼 比較的 興味가 만엇습니다.

第二章 第一節에서는 所謂 唐代 別傳類로 六種을 엇은 外에 大宋宣和遺事를 添附할 수 잇섯습니다. 元來 別傳類라는 것이 別노히 神通한 作品은 못됨니다만은 本論에 잇서서 長恨傳, 梅妃傳, 楊太眞外傳 等은 그저 看過할 수 업는 作品이엿습니다.

第二節에 잇서서는 雜錄에 나타난 것을 □華하며 보앗습니다. 雜錄이라는 것은 隨筆, 異聞, 瑣語 等의 總稱입니다. 勿論 雜錄이 純全한 意味에 잇서서 小說이라고 할 수는 업습니다만은 中國에 잇서서 小說의 範疇에 너흔 例도 잇거니와 그 보다도 筆者의 便宜上 第二章에 編入식이고 만 것입니다. 材料는 說郛, 百川學海, 古今說海, 太平廣記, 學津討原, 稗海全書, 學海類編 等의 總書와 其他 數種의 書籍 中에서 엇엇습니다. 그리고 그 中 重複되는 것이나 또는 大同小異한 것은 說郛 等에 準據하여 一種으로 還元식인 結果, 結局

唐明皇에 關한 것 三十餘種, 楊貴妃에 關한 것 二十餘種, 其他 六種으로大別하고 다시 各 人物의 容貌, 性格 等에 關하여 細別하엿습니다. 如何튼 雜錄의 價値는 雜錄 自信의 價値보다도 後世의 大作으로 하여금 그 資料를 雜錄으로부터 엇게 하엿다는 點에 잇슬가 生覺되엿습니다. 끗헤 名目만 남은 短篇小說 二十餘種을 附記하엿습니다.

第三節에서는 隋唐演義를 집어왓습니다. 그러나 아시는 바와 갓치 隋煬帝와 唐明皇 두 사람을 主人公으로 하엿스며 더욱이 唐明皇은 終末에 나타납니다. 따라서 本論에서 百回本으로 第七十八回부터 取하엿습니다. 그러고 이 作品이 小說노서는 大作일 뿐 안이라 白(이하 1행 판독 불가 - 엮은이) 楊貴妃의 末路는 慘酷하게도 隋煬帝의 後身이라는 因果的 判斷을 내리는 둥, 作者의 道德觀은 매우 極端的이엇습니다. 또 넘어도 傳說에 拘束되여 豊富한 材料와 嫻熟한 文體임에 不拘하고 그 筆致를 다하지 못한 恨이 업지 안이한가 生覺되엿습니다.

第三章 第一節에서는 元曲과 元曲 以前의 戲曲的 作品으로 十餘種을 求할 수 잇섯습니다마는 全部가 名目만 남김에 지나지 못하고 오직 梧桐雨 一曲만을 檢討할 수 잇섯습니다. 梧桐雨는 아시는 바와 갓치 白居易의 長恨歌를 戲曲化한 元曲 中의 大作입니다. 이 作品의 價値는 무엇보다도 第四節에 잇다는 것이 通論이며 唐明皇이 끗々이 楊貴妃에게 속고도 속은 줄 모르고 永遠히 楊貴妃를 그리우는 곳에 悲劇으로써 特書할 價値가 充分하엿스며 이에 對하여는 鄭振鐸氏의 文學大綱 第十七章에서 大略 갓튼 所論을 볼 수 잇섯습니다. 또 中國戲曲치고 荒唐無稽한 場面이 업는 것도 이 作品의 特色일가 함니다.

第二節에서는 明朝 戲曲 五六種의 各目과 若干의 內容을 알 수가 잇섯습

니다만은 이 亦是 完全히 求할 수 잇섯든 것은 六十種 曲 中 이 綵毫記 一曲뿐이엇습니다. 綵毫記의 主人公은 李白임니다만은 唐明皇과 楊貴妃의 活躍도 相當함니다. 作者의 戀愛觀은 天上仙律을 버서나지 못하고 그들의 遺恨을 다시 한 번 地上에서 滿足식일 것이라는 預言을 내림에 끗첫습니다.

第三節에서는 清朝 戲曲으로써 七八種을 엇엇스나 長生殿 一曲만을 翫味할 수 잇섯고 다른 作品은 手中에 열 수가 업섯스나 到底히 長生殿에 比할 배 안인 것들인 만큼 過히 落心치는 안헛습니다. 아시는 바와 갓치 長生殿는 桃花扇과 아울더 清朝의 二大曲이며 여러 가지로 두 作品의 對照는 興味잇는 것임니다. 그 中에도 結末의 對照는 正反對로 長生殿은 天上에서 團圓을 지음에 對하여 桃花扇는 地上에서도 團圓을 짓지 못하고 마럿습니다. 이 長生殿의 天上 團圓은 梧桐으로부터 綵毫記를 것처 順次로 發展되엿다고 볼 수 잇섯습니다. 또 作者는 單順히 勸善懲惡의 倫理道德的 見解로서, 이런 結論을 매젓다는 이보다도 이 結論을 맷기 爲하여 消極的으로 已往의 모든 傳說에 反對하며 積極的으로 楊貴妃를 淨化식이고 美化식엿습니다. 이 中國의 戀愛至上主義的 作品이 英國詩人 Browning의 “Zovc awong the Ruing”보다 一世紀 半을 압섯다는 것보다 五千年 來의 □□의(이하 1행 판독 불가 - 엮은이) 絶叫하여 當時 人心에 迎合된 點에 그 價値가 確認될 것이라고 生覺되엿습니다. 끗테 長生殿과 綴白裘全傳을 比較하엿습니다.

詩歌에 잇서서 大作을 長篇 古詩 中에서 볼 수가 잇다는 것은 前에 말하엿습니다만은 그 亦是 形式의 拘束으로 말미암아 取材가 局部的임에 끗치는 수가 만코 또 大部分이 懷古的이엇스며 또 作者의 態度가 熱々한 忠誠의 諫言, 諷議에 끗침은 素材가 史實的이며 作者가 唐朝人이엇든 關係라고 生覺하엿습니다.

小說은 揷話의 散粒, 羅列 乃至「모자익」에 지나지 못하여 詩歌보다도 도히려 乾燥無味하엿습니다.

그러나 戲曲은 詩歌와 小說의 長點을 取하고 다시 微妙한 宮調의 音樂的 要素와 아울너 作者의 筆致는 遺感 업시 自在로히 벗더나는 結果 戲曲이 第一 成功하엿다고 보앗습니다.

各 作品에 나타난 主人公의 人物은 區々하엿습니다만은 大略 唐明皇은 音樂的 天才, 多情好色漢, 詩人, 學者, 皇子 三十名, 公主 二十九名의 父親이엿스며 또 好人이며 友情이 만흔 一個 風流天子임에 끗첫습니다.

靑年時代에는 遊獵도 하고 出戰하엿스나 이것은 一個 靑年의 血氣에 不過하고 決코 遠大한 理想이나 無盡한 野心이 잇섯든 것은 안이엇습니다. 賢臣이 잇슬 때는 國家가 泰平하엿스나 奸臣이 드러서자 楝樑은 꺽구러지고 마럿습니다. 一國의 天子로서는 아모 度量이 업섯습니다.

楊貴妃는 肥大하지 안니할 만큼 肉味가 豊富한 美人이엿스며 歌舞는 잘 하엿스나 學識은 업섯담니다. 嫉妬心이 만코 多淫하엿다 하나 厥女가 廿二歲에 入宮하여 三十八歲에 自縊하기까지 十七年 間 明皇의 寵愛를 一身에 모앗슴에 不拘하고 所生이 一人도 업섯슴은 明皇이 年化하엿든 탓도 一面에 잇거니와 厥女가 非姙性 女子가 안이엿슬진댄 이 醜聞은 다만 厥女의 無邪氣하고 快活한 性格이 誤解됨이 안일가 生覺됩니다. 當時는 唐代文明의 爛熟期이며 大唐帝國의 泰平時代엿든 關係로 全 社會가 浮華하며 淫蕩하엿든 것은 推測할 수 잇습니다. 多小 極端한 例일는지 모르나 明皇의 公主 二十九人中 蚤死者 六名을 除한 外 二十三名에 再嫁한 者 七名이 잇고 三嫁한 者까지도 잇슴을 新唐書列傳에서 볼 수 잇습니다.

이것이 數千年來 儒敎思想을 金科玉條로 발바온 中國의 宮中 事實입니다.

性格도 性格이겟지만 이러한 環境에서 더욱이 風流天子의 寵愛를 一身에 모흔 楊貴妃가 엇지 淑女의 稱訟을 밧을 수가 잇스리만은 事實 多淫하엿다 하드래도 當時에 잇서서 楊貴妃만이 多淫하엿다고 할 수 업슬 것이라고 生覺되며 大部分의 作者가 이 點으로 말미암아 厥女를 賤視한 것은 誤解가 만치 안엇슬가, 또 님금만을 神聖視한 結果일가 합니다.

다시 이약이 더욱이 戲曲에 잇서서 重要한 事件을 살필진댄 大略

一. 貴妃의入宮	
二. 密誓	以上 發端原因
三. 梅妃와의 嫉視	
四. 獻髮	
五. 梅妃의 失寵	以上 上昇事件
六. 馬嵬坡의 慘劇	頂點 危機
七. 方士覓魂	下降事件 或은 團圓
八. 重圓	團圓

이라고 할 수 잇스며

遠宏道評曰, 玄宗失天下得貴妃何恨. 卽當日不免於六軍手與貴妃同盡何恨. 則此傳可無作矣.(虞初志 卷二)

라는 것과 갓치 六의 馬嵬坡의 慘劇은 「푸롯」의 頂點이며 事實 이 事件이 업섯다 하면 結局 桀王의 褒姒, 紂王의 妲己 或은 吳王 夫差의 西施 等의 이

야기 程度에 끗처슬 것이며 또 項羽의 虞美人 이야기보다 만흔 作品의 素材가 되며 大作을 構成하게 됨은 또 이 馬嵬事件 以外에 다른 理由가 잇슬 것임니다. 그 中에도 明皇의 貴妃에 對한 連綿不絶한 사랑에 잇다고 밋슴니다. 다시 方士覓魂이라는 荒唐한 傳說과 아울너 이야기의 興味는 더욱 珍々하게 된 것이라 生覺함니다.

材料의 不備와 疏忽에 아울너 無能한 탓으로 論文의 形式조차 갓초지 못하엿섯슬데 近者에 馬嵬志라는 楊貴妃에 關한 一切 詩文을 모흔 冊子가 잇슴을 알게 되니, 반갑고 깃거운 生覺보다도 밉고 두려운 生覺이 압섬니다. 學究的 態度라는 이보다도 도리혀 제 興에 겨워 大約 二百枚 그적거린 것을 卒業論文이라고 提出하엿든이 多幸이 擔任敎授의 寬大處分으로 無事히 通過되여 卒業이라고 하엿슴니다. 이 以上 더 말슴하면 하소연이 되고 말 것임니다.

四月 三日

中國에서 처음 輸入한 三國誌 映画 不日 封切[01]

저자 미상

예술문화협회본부(藝術文化協會本部)에서는 금번에 새로이 박수형(朴洙衡), 현철(玄哲) 량씨의 주간으로 영화부를 조직하고 영화제작, 배급, 흥행 등을 목뎍한다는 데 뎨일차 첫 시험으로 중국(中國)에서 고래 유명한 삼국지(三國誌)를 중국에서 수입하야 불일간 시내 모 극장에서 봉절한다 하며 이것이 중국 영화로는 조선에 첫 수입이요, 또 조선사람의 누구나 다 내용을 아는 그만치 일반은 긔대하리라더라.

(사진은 전쟁하는 장면)

---

01 『朝鮮日報』 1929.5.31, 3면.

中國 現文壇 槪觀[01]

在北平 丁來東

(一)[02]

序言

現在 中國은 二十年來로 政治, 經濟, 社會, 文學 等에 革命을 불으지지 안한 方面이 업스되 그 中에서 比較的 紛亂이 적게 發展하여 가는 것은 文學으로 볼 수잇다. 政治는 辛亥革命 後로 只今까지 자리가 잡히지 안하야 그 形狀은 말할 수 업시 混沌하고 經濟는 列强의 侵略과 軍閥의 搾取 掠奪로 因하야 慘憺한 處地에 빠저 잇고 其他 各 方面도 亦是 다 가튼 狀態에 잇스나 오즉 文學만은 民國 六年 一月『新靑年』雜誌에 胡適氏의『文學改良芻議』라는 論文과 이어서 陳獨秀氏의『文學革命論』이 發表된 後로『多少 舊派의 抗爭은 잇섯스나』一般 先覺者의 欲求에 依하야 白話를 意思 發表의 普通 器具로 쓰게 된 後로 長足의 進步를 하고 잇다. 白話를 使用한 것은 實地에 잇서서 意思를 發表하는 器具의 革命에 不過하나 日用 談話에 쓰는 이 白話를 文學上

---

01 『朝鮮日報』1929.7.26.~7.28, 7.30~8.4, 8.6~8.8, 8.10, 3면.

02 매회 연재분의 표기로서 13회에 걸쳐 연재되었다.

에 使用하는 데 따라 文學이 얼마나 民衆化하고 一般化하엿는지 알 수 업다.

오늘날 中國文學이 이만큼 進步된 것도 實은 이 器具를 밧군데 만흔 原因이 잇다고 하겟다.

이와 가티 文學上에 大變革이 이러난 것은 社會의 背景으로 因한 自然的 結果로 볼 수 잇는 同時에 將來 社會의 變革을 引起할 原因으로도 볼 수 잇다. 그럼으로 中國의 前途를 觀察하려면 中國의 政治上 變遷을 注視하기 前에 應當 實社會의 反射요, 正義의 先驅인 文學을 注意할 必要가 잇다고 생각한다. 文學의 變遷이 將來 社會革命을 預示한 例는 佛蘭西 大革命 前期의 文學이 그러하고 露西亞의 革命 前期 文學이 또한 그러하다.

그러면 中國現代의 文學은 엇더한가? 中國의 文學革命은 곳 다시 말하면 一般 文學에 白話를 使用하는 것은 文學과 民衆을 갓가히 하자는 企圖인 同時에 反面으로 보면 民衆의 文學的 進出의 初步로 볼 수 잇다. 民衆은 이 工具를 가지고 自己네의 不平, 怨恨을 呼訴하고 自己네의 社會的 希望을 宣布力行하여야 할 것이다. 그러나 現在 中國民衆은 이러한 程度에까지 이르지 못하엿다. 딸아서 民衆의 代言者가 나서게 된다. 그 代言者는 民衆 속에서 民衆과 가티 生活을 하고 民衆과 가튼 感情을 가저야 할 것이나 그러나 中國文學者 中에는 이러한 代言者도 아즉 나지 아니하엿다. 이와 가티 中國文學이 完全한 民衆의 文學이 되지 안한 것은 只今까지의 中國革命이 一般民衆의 革命이 아니요, 中產階級과 智識階級의 革命인 까닭이다. 그러기 때문에 中國現代文學은 中國 中產階級과 智識階級에 屬한 社會의 背景, 慾望 哀愁 等이 나타날 뿐이요, 一般民衆의 欲求 哀愁는 보히지 안한다. 곳 只今까지의 中國文學者는 民衆에 눈을 두지 안하엿섯다. 그러나 太陽과 地球는 쉬지 안코

돌고 民衆의 智力은 一刻一[03]를 다투어가며 發達하고 잇다. 딸아서 中國文壇에서는 서로 다투어가며 이 새로 이러나는 民衆을 爲하야 싸우려고 한다. 우에 말한 바와 가티 現在 文學이 完全한 民衆의 文學이라고는 할 수 업스나 文壇의 諸傾向을 綜合하여 보면 確實히 中產階級文學에서 [04]層階級의 文學으로 變하여가는 道中으로 볼 수 잇다.

文學이 이와 가티 한 階級에서 다른 階級으로 옴겨가는 것은 未久한 將來에 일어날 中國 四億萬 民衆의 吶喊을 豫示하는 微音이 아니고 무엇이겟는가?

以下에 畧說할 中國文壇 各派의 主張과 그 理論으로 보면 中國 新文學이 엇더한 點에 着眼을 하여가며 엇더한 方面으로 傾向하는지가 自然 明白하여 지리라고 밋는다.

(二)

現文壇의 各派

中國 新文學은 아즉 搖籃期에 잇는 만큼 文藝上 主義의 派別을 가리기가 퍽 어렵고 또 各 作家가 한 主義에 기우러지도록 特色잇는 사람도 몃 사람에 不過하다. 그러나 요 四五年 間에 無產階級文學이 輸入된 後로는 文學上 派別보다 社會 一般主義上 派別로써 文學上 派別을 난우게 되엇다. 곳 簡單이 말하자면 純文藝派, 뿔조아文學派, 아나키즘文學派, 革命文學派(中國에서는 革命文學이라면 맑쓰主義文學을 말함이다)로 大別할 수가 잇다. 그러나 純文藝派를

---

03 '刻'이 탈락되어 있다.

04 '下'이 탈락되어 있다.

除한 外에는 어느 派는 理論으로만 그 主義를 文學上에 注入할려 하고, 어느 派는 그 主義上 理論이 統一되지 못함으로 理論과 理論, 理論과 作品 사이에 間隔이 懸殊하야 아즉 文學上 完全한 一派로 세일 수가 업다. 나는 여긔서 中國 新文學의 趨勢와 現今 文壇에서 議論되는 議題를 分析 記述하기 前에 便宜上 몬저 以上 四派의 重要한 理論家, 作家 及 其 發表機關을 아는 대로 簡單하게 記載하고 그 各派의 大概 由來를 써보겟다. 그러나 여긔서는 派別을 識別할만한 程度에서 긋치고 그 理論과 主張 等은 後에 項目을 달리하야 比較的 系統잇게 적어보겟다.

以上에 말한 各派의 發表하는 雜誌의 出版이랄지 論戰의 中心地는 北京도 南京도 아니요, 歐米의 新潮와 日本의 複製品이 直接 輸入되는 上海인 關係上 此等 刋物도 廣求치를 못하여서 만흔 漏洩이 잇슬 줄로 미드나 北方에 오는 刋物과 紹介 等으로 보면 이下의 派別에 大誤는 업다고 하겟다.

語絲派. 이 派는 『語絲』라는 週刋을 그 發表機關으로 하기 때문에 이러케 불은다. 此 週刋은 魯迅, 周作人 諸氏가 北京 各 大學에서 가티 敎鞭을 들 때 即 民國 十三年 十一月에 創刋하엿는데 그 當時는 紙面이 퍽 적엇스나 作家가 作家인만큼 北京, 上海에 그 影響이 퍽 커서 文士들 사이에는 宛然히 語絲派가 생기게 되엇다. 革命文學派에서는 이 派를 趣味派 或은 小뿔조아派라고 한다. 이 趣味派라고 하는데 『아트 포—아트』의 意味가 包含되엇다. 그래 이 派를 『純文藝派』라고 一般은 불은다.

新月派. 이 派가 곳 우에 말한 뿔조아派다. 이 『新月』이란 雜誌에 發表한 作家들은 胡適, 梁實秋, 徐志摩, 聞一多 等 諸氏다. 이 派를 뿔조아派라고 하는 理由는 두 가지가 잇다. 一은 그 理論이나 作品이 一般 勞働者, 農民에 注意와 同情을 하지 안한다는 것이요, 二는 그들의 生活이 뿔조아的이란 것이다. 이 雜誌는 紙面이 퍽 만코 文藝뿐만 아니라 그他 名作 紹介 及 社會政治

에 關한 論文이 실린다. 그 作家 中 胡適氏는 本來 哲學을 專攻하나 中國 文學革命을 最初에 主唱한 것과 嘗試集이라는 最初 白話詩集을 낸 것과 또 歐米 短編小說을 飜譯한 것과 中國 長篇小說 紅樓夢, 水滸傳, 兒女英雄傳 等 考證 暢揚한 것 等으로써 文壇人으로 세고, 梁實秋氏는 新進 文藝評論家요, 徐志摩氏는 象徵主義 詩人으로 일홈이 잇고, 聞一多氏는 一般의 讚揚을 밧는 新進詩人이다.

아나키즘派. 이 派에는 旣成 作家가 업는 만큼 그 步調가 새롭고 또한 作家가 업는 만큼 그 理論이 新辣하다. 이 派의 進展은 作品에서 理論으로 나가지 안코 理論에서 作品으로 나아간다고 보겟다. 그 主義上으로 보아서 다른 派와 妥協치 안하는 貌樣이다. 理論家로는 柳絮, 毛一波, 謙弟, 梅子, 尹若[05] 等 諸氏가 잇고 그 發表機關으로는 上海民衆日報, 現代文化, 民間文化, 文化戰線 等이 잇다.

(三)

創造社派. 이 派가 곳 革命文學派다. 이 派에 關하야서는 前後 重疊됨이 만흘 듯하야 여기서는 大概만 말하겟다. 創造社에서는 創造週刊, 創造季刊 等 月刊誌가 만히 出版된다. 그러나 다 千遍一律로 맑쓰主義에 關한 理論과 그 主義에 빗처서 지은 作品을 發表한다. 이 派는 그 前 浪漫主義와 頹廢主義의 傾向을 가진 사람들이엇섯는데 日本 無產階級文學의 影響을 바든 後로 該社 諸氏가 總出動을 하야 革命文學을 提唱하게 되엇다. 該社의 重要한 理

---

05 '尹若'은 毛一波의 필명으로서 여기서는 중복되었다

論家, 作家는 郭沫若, 郁達夫, 蔣光慈, 成仿吾 等 諸氏다.

이 創造社派를 對像으로 以上에 列擧한 三派가 總攻擊을 하는 現象이다. 그만큼 中國文壇에 이 派가 影響을 준 것은 한 가지 注意할 點이다.

이 外에 些少한 派別과 同人制의 雜誌 等은 말할 수 업시 만흐나 大槪 以上 四派에 加擔하거나 그러치 안흐면 그 思想上, 作風上으로 보아 이上 四派에 버서날 것이 업다고 하겟다. 그러나 이 論團을 起越한 두 雜誌가 잇다. 한아는 文藝雜誌로 그 中 오랜 歷史를 가진 『小說月報』요, 또 한아는 出版한지가 얼마되지 안흔 『奔流』이다. 後者는 魯迅의 編輯으로 世界의 名作 名文을 譯載한 것으로 그 特色을 낫타내고 잇다.

『文學革命』에서 『革命文學』까지

文學과 革命을 上下에 놋는데 딸아 中國 新文學史上에 劃時期的 다른 두 時期를 代表하게 된다. 곳 文學革命이란 것은 民國 六年 一月 一日 雜誌 『新青年』에 胡適氏가 文學改良芻議라는 論文을 發表한 後로 民國 八九年까지 言文一致를 爲하야 奮鬪한 結果 中國 國語를 白話로 決定한 것을 말함이요, 革命文學이란 것은 一九二三四年 即 民國 十三四年에 發源을 두고 이러난 無産階級文學을 말함이다. 곳 換言하면 맑쓰主義文學을 意味한다. 그럼으로 文學革命과 革命文學은 判然히 다른 意味로 中國文壇에서는 쓰게 된다.

只今 文學革命과 革命文學의 內容과 그 期間의 經過를 考察하면 더욱이 두 名詞에 對하야 意義가 確實하여 질 것이요, 또한 中國新文學의 發達하여 온 經路도 딸아서 昭然하여 질 줄로 밋기에 大槪 記述하려 한다.

中國은 自古로 漢文學 即 『文』(글)이 文學上의 表現하는 工具로 되어오고

最近에까지 文學이라 하면 文으로 쓴 것을 갈으침이요, 입으로 말하는『말』(白話)로 쓴 것을 일음이 안이엿섯다. 勿論 詩經의 大部分이랄지 唐의 詩, 宋의 詞와 語錄, 元의 曲, 淸의 小說 等이 白話가 안님은 아니로되 이것은 다 當時를 代表하는 文學은 안이엇섯다. 그럼으로 文學을 了解할려든지 또는 創作하는 데는 만흔 時日과 精力을 虛費하야 今日에 所謂 흔히 일으는 漢文을 배워야 하엿섯다. 現代와 가티 世界 各國에서 다 言文一致를 實行하고 잇는 今日에 中國서만 獨特하게 言文不一致를 固執하고 잇슬 理는 업섯다. 이 때를 當하야 米國서 留學하든 胡適氏는 當時 該地에서 風靡하는 自由詩運動을 보고 中國의 言文一致를 主張하여야 할 것을 感得하얏다 한다. 勿論 胡適氏가 아니라도 現代와 가티 簡易한 것과 明哲한 것을 要求하는 때에 早晩間 이 運動이 잇섯슬 것은 事實이다. 그러나 胡氏는 好雨知時의 格으로 適當한 때에 그 動機를 엇게 되고 萬人이 渴望하는 때에 이것을 提唱하게 되어서 伊太利의 딴테와 獨逸의 루터와 英國의 초서와 가티 傳襲하여 온 死文學을 排擊하고 意見을 發表하는데 自然스럽고 가장 自由스러운 새 工具를 發見하엿다고 하겟다. 다시 簡單하게 말하면 文學革命은 意見發表의 工具를 白話로 定한 革命이라고 하겟다. 이에 對하야는 발서 만흔 紹介가 直接 間接으로 잇섯기에 여긔서는 畧하고 다시 革命文學에 對하야 말하겟다.

胡適氏는 文學革命을 最初에 提唱하기는 하엿스나 그는 創作家는 아니엇섯다. 그의『嘗試集』이라는 中國 最初의 白話詩集이 잇스나 그 일흠과 가티 詩도 白話로 쓸 수가 잇다는 것을 試驗한 것에 不過하고 詩로서는 조흔 作品들이라고 할 수 업다. 當時 詩만을 白話化하엿슬뿐 아니라 小說, 短篇小說, 戱曲, 散文 等도 全部 白話로 쓰게 되고 歐米, 日本 等의 作品을 飜譯 輸入한 同時에 文藝上 各種 主義 即 浪漫主義, 自然主義, 象徵主義, 文藝至上主義 等도 中國文壇에 낫타나게 되엇다.

(三)[06]

그러나 무슨 主義, 무슨 思想보다 中國文壇을 風靡하고 靑年 間에 歡迎을 밧기는 工具上 束縛을 打破한 當時라 思想上으로도 拘束이 업는 浪漫主義이엇섯다.

只今 여긔서 말하려는 革命文學의 一派는 곳 이 浪漫主義의 一種 變體이다. 中國文學上에 革命文學을 몬저 主唱한 사람은 이 뒤에 말할 創造社의 郭沫若氏이다. 그는 日本留學 當時부터 健全한 浪漫主義 詩歌와 詩劇, 戱曲, 小說 等을 써오다가 一九二三年 以後로 中國 現時의 紊亂한 國情을 實地에 經驗하고 蘇俄 及 日本의 無產階級文學에 影響을 바더 革命文學을 主唱하게 되엇다. 그의 自白에 依하면 河上肇의 『社會組織과 社會革命』이란 冊을 飜譯한 後부터 革命文學을 主唱하게 되엇다 한다. 우에도 말하엿거니와 革命文學이란 곳 맑쓰主義에 根據를 둔 無產階級 獨裁를 主張하는 文學이다.

以上에서 文學革命과 革命文學의 沿革을 畧記하엿기에 枝葉에 關한 說明은 畧하고 以下에는 項을 달리하야 革命文學에 問題되는 諸點을 論述하고 다음에 이 革命文學을 反對하는 諸派의 意見을 記錄하여 보겟다.

革命文學의 諸問題

以上에서 亂雜하나마 文學革命과 革命文學의 差異點을 말하고 또 中國現文壇에는 아나키즘文學派, 革命文學派, 뿔조아文學派, 純文藝派 等 四派가 柱立하여 잇는 것을 畧說하엿스니 다음에는 順序上 中國文壇에 大風浪을 일

---

06 응당 '(四)'야 하며 이에 따라 이하 연재분 표기도 잘못되었다.

으킨 革命文學의 諸論點을 解剖하여 보겟다.

革命文學에는 露西亞, 日本 等의 無產階級文學과 가티 解結못될 問題 或은 理論에 分岐點을 낼만한 難問題가 만흔 中, 現 中國文壇에서 討論되는 몃 問題만을 잡어서 紹介하겟다.

革命文學을 먼저 主張한 文人은 成仿吾氏라고 하나 實上 根據가 比較的 잇고 理論의 條理가 잇기는 郭沫若氏다. 氏는 革命文學上에 重要한 論文을 만히 發表한 中『革命과 文學』(此 論文은 日本『大調和』라는 雜誌에 日譯이 發表되엇다고 傳한다)과『藝術家與革命家』라는 論文이 그의 思想과 그의 文學上 態度와 그의 革命文學을 主張하는 體系를 잘 말하고 잇다. 우리는 먼저 그의 藝術家와 革命家가 엇더케 다르고 엇더케 갓다는가를 살펴보자. 郭氏의『藝術家와 革命家』에 關한 意見, 그는 普通 世人이 藝術家와 革命家가 兼立을 못한다고 하는 말을 假定하고 此 種의 理論을 가진 사람을 二類로 난우워 左와 가티 말하엿다.

>『一種은 現實에서 象牙 宮殿으로 逃避하는 頑民이요, 一種은 藝術의 精神을 料解치 못하고 自稱 實行家라고 하는 暴漢이다. 前 一種의 사람은『藝術의 藝術』를 主張하는 사람이여서 人生을 藝術에 貢獻하겟다는 사람들이다……이러한 사람의 態度는 怪奇하기는 하나 容恕點이 잇다. 그 理由는 엇지되엇든지 藝術치고 人生과 關係가 업는 것은 업스니까 또한 藝術家가 藝術은 藝術을 爲한 것이라고 하거나 或은 人生을 爲한 것이라고 하거나 이 點은 詰難할 것이 아니요, 그것은(作品) 꼭 藝術이라야 한다. 假令『칼』(刀)은 닭을 잡는 것이라고 하거나 사람을 죽인 것이라고 하거나 다 關係찬하도 그것은 꼭『칼』이라

야 하는 것과 가티……

後 一種의 사람에 이르러서는 아래와 가티 主張한다. 그들 中에 或 藝術은 完全히 無用한 것은 아니나 藝術家는 말만 할 줄 알고 行할 줄을 몰은다고. 그들은 『言』과 『行』을 두 가지 일로 보기 때문에 革命과 藝術도 다른 것으로 보게 된다.』

그는 『言』과 『行』이 가튼 것이란 것을 心理學上으로 說明하면서

『……言語도 곳 行爲의 一種이다. 心理學上으로 보면 一切 意志 作用의 表現은 다 行爲다. 言語도 意志 表現의 一種임으로 또한 行爲의 一種이다. 말(言語)하는 사람이 自己의 意思를 言論으로 發表하야도 그는 人類社會에 對하야 一種 貢獻을 하엿다고 하겟다.』

그는 이럼으로 論述하야 結局은 革命家의 實行이나 藝術家의 革命을 宣傳한 것이 갓단 것을 말하고 英國 골쓰왈지(Glnwr orthy)[07]의 『正義』(Justice)라는 劇이 英國의 監獄을 改良하엿다는 例를 들엇다.

이 論文의 主張은 藝術家와 革命家가 서로 敵對된다든지 그러치 안흐면 無關係한 것이 아니라 서로 兼立할 수가 잇다는 것이다. 이것은 그가 革命文學을 主張할 때의 宣言이나 다름 업다.

---

07 'Galswrorthy'의 잘못이다.

(四)

그는『革命과 文學』이라는 論文에서도 革命 文學이 서로 背馳되되지 안코 文學은 도리여 革命의 先驅라는 것을 말하고 그 例로 佛蘭西, 露西亞의 革命 前期 文學을 들엇다.

가튼 論文에서 우리는 注意할 두 點이 잇다. 곳 革命文學은 究竟 엇더한 文學이며 革命文學의 內容은 엇더한 것인가?

> 『이 問題는 한 時代를 잡어 가지고 말할 수 업다. 社會進化의 過程 中 每 時代는 不斷하게 革命하며 進化된다. 그럼으로 每時代의 精神이 잇서서 時代精神이 一變하면 革命文學의 內容도 따러서 變한다. 여기에 數學의 方式으로써 表現하면 아래와 갓다.
>
> 革命文學＝F(時代精神)
>
> 簡單하게쓰면
>
> 文學＝F(革命)』

그는 다시 말로 說明을 하면서

> 『……文學은 革命의 函數다. 文學의 內容은 革命의 意義에 따러 變한 것이어서 革命의 意義가 變하면 文學도 따러서 變한다. 革命이 여긔서는 自變數요, 文學은 被變數다. 둘이 다 XYZ 이여서 다 一定치 못하다. 한 時代에는 革命的이든 것이 다음 時代에는 非革命的인 것과 가티 한 時代에는 革命文學이든 것

이 다음 時代에는 反革命文學이 되고 만다.
그럼으로 革命文學의 名詞는 固定하여 잇스나 革命文學의 內
函은 永遠히 變한다.』

다음에 氏는 그 例를 歐洲 文藝思潮에서 들면서 希臘의 人本主義──羅馬의 亨樂主義──基督敎의 禁慾主義에서 發生한 古典主義──浪漫主義──現代의 寫實主義로 變하여 온 것은 完全히 우에 말한 自己의 定義가 틀님업단 것을 證明한다고 한다. 곳 다시 말하면 새 主義가 發生할 當時에는 革命文學이다가도 다른 主義가 時代에 날 때는 몬저 革命文學이 非革命文學이 된단 것이다.

마지막으로 그는 現時 中國이 世界의 情形에서 버서날 수가 업슨 즉 中國의 革命이 곳 世界의 革命이란 것을 말하고 文學上 主張은『無產階級에 同情을 表하는 社會主義的寫實主義文學』이라고 하고 이 論文을 매젓다.

(五)

아나키즘文學派의 主張

革命文學派와 아나키즘文學派 새이에는 그 主義上 革命 方畧이 다른 만큼 文學上에서도 그 理論의 互相 反駁이 如干 甚하지 안타. 筆者는 北方에 잇는 關係上 만흔 材料를 엇지 못하고 다못 梅子氏의 編한『非革命文學』이란 論文集과 其他 數種의 月刊物에서 아나키즘文學派의 것만을 뽑아 文學上 그들의 主張과 革命文學을 攻擊하는 要點을 써보겟다. 이 項에 參考된 論文의 題目, 著者 及 發表機關은 如下하다.

現代 中國文學의 新方面, 尹若, 文化戰線.

檢討맑쓰主義階級藝術論, 柳絮, 民間文化.

論無產階級藝術, 毛一波, 文化戰線.

革命文學論의 批判, 謙弟, 現代文化.

無產階級文藝運動의 謬誤, 尹若, 現代文化.

藝術家의 理論鬪爭, 柳絮, 民間文化.

아나키즘文學派는 革命文學派의 無產階級 獨裁를 前提로 한 階級鬪爭論을 反對한다. 이 點은 主義上으로 相反된 點이어서 아나키즘에 잇서서는 一切의 權力을 否認하고 맑쓰主義에서는 共產社會가 實現되기 前에 最大 權力을 要求한다. 곳 맑쓰主義에서는 無產階級의 獨裁를 어느 期間까지 實行하여야 한다고 하고 아나派에서는 勿論 이 過渡時機의 獨裁에 反對한다. 그 反對한 理由를 畧記하면 이러하다. 人類는 有史以來로 多數 民衆이 苦痛을 바더왓다. 이 苦痛은 專혀 不當한 社會制度에서 나타난 權力으로 因하야 생긴 것이다. 엇더한 權力을 勿論하고 發生의 初期에는 民衆의 自由와 利益을 標榜하다가 정작 最大 權力을 施行하게 된 때에는 民衆의 自由를 剝奪하고 民衆의 利益을 阻止한다. 우리 人類는 專制君主에게 이 經驗을 맛보앗고 少數 最高委員에게서 속아 보앗고 近代 立憲政治下의 資本主義에서 이 辛苦를 當하고 잇고 最近에 로서아 民衆이 또한 最新式의 獨裁下에서 이 權力의 害毒을 當하고 잇지 안한가? 그러면서도 맑쓰主義者는 이 權力으로 自由를 어들 수 잇다고 妄言妄動한다고 아나派는 反對한다.

(六)

다음에 反對하는 것은 맑쓰主義의 政治鬪爭이다. 이러한 獨裁나 權力이난 것은 全部 政治에서 發端이 된다. 그럼으로 以後의 民衆運動은 一切의 政治運動을 反對하고 經濟鬪爭의 길로 나아가여야 한단 것이요.

셋재로, 反對하는 理由는 맑쓰主義의 辨證法的唯物史觀이다. 아나派는 이러크름 反對한다. 萬若 사람의 意志를 尊重하지 아니하고 環境의 情勢에 依하야 必然的으로 사람이 運動을 한다면 사람은 한 物質로만 된 機械에 不過하다. 勿論 사람의 意志가 周圍環境의 支配로 决定된 것을 全部 否認하는 것은 아니나 그와 同時 사람은 機械 아닌 것을 認識하여야 할 것이라고 한다.

한 便에서는 사람을 機械視하고 한 便에서는 사람을 自由意志를 가진 創作主로 看做하는 點에 이 兩派의 藝術觀의 差異가 걸처 잇다. 또 아나派에서는 藝術의 最高理想은 自由에 잇다고 하고 맑(엮은이)쓰派에서는 藝術은 宣傳의 道具에 不過하여서 藝術 自體에 아무 特質도 업고 다만 問題는 어떠케 藝術을 利用할가에 잇다 한다.

다음에 郁達夫氏의 『文學上의 階級鬪爭』이라는 論文과 成仿吾氏 『革命文學과 그의 永遠性』이라는 論文이 잇스나 그 內容은 우의 郭氏의 論點과 別로 差가 업슴으으로 畧한다.

以上에 말한 것과 그 引例와 或은 다른 論文에서 본 것을 綜合하야 革命文學家들이 公認한 點을 列擧하면 如左하다.

一. 革命과 文學은 密接한 關係가 잇슴, 곳 因果의 關係를 가지고 잇다.

一. 革命家가 實行한 것이나 文學家가 革命을 宣傳한 것은 全

然히 同一함.

一. 革命文學의 內容은 變한다.

一. 革命文學은 맑쓰의 理論을 文學上에 適用하야 맑쓰主義 實行에 努力함.

一. 文學上 表現의 方法은 社會主義的寫實主義를 取함

一. 맑쓰主義에 依하야 階級鬪爭을 强調하고 過渡時期의 無產階級 獨裁를 實行할 것을 是認한 等이다.

(七)

아나派의 文藝上으로 反對한 첫 理由는 이 宣傳의 道具란 데 잇다. 文藝(藝術)의 本質은 우에 말한 것과 가티 完全한 自由의 保障에 잇는 것이어서 主義의 宣傳 道具는 아니다. 藝術이 社會相의 反照라는 말은 맑쓰主義者도 다 承認한 말인데 그러면 社會相의 反照는 무엇을 宣傳한다는 말과 同一하게 取할 수가 잇는가? 또한 主義의 宣傳 道具라면 그 主義가 實行된 後에는 藝術의 存在는 업서질 것인가! 하고 아나派는 藝術이란 宣傳의 道具만이 아니라고 反駁하고

다음에 아나派의 主張은 階級을 强調하야 無產階級 獨裁를 期必하는 革命文學을 主張할 것이 아니요, 理想社會로 猛進하는 一般 民衆의 藝術을 提唱할 것이라 한다. 이 民衆藝術은 勿論 로만·로란의 主張하는 民衆藝術은 아니라 한다. 階級文學을 反對하고 民衆藝術을 主張한 理由는『우리의 바라는 社會는 無階級한 自由平等의 社會다. 그럼으로 우리 新社會로 나아가는 사람은 우리의 理想社會를 基礎로 한 藝術을 세워야 할 것이다.』라고 한다.

以上에 例擧한 點은 大部分이 主義上으로 일어나는 差異點에 不過하고 외나 重要한 文學上의 表現方式이라든지 新文學의 內容 問題 等에 關하여서는 아즉 理論이 남어 잇다. 例를 들면 郭沫若氏가 말한『社會主義的寫實主義』等이다. 이 말은 곳 朝鮮에서 떠드는 辨證的寫實主義라는 말과 別로 差가 업다. 이 辨證的寫實主義라는 말은 社會의 모든 問題를 代數의 方程式과 가티 結論함을 意味한다. 곳 다시 말하면 藝術品에 잇서도 그 內容의 取扱한 意味는 맑쓰의 理論대로 歸結된단 것을 指示, 暗示하여야 한다는 말이다. 그러나 現 社會에 잇서는 서로 觀點이 다른 데 딸아 가튼 事實을 각이각색으로 解釋할 수 잇슬 것이다. 그럼으로 이 뒤에 中國文壇에 一層 더 興味잇게 討論될 것은 文學本質에 關한 問題 即 文學의 內容, 形式, 取材 等에 關한 問題일 것이다.

語絲派의主張

語絲派라 하면 魯迅과 周作人이 이 派의 代表일 것이다. 이 派는 文學의 自然發生을 主張하며 文學과 革命은 比較的 距離가 먼 것을 主張한다. 魯迅은 黃埔軍官學校에서『革命時代의 文學』이란 題로 講演을 하면서 이러한 말을 하엿다.『……文學이란 가장 쓸 데 업는 것이어서 힘 업는 사람의 하는 소리다. 實力이 잇는 사람은 决코 입을 열지 안코 殺人을 하고 壓迫을 밧는 사람은 말 몃 마듸 하거나 글자 몃 字 쓰고 被殺된다. 多幸히 被殺은 當하지 안하야 每日 吶喊하고 苦痛을 불으지지고 不平을 말하여도 實力 잇는 사람은 如前히 壓迫하고 虐待하고 殺戮을 하여서 그들을 엇더케 防止할 方策이 업다.(이러한 境遇에) 文學이 무슨 有益이 잇는가?』그는 文學이란 弱者의 呼訴에 不過하다고 하고 다음에 엇더한 文學이 革命文學인가 함에 對하야는 이러케 말하엿다.

『조흔 文藝作品은 只今까지 다른 사람의 命令도 밧지 안코 利害도 不顧하고 自然히 心中에서 流出한 것이 만타. 만약 몬저 題目을 내걸고 글을 지으면 그 前 八股 文章과 무엇이 다른가. 文學上에 아무 價値도 업고 더구나 사람을 感動할 수가 잇는가 업는가는 問題도 되지 안는다.』(同 講演錄에서)

『내 생각에는 (革命文學의) 根本問題는 作家가 『革命家』라야 한다. 萬若 作家가 革命家라면 그 쓴 것이 무슨 事件이거나 그 쓴 材料가 무엇이거나 모도가 다 『革命文學』이다. 噴水筒에서 나온 것은 다 물이요, 血管에서 나온 것은 다 피다.』『革命文學』(而已集 一六八頁)

다음에 그는 革命과 文學이 무슨 影響이 잇는가에 對하야 三時期로 分하야 말하엿다.

『(一) 革命 前에 一般 文學은 大概 種種 社會狀態에 對하야 不平을 늣기고 苦痛을 늣겨서 苦痛을 불으지지고 不平을 말한다. 世界文學 中에 이러한 種類의 文學이 적지 안타. 但 此種의 訴苦나 鳴不平의 文學이 革命에 對하여는 아모 彰響도 업다. 그 理由는 訴苦나 鳴不平은 別로 힘(力量)이 업서서 壓迫하는 사람은 如前히 모른체 한다. 쥐(鼠)가 안만 찍찍 부르지저도 곳 조흔 文學을 부르지저도 고양이(猫)가 쥐를 잡어먹을 때에는 조금도 사양을 하지 안는다. 그럼으로 계우 訴苦하고 鳴不平하는 民族은 아즉 希望이 업다. 다못 訴苦와 鳴不平에 끈칠 뿐임으로. 例를 들면 訴訟을 하는 사람들이 失敗한 便에서 寃單을 發할 때가 되면 그 對方은 별서 敵對便에 다시 訟事할 힘이 업서서 일이 끗난지를 알게 된다.[08]

(八)

그럼으로 訴苦, 鳴不平의 文學은 訴寃함과 갓태서 壓迫者는 도리어 安心을 한다. 만흔 民族은 訴苦한 것이 無用함을 알고 이 苦痛까지도 불으짓지 안한다. 그들은 沈默한 民族이 되어 漸漸 衰頹하여 진다. 埃及, 아라삐아, 波斯, 印度 等은 아모 聲音도 업다. 反抗性이 豊富하고 힘이 잇는 民族은 訴苦하는 것이 所用 업는 것을 알고 哀音에서 怒喊으로 變한다. 怒喊하는 文學이 出現하면 反抗이 곳 일어나게 된다. 그들은 이미 憤怒하엿슴으로 革命爆發 時代와 接近한 文學은 언제나 憤怒의 소리를 띄게 된다. 그것은 反抗을 할려 하고 復讐를 할려 한다.

『(二) 革命時代에는 文學이 업서진다.……모든 사람이 革命潮流의 鼓動을 바더서 呼喊에서 行動으로 變하여 감으로 革命에

---

08 魯迅, 「革命時代的文學」, 上海北新書局, 1928년 10월 초판에서 인용된 것임.

밧버서 文學을 이야기할 閑暇한 틈이 업다……』[09]

그는 窮한 때에는 文學이 업다고 한다. 假令 人力車夫가 글을 쓸려면 人力車를 놋코야 글을 쓰게 되고 짐을 지는 사람은 짐을 내려 놋코야 글을 쓰게 된 것과 가티 革命時代에는 밧부고 窮하고 싸우느라고 어느새 이에 글을 쓸 수가 업다고 한다. 그럼으로 革命時代의 文學은 沈寂하게 된다고 한다.

『(三) 革命이 成功한 後에는 社會狀態가 緩和하여서 民衆의 生活에 餘裕가 잇게 됨으로 이 때에 또 文學이 낫타나게 된다. 이러한 때의 文學은 두 種類가 잇는데 一種은 革命을 贊揚하고 革命을 稱頌하고――革命을 謳歌한다. 進步한 文學家는 社會의 改變과 社會의 向上을 생각하고 舊社會의 ××와 ×××의[10] 建設에 對하야 다 意義잇게 생각하여서 一方面으로는 舊制度의 ××[11]에 對하야 歡喜를 늣기고 一方面으로는 새 建設에 對하야 謳歌를 하게 된다. 또 一種의 文學은 舊社會의 滅亡을 弔哭――輓歌――하는 것이다. 이러한 文學도 革命 後에 잇게 된다. 엇더한 사람은 이런 文學을『反革命의 文學』이라고 하나 나는 別로 이러크름 큰 罪名을 붓칠 것이 업다고 생각한다. 革命이 비록 進行하나 社會上에 舊人物이 아즉 만하여서 決코 一時에 新人物로 變할 수는 업다. 그들의 腦中에는 舊思想과

09 위와 같음.

10 노신의 원문과 대조해보면 "破壞와 新社會"이다.

11 노신의 원문과 대조해보면 "崩壞"이다.

舊骨董이 充滿한데 環境이 漸漸 變하여서 그들 一身에 影響이 밋처 옴으로 舊時의 安逸을 回憶하게 되고 舊社會에 對하야 眷念不已하고 戀戀不離하야 녯 이야기를 말하게 되고 묵은 이야기를 하게 되어서 此種 文學을 形成하게 된다. 此種 文學은 다 哀調이어서 그들의 가슴이 不安한 것을 表示한다. 一方面으로는 새 建設이 勝利한 것을 보고 一方面으로는 묵은 ××[12]가 滅亡한 것을 본 故로 輓歌를 불으게 된다, 但 懷舊를 한 것이나 輓歌를 불은 것은 이미 革命을 한 것을 表示함이다. 萬若 革命이 업섯스면 舊人物이 得勢를 하여서 輓歌를 불으지 안하게 될 것이다.』[13]

그는 中國은 아즉 革命이 업슴으로 이 兩種 文學이 업다고 하고 露西亞에는 偉大한 作品은 업슬망정 이 兩種文學이 잇다고 한다.

그의 革命文學에 對한 意見은 大槪 우에 譯出한 바와 갓고 革命 後에 올 文學은 平民文學이라 하며 文學은 一種 餘裕의 產物이어서 一民族의 文化는 表示하는 것이나 文學이 革命에 對하야 偉力이 잇단 것은 自己(魯迅)는 懷疑를 한다 한다. 이 派의 特長은 곳 文學이란『有閑의 產物』이라 함에 잇겟다. 그럼으로 反對派에서 이 派를 趣味派라고 한 것도 여긔에 根據함이겟다.

---

12 노신의 원문과 대조해보면 "制度"이다.

13 위와 같음.

(九)

新月派의主張

新月派에는 別로 革命文學에 對하야 論駁이 甚하지 안코 다못 梁實秋氏의『文學과 革命』一文이 이 派의 主張을 代表한 것으로 보겟다. 梁氏는 이 世上 모든 文明을 天才의 創造한 것이라고 하며 天才는 어느 時期를 勿論하고 必要하며 天才가 업스면 民衆은 幸福스럽게 지낼 수가 업다고 한다. 그는 革命이 일어나는 것은 民衆이 깨어서 일어나는 것이 아니요, 社會의 領袖가 그 才格이 맛지 안코 世襲이나 或은 잘못된 機會로 因緣하야 領袖의 地位에 잇게 되어 民衆의 利益을 擁護치 못하고 도리어 害하는 때에 참 天才가 民衆새이에 숨엇다가 民衆을 指導하야 反抗運動을 일으킨 것이라고 한다. 그럼으로

> 『革命運動의 眞諦는 破壞的 手段을 써서 假領袖를 打倒하고 積極的 精神으로써 참 領袖를 擁戴한 것이다. 이에 우리는 革命에 對하야 注意할 몟 點이 잇다.
>
> 一. 革命運動은 變態 政治生活에서 나온 것이다.
>
> 二. 革命의 目標는 常態生活로 恢復한 데 잇다.
>
> 三. 革命의 精神은 反抗의 精神이오, 그 反抗하는 것은 虛僞다.
>
> 四. 革命의 經過는 暫時의 變動이요, 永久한 狀態는 아니다.

(十)

五. 革命의 爆發은 群衆 方面에 잇서서는 純專히 感情的이다.

六. 革命의 組織은 應當 紀律이 잇서야 할 것이요, 應當히 天才를 尊重하여야 할 것이다.』

라고 한다.

그는 天才를 絕對로 必要로 한다. 普通 時機에는 더 말할 것도 업고 甚至於 革命時機까지 天才가 잇서야 하고 또한 天才가 잇슴으로 革命이 일어난다고 한다. 天才를 必要하다 함에는 個人主義 思想이 包含된 것은 勿論이다. 그럼으로 이 派는 革命文學派의 『大多數의 文學』이란 말을 反對하고 文學이란 根本上으로 大多數의 것이라고 할 수가 업다고 한다. 그 理由는 이러하다.

『亭子 새이에 避하여 잇는 文人이 或은 第四階級의 苦痛을 描寫하거나 第三階級의 享福을 描寫하거나 或은 呼喊 打殺을 描寫하거나 吟風弄月을 쓰거나 結局은 個人心理의 反照에 버서나는 것이 무엇 잇는가?』

그는 文學의 要求한 것은 革命에도 잇지 안코 宣傳에도 잇지 안코 다못 『人性에 忠實한 眞實』이라고 한다. 그럼으로 그는 革命文學에서 불으지지는 『宣傳의 道具』라는 말에도 反對하며 딸아서 文學上으로 보면 『革命的 文學』이라는 그 名詞부터 矛盾이라고 한다. 文學上으로 보면 『革命時期 中의 文學』은 存在할 수가 잇서도 『革命的 文學』이라고 할 수가 업다고 한다.

(11)

그는 또 『階級文學』이란 存在할 수가 업다고 한다.

> 『文學은 全部가 人性을 根本으로 하기 때문에 絕對로 階級의 分別은 잇슬 수가 업다. 第一階級의 文學, 萬若 이러한 物件이 잇다고 하면 그것이 암만 貴族的이라도 우리는 그것이 文學이란 것은 承認하여야 한다. 그러고 그 貴族的이란 것이 조금도 그 藝術上의 價値를 減하지 못하고 또 만약 第四階級의 文學이란 것이 잇다고 하면 우리는 또한 그것이 文學이란 것으로 承認하게 된다.
>
> 그러타고 그 平民的 氣息이 決코 그 藝術上의 價値를 增高할 수는 업다. 그럼으로 文藝作品이 創作된 後에는 某一 階級에도 屬하지 안코 某一 個人에게도 屬하지 안코 全 人類 共有의 珍寶가 된다. 貧賤階級과 富貴階級 內에 各各 少數의 文學 鑑賞者가 잇고 또 各各 大部分은 鑑賞할지를 모른다. 그럼으로 文學作品과 讀者의 關係로 말하면 階級의 界線을 볼 수가 업다.』

그는 말하기를 文學上에서 가장 革命的이기는 浪漫主義인데 只今 中國서 떠드는 革命文學과 가튼 點은 浪漫主義는 個人的 色彩가 濃厚함에 反하야 後者는 大衆的이란 것이요, 革命과 文學이 共同되는 點은 다못 反抗性뿐이라고 한다. 그러나 이 反抗的 精神은 文學上에서 別로 藝術的 價値를 나타내지 못한 것이요, 或 어떠한 時代에는 文學作品에 反抗的 色彩를 띄게 될 뿐이라고 한다. 또 革命이 文學에 주는 影響은 사람의 熱情을 誘發한 것과 虛僞

에 한 嫉惡를 激起한 것 等인데 此等 本身은 그리 낫뿐 것이 아니나 그러타고 文學的 價値를 增高하지도 못하고 그 害가 적어야 文學的 價値에 損이 업다고 한다.

結局 이 派의 特徵은 天才를 文明의 指導者로 녁이는 것과 文學上 標準은 人性이요, 다른 것이 아니란 것이며 革命文學에 反對하는 點은 『階級文學』, 『多大數文學』, 『文學을 宣傳의 道具로 하는』 等 諸點이라고 하겟다.

結論

以上에 말한 것은 다못 主義上 議論에만 긋치고 그 各派의 創作에 關하여서는 조금도 言及치 못하엿다. 勿論 各各 그 理論에 빗취어서 지은 作品도 아즉 업거니와 旣往 잇는 作品에만 關하야 쓸랴도 簡單한 이 글에는 包含할 수가 업슴으로 畧하고 以下에 詩, 小說, 劇 等에 關하야 數言으로 畧記하고 그만두겟다.

中國 現 白話詩壇을 一瞥하여 보면 文學革命 當時에 比하야 倭縮하여졋다고 하겟다. 文學革命 當時에는 一般 文人이 詩로 進出하엿는데 只今에 와서는 詩에서 逃避하는 現像이라고 하겟다. 現 詩壇은 다른 劇壇이랄지 小說或은 小品 等에 比하면 不振한 狀態에 잇다. 이 不振하는 原因은 여러 가지가 잇겟지만은 그 中에 重要한 問題는 白話가 詩語로 適當하는가, 適當치 못하는가, 白話詩에도 리듬을 現著히 나타내기 爲하야 韻도 달고 글자 數도 될 수 잇는 대로 一定히 할 것인가 等이다.

(12)

그럼으로 新聞 文藝欄이람지 雜誌 等에 發表되는 詩들을 보면 各異各色의 詩形이 만타. 或은 每行의 字數를 一定히 하야서 每節 末字에 韻을 단 것도 잇고 或은 每行의 字數를 現著히 差가 잇게 하야 每行의 高低가 懸殊히 不齊한 것도 잇서서 各樣으로 다 試驗들을 하고 잇는 中이다. 그러나 一般으로는 自由詩形이어서 字數가 不一定하고 韻을 달지 안한 것이 만타. 詩形에 關하여서는 大概 以上에 말한 바와 갓고 詩의 內容에 일으러서는 少數 詩人을 除한 外에는 擧皆 吟風詠月式이어서 個人의 感傷, 靑年의 孤寂, 性의 苦悶, 失戀의悲哀, 人間의 無常 等으로 一貫한다 하여도 過言이 아니겟다. 그럼으로 詩의 大部分은 抒情短詩요, 全部가 浪漫主義 傾向이라고 볼 수 잇다.

詩壇에서 일홈잇는 詩人은 郭沫若, 徐志摩, 朱湘, 汪靜之, 聞一多, 氷心女士, 劉半農, 李金髮 等 諸氏다.

中國文壇에서 比較的 活氣잇는 것은 小說이다. 小說家로 相當한 地位를 占領한 사람은 魯迅, 郁達夫, 張資平, 葉紹鈞, 許欽文 等 諸氏다. 魯迅은 取材를 全部 農村에서 함으로 그 作品에는 地方色彩가 濃厚하고 그의 描寫는 寫實的이나 諷刺的이며 만흔 유—모어가 包含하야 잇고 郁達夫는 그의 創作 『沈淪』에 自叙式으로 自己의 思想을 表明한 것 가티 頹廢主義的이엇섯스나 近來에 革命文學을 主張하게 되엇다. 그러나 頹廢的 色彩를 떠나서 이러타는 作品을 아즉것 發表치 못하고 잇스며 張資平은 長篇小說을 專門으로 쓰고 그의 取材는 現 中國에 잇서서 新舊式 道德이 交代되며 나타나는 戀愛事件이어서 靑年男女의 性的 變態心理를 잘 描寫하는 데 만흔 特長을 가지고 잇다.

中國 新劇은 詩나 小說에 比하야 퍽 幼稚하다 아니할 수 업다. 그 原因은 舊劇의 勢力이 只今도 더 强한 까닭이겟다. 中國 舊劇은 아즉까지도 青年 學生 間에 만흔 歡迎을 밧고 잇스며 新劇은 初期인만큼 舞臺上의 技術이랄지 劇의 內容이 一般 民衆에게 迎合이 되지 못한 狀態에 잇다. 中國은 南北을 勿論하고 低級 娛樂機關을 버서난 新劇 常設舘은 한아도 업고 幾個 戲劇을 研究하는 團體랄지 學校에서 間或 試演함에 不過하다.

劇壇에서는 陳大悲가 文學革命에 胡適이 가티 中國 新劇에 만흔 貢獻이 잇섯스나 그 亦 劇에 天才가 업서 발서 先進이 되어버리고 上海에서 南國社를 組織하고 잇는 田漢과 狂飇社의 向培良과 北平藝術學院 戲劇系의 教授 熊佛西, 余上阮 等 諸氏가 만흔 努力을 하고 잇다.

小品은 全 文壇을 통트러 노코 周作人氏가 獨步를 하고 잇는데 小說月報 其他 新聞 雜誌 等에 小品과 隨筆이 만히 試驗되며 다른 部門과 同等의 步調에까지 일으게 되어 간다.

現 中國文壇을 論할 때 看過치 못할 것은 飜譯文學이다. 文學에 關한 것 뿐만 아니라 一般科學, 社會科學을 勿論하고 全部가 飜譯書籍이요, 著作은 極히 少數이다. 이것은 現 中國에서 免치 못할 現像이다. 文藝雜誌치고도 飜譯이 한 篇도 업는 雜誌는 차저 볼 수가 업스며 甚至於 飜譯만을 滿載하는 雜誌까지 出現하게 되엇다. 그 種類는 小說, 戲曲, 詩, 隨筆, 論文 等이요, 그 國別은 世界의 各國의 名作家의 것이 만흔 中 露西亞의 것이 만히 出版되엇스며 日譯에서 重譯한 것도 적지 안타. 飜譯으로 일홈 잇기는 魯迅, 周作人, 胡適, 郭沫若 等 諸氏들이다.

(完)

七·一六, 비오는 날 北平에서

엮은이 소개

최창륵(崔昌竻)

남경대학교 한국어문학과 교수로서 연변대학교 조선언어문학학부 및 동 대학원 석·박사과정을 졸업했으며, 한국 근현대문학 및 한중비교문학 전공자이다. 연구 저서로는 『리얼리즘과 한국근대문학』(남경대학출판사, 2011), 역서로는 『중국 문학 속의 한국』(소명출판, 2017), 논문으로는 「부나이푸 한국인 서사의 의미-『황야의 사나이』에서 보이는 극지상상과 문화융합을 중심으로」(2017) 등이 있다.

조영추(趙穎秋)

중국 남경대학교 한국어문학과 및 동 대학원 석사과정을 마치고 연세대학교 국어국문학과에서 박사학위를 받았다. 현재 해방기 문학과 한·중 근대문학의 비교연구에 관심을 가지고 공부하고 있다. 주요 논문으로 「언어의 미달과 사회주의 친선 감정의 자기 증식: 한설야의 소련 기행문과 소련인물 관련 소설을 중심으로」(2021), 「집단 언어와 실어 상태: 중국 문인들의 한국전쟁 참전 일기를 중심으로」(2018) 등이 있으며, 공동 역서로 『集體情感的譜系: 東亞的集體情感和文化政治』(2018)가 있다.

'한국근대문학과 중국' 자료총서 ⑩

비평 I (1917~1929)

초판 1쇄 인쇄 2021년 9월 17일
초판 1쇄 발행 2021년 9월 27일

지은이 양건식 외
엮은이 최창륵 · 조영추
기 획 『한국근대문학과 중국' 자료총서』 편찬위원회
펴낸이 이대현
편 집 이태곤 문선희 권분옥 임애정 강윤경
디자인 안혜진 최선주 이경진
마케팅 박태훈 안현진
펴낸곳 도서출판 역락
주 소 서울시 서초구 동광로 46길 6-6 문창빌딩 2층
전 화 02-3409-2060(편집), 2058(마케팅)
팩 스 02-3409-2059
등 록 1999년 4월 19일 제303-2002-000014호
전자우편 youkrack@hanmail.net
홈페이지 www.youkrackbooks.com
字 數 286,733字

ISBN 979-11-6742-025-1 04810
979-11-6742-015-2 04810(전16권)

* 책값은 뒤표지에 있습니다.
* 파본은 구입처에서 교환해 드립니다.